COLEÇÃO MISTÉRIO & SUSPENSE

EDGAR ALLAN POE

CONTOS DE TERROR, DE MISTÉRIO E DE MORTE

7ª edição

Tradução
Oscar Mendes

EDITORA
NOVA
FRONTEIRA

EDITORA NOVA FRONTEIRA PARTICIPAÇÕES S.A.
Rua Candelária, 60 – 7º andar –
Centro – 20091-020
Rio de Janeiro – RJ – Brasil
Tel.: (21) 3882-8200

IMAGENS DE CAPA E MIOLO: Arte feita a partir de Fujihine.std | Freepik; Roberto Castillo | Shutterstock; Ala Sharahlazava | Shutterstock; kamontad999 | Shutterstock

DADOS INTERNACIONAIS DE CATALOGAÇÃO NA PUBLICAÇÃO (CIP)
(CÂMARA BRASILEIRA DO LIVRO, SP, BRASIL)

Poe, Edgar Allan, 1809-1849
Contos de terror, de mistério e de morte / Edgar Allan Poe ; tradução Oscar Mendes. -- 7. ed. -- Rio de Janeiro : Nova Fronteira, 2020. --
(Coleção Mistério e Suspense)
280 p.

ISBN 978-65-5640-069-3

1. Contos de terror - Literatura norte-americana
2. Contos norte-americanos I. Título II. Série.

20-46391 CDD-813

Índices para catálogo sistemático:
1. Contos : Literatura norte-americana 813
Maria Alice Ferreira - Bibliotecária - CRB-8/7964

SUMÁRIO

Nota preliminar
Oscar Mendes
7

Berenice
11

Morela
22

O visionário
29

O Rei Peste (conto alegórico)
43

Metzengerstein
57

Ligeia
67

A queda do Solar de Usher
85

William Wilson
106

Eleonora
129

O retrato oval
136

A máscara da Morte Rubra
140

O coração denunciador
147

O gato preto
153

O poço e o pêndulo
164

Uma história das Ragged Mountains
181

O enterramento prematuro
193

O caixão quadrangular
209

O demônio da perversidade
222

Revelação mesmeriana
230

O caso do sr. Valdemar
242

O barril de amontillado
253

Hop-Frog
261

O corvo
272

NOTA PRELIMINAR

Se se deve a Poe a criação do gênero policial, com seus contos de raciocínio e dedução, cabe-lhe também o mérito de haver renovado o conto e o romance de terror, de mistério e de morte, neles introduzindo o fator científico que lhes daria certo cunho de verossimilhança e de verdade. O gênero já existia e era fartamente difundido nas letras inglesas, alemãs e francesas. Já em 1764, com o seu *Castelo de Otranto*, Horace Walpole, romancista inglês, iniciava o gênero que se chamou "romance negro" ou "romance gótico", talvez porque a ação se situava quase sempre em velhos castelos e mansões medievais. Clara Reeve secundou-o. Mais tarde Anne Radcliffe enchia seus livros de cenas e personagens aterrorizadores, Lewis imprimia-lhe a marca do satanismo e Maturin, na França, levava-o às raias da loucura e da fantasmagoria. Na Alemanha, se com Jean Paul Richter perde-se ele pelo vago e pelo poético e imaginoso, com Hoffmann atinge os limites do maravilhoso e do fantástico. Na própria América do Norte, cuja literatura apenas se iniciava, Charles Brocken Brown transplanta para as terras do Novo Mundo as fantasmagorias e horrores dos romances de Anne Radcliffe, completando-os com as obsessões e os terrores íntimos de seus personagens.

A influência do "romance negro" foi imensa na Inglaterra, na França e na Alemanha. Pode-se encontrá-la em escritores como Walter Scott, Byron, Shelley, cuja esposa, também escritora, criou o famoso personagem Frankenstein. O romantismo iria aproveitar-se de muito dos cenários e das emoções desencadeadas e até mesmo do fantástico e do maravilhoso de que os romancistas "negros" abusaram. Nodier, Victor Hugo, Jules Janin, Balzac não escaparam à influência do gênero. Mas deve-se, na verdade, a Edgar Poe tê-lo renovado, ter feito dele uma obra de arte e não apenas um meio de desencadear terrores em leitores impressionáveis, tirando-lhes o sono. Deu-lhe em primeiro lugar uma concentração de força explosiva que não existia nos demais autores que diluíam a força aterrorizante em romances enormes e por demais atravancados de coisas inúteis, numa acumulação de crimes e episódios pavorosos que, pelo próprio excesso, perdiam a verossimilhança e a possibilidade de impressionar mais fundamente o leitor.

Incapaz por natureza e pelas circunstâncias de sua vida de escrever longos romances, Poe aperfeiçoou-se na história curta, no conto, cujo valor reside especialmente na sua força concentrada. Mas o que distingue os seus contos do clássico conto ou romance de terror é certa tônica de autenticidade e de realidade que predomina nas suas histórias. Enquanto os demais autores descreviam um medo exterior, um medo que provinha do mundo sobrenatural, da fantasmagoria, um medo de cenografia teatral com alçapões, fumaça de enxofre e satanases chifrudos, rasgando risadas arrepiantes, Poe descrevia um medo real, um medo que estava dentro do personagem, um medo que estava dentro dele próprio, autor, porque eram os seus terrores, as suas fobias, os seus recalques, reais, autênticos, verdadeiramente existentes, que ele transfundia em seus personagens, que eram sempre projeções dele, Poe, e não criaturas tiradas do mundo objetivo. Não há conto algum de Poe que seja narrado na terceira pessoa. Ele é quem sempre fala, quem sempre narra ou quem está presente para ouvir a confissão deste ou daquele personagem. E é o seu "eu" repleto de terrores de presságios, de complexos, de inibições, de males físicos e morais que se revela nas suas histórias de terror e de morte.

A morte da mãe, com redobradas hemoptises, deve ter impressionado fortemente a sensibilidade do menino, que já carregava consigo a hereditariedade alcoólica do pai; sua condição de filho adotivo dos Allan, de futuro incerto, depois da morte de Frances Allan e das desavenças com John Allan; o vício do jogo e da embriaguez e mais tarde dos estupefacientes; o medo que sempre o dominou de ficar louco, pois a debilidade mental da irmã Rosália fazia-o temer que também ele perdesse a inteligência aguda e viva que era o seu orgulho; os ataques de adversários e invejosos; as condições de miséria em que quase sempre viveu; os seus complexos de origem sexual; tudo concorria para exacerbar-lhe a sensibilidade e povoar-lhe a mente de terrores intensos e alucinações. O medo, pois, que existe nos seus contos é um medo real, autêntico, sentido, arraigado. O prof. Boussoulas escreveu até mesmo um trabalho a respeito do medo na obra de Edgar Poe. Maria Bonaparte, também, numa obra compacta e minuciosa, andou, com aquele encarniçamento tão próprio dos psicanalistas e com todos os exageros da escola freudiana, a explicar todas as implicações sexuais que existem nos contos de Poe, apesar de haver ele escrito uma obra que prima pela ausência de sensualidade, pela castidade, pela aversão às cenas de amor físico.

Mas em Poe sempre existiu uma dicotomia psíquica. Sua inteligência aguda, racionalista, em que se juntavam metafísica e física, intuição poética em alto grau e raciocínio matemático, frio e desapaixonado, sempre procurava manter-se alerta, tornando-o capaz de apreciar os desenvolvimentos de seus terrores, de suas fobias, no momento mesmo em que se produziam. Era como um médico que sentia e diagnosticava os seus próprios males. Essa dicotomia marca a personalidade de Poe. Foi sempre um dilacerado, um homem dividido em duas naturezas: uma angélica e outra satânica. Sua luta contra o vício da embriaguez, contra a dipsomania, foi uma luta de longos anos. Conhecia a sua fraqueza e a condenava. Os personagens, fracos, viciosos, de seus contos nunca são exaltados ou elogiados, mas lamentados, dignos de dó e condenados a pagar com a morte os próprios vícios. Essa luta de seus dois "eus" encontra-se fixada no seu conto "William Wilson", que ele mesmo considerava dos melhores que produzira.

Os mistérios da mente, o mistério da morte constituem o tema principal dos contos de Poe. Os terrores que ele descreve com intensidade e impressionante realismo são terrores que se geram na própria mente do personagem, e a realidade ambiente é vista através desse terror e por ele deformada. No seu livro *Edgar Poe par lui-même*, o escritor Jacques Cabau assinala que "o conto de Poe é o contrário do conto de terror clássico. Em lugar de lançar um indivíduo normal num universo inquietante, Poe larga um indivíduo inquietante em um mundo normal. Nada acontece ao herói; ele é que acontece ao mundo. Não é tomado por um horror exterior; não é o medo que dispara a neurose, mas a neurose que suscita o medo. O herói é medusado pela sua própria visão. Uma vez apanhado nos seus próprios mecanismos de fascinação, é arrastado para a engrenagem da obsessão".

Numa época em que começaram a desenvolver-se o magnetismo e o espiritismo, precisamente na América do Norte, não hesitou Poe em valer-se desses novos meios de criar sensação e angústia, e não faltam em seus contos os casos de reencarnação, de hipnotização, ou mesmerismo, como se costumava chamar na ocasião. Mas em todos ou quase todos há sempre um mergulho em certas profundezas da alma, em certos estados mórbidos da mente humana, em recônditos desvãos do subconsciente. Por isso mesmo os psicanalistas lançam-se com afã ao estudo da obra de Poe, porque nela encontram exemplos a granel para ilustrar suas demonstrações. Independentemente, porém, desses aspectos, o que há nela é um talento narrativo eficiente e impressivo, uma força criadora, uma realização artística, que explicam o ascendente enorme que até os nossos dias exercem os contos de terror de Edgar Allan Poe.

– Oscar Mendes

BERENICE[1]

Dicebant mihi sodales,
si sepulchrum amicae visitarem, curas
meas aliquantulum fore levatas.[2]
— EBN ZAIAT

A desgraça é variada. O infortúnio da terra é multiforme. Arqueando-se sobre o vasto horizonte como o arco-íris, suas cores são como as deste, variadas, distintas e, contudo, intimamente misturadas. Arqueando-se sobre o vasto horizonte como o arco-íris! Como de um exemplo de beleza, derivei eu uma imagem de desencanto? Da aliança de paz, uma semelhança de tristeza? É que, assim como na ética o mal é uma consequência do bem, da mesma forma, na realidade, da alegria nasce a tristeza. Ou a lembrança da felicidade passada é a angústia de hoje, ou as amarguras que *existem* agora têm sua origem nas alegrias que *podiam ter existido*.

---

1 *Publicado pela primeira vez no* Southern Literary Messenger*, março de 1835. Título original:* Berenice.

2 *Meus companheiros me asseguravam que visitando o túmulo de minha amiga conseguiria, em parte, alívio para as minhas tristezas. (N.T.)*

Meu nome de batismo é Egeu. O de minha família não revelarei. Contudo não há torres no país mais vetustas do que as salas cinzentas e melancólicas do solar de meus avós. Nossa estirpe tem sido chamada uma raça de visionários. Em muitos pormenores notáveis, no caráter da mansão familiar, nas pinturas do salão principal, nas tapeçarias dos dormitórios, nas cinzeladuras de algumas colunas da sala de armas, porém, mais especialmente, na galeria de quadros antigos, no estilo da biblioteca e, por fim, na natureza muito peculiar dos livros que ela continha, há mais que suficiente prova a justificar aquela denominação.

As recordações de meus primeiros anos estão intimamente ligadas àquela sala e aos seus volumes, dos quais nada mais direi. Ali morreu minha mãe. Ali nasci. Mas é ocioso dizer que não havia vivido antes, que a alma não tem existência prévia. Vós negais isso. Não discutamos o assunto. Convencido eu mesmo, não procuro convencer os demais. Sinto, porém, uma lembrança de formas aéreas, de olhos espirituais e expressivos, de sons musicais, embora tristes; uma lembrança que não consigo anular; uma reminiscência semelhante a uma sombra, vaga, variável, indefinida, inconstante; e como uma sombra, também, na impossibilidade de livrar-me dela enquanto a luz de minha razão existir.

Foi naquele quarto que nasci. Emergindo assim da longa noite daquilo que parecia, mas não era, o nada, para logo cair nas verdadeiras regiões da terra das fadas, num palácio fantástico, nos estranhos domínios do pensamento monástico e da erudição, não é de admirar que tenha lançado em torno de mim um olhar ardente e espantado, que tenha consumido minha infância nos livros e dissipado minha juventude em devaneios; mas é estranho que, ao perpassar dos anos e quando o apogeu da maturidade me encontrou ainda na mansão de meus pais, uma maravilhosa inércia tenha tombado sobre as fontes da minha vida, maravilhosa a total inversão que se operou na natureza de meus pensamentos mais comuns. As realidades do mundo me afetavam como visões, e somente como visões, enquanto que as loucas ideias da terra dos sonhos tornavam-se, por sua vez, não o estofo de minha existência cotidiana, mas, na realidade, a minha absoluta e única existência.

Berenice e eu éramos primos e crescemos juntos, no solar paterno. Mas crescemos diferentemente: eu, de má saúde e mergulhado na minha melancolia; ela, ágil, graciosa e exuberante de energia. Para ela, os passeios pelas encostas da colina. Para mim, os estudos do claustro. Eu, encerrado dentro do meu próprio coração e dedicado, de corpo e alma, à mais intensa e penosa meditação. Ela, divagando descuidosa pela vida, sem pensar em sombras em seu caminho, ou no voo silente das horas de asas lutuosas. Berenice! Quando lhe invoco o nome... Berenice!, das ruínas sombrias da memória repontam milhares de tumultuosas recordações. Ah, bem viva tenho agora a sua imagem diante de mim, como nos velhos dias de sua jovialidade e alegria! Oh, deslumbrante, porém fantástica beleza! Oh, sílfide entre os arbustos de Arnheim! Oh, náiade à beira de suas fontes! E depois... depois tudo é mistério e horror, uma história que não deveria ser contada. Uma doença – uma fatal doença – soprou como um simum sobre seu corpo. E precisamente quando a contemplava, o espírito da metamorfose arrojou-se sobre ela, invadindo-lhe a mente, os hábitos e o caráter e, da maneira mais sutil e terrível, perturbando-lhe a própria personalidade! Ai! O destruidor veio e se foi, e a vítima... onde está ela? Não a conhecia... ou não mais a conhecia como Berenice!

Entre a numerosa série de males acarretados por aquela fatal e primeira doença, que realizou tão horrível revolução no ser moral e físico de minha prima, pode-se mencionar, como o mais aflitivo e o mais obstinado, uma espécie de epilepsia, que não poucas vezes terminava em catalepsia, muito semelhante à morte efetiva e da qual despertava ela, quase sempre, duma maneira assustadoramente subitânea. Entrementes, minha própria doença aumentava, pois me fora dito que para ela não havia remédio, e assumiu afinal um caráter de monomania, de forma nova e extraordinária, que, de hora em hora, de minuto em minuto, crescia em vigor e por fim veio a adquirir sobre mim a mais incompreensível ascendência. Essa monomania, se assim posso chamá-la, consistia numa irritabilidade mórbida daquelas faculdades do espírito que a ciência metafísica denomina "faculdades da atenção". É mais que provável não me entenderem. Mas temo, deveras, que me seja totalmente impossível transmitir à mente do comum dos leitores uma ideia adequada daquela nervosa *intensidade da atenção* com que, no meu caso, as faculdades meditativas (para evitar a linguagem técnica) se aplicavam e absorviam na contemplação dos mais vulgares objetos do mundo.

Meditar infatigavelmente longas horas, com a atenção cravada em alguma frase frívola, à margem de um livro ou no seu aspecto tipográfico; ficar absorto, durante a melhor parte dum dia de verão, na contemplação duma sombra extravagante, projetada obliquamente sobre a tapeçaria, ou sobre o soalho; perder uma noite inteira a observar a chama inquieta duma lâmpada, ou as brasas de um fogão; sonhar dias inteiros com o perfume duma flor; repetir, monotonamente, alguma palavra comum, até que o som, à força da repetição frequente, cesse de representar ao espírito a menor ideia; perder toda a sensação de movimento ou de existência física, em virtude de uma absoluta quietação do corpo, prolongada e obstinadamente mantida, tais eram as mais comuns e menos perniciosas aberrações, provocadas pelo estado de minhas faculdades mentais, não, de fato, absolutamente sem exemplo, mas certamente desafiando qualquer espécie de análise ou explicação.

Sejamos, porém, mais explícitos. A excessiva, ávida e mórbida atenção, assim excitada por objetos de seu natural triviais, não deve ser confundida, a propósito, com aquela propensão à meditação, comum a toda a humanidade e mais especialmente do agrado das pessoas de imaginação ardente. Nem era tampouco, como se poderia a princípio supor, um estado extremo, ou uma exageração de tal propensão, mas primária e essencialmente distinta e diferente dela. Naquele caso, o sonhador, ou entusiasta, estando interessado por um objeto, geralmente não trivial, perde, sem o perceber, de vista esse objeto, através duma imensidade de deduções e sugestões dele provindas, até que, chegando ao fim daquele sonho acordado, *muitas vezes repletos de voluptuosidade*, descobre estar o *incitamentum*, ou causa primária de suas meditações, inteiramente esvanecido e esquecido. No meu caso, o ponto de partida era *invariavelmente frívolo*, embora assumisse, por intermédio de minha visão doentia, uma importância irreal e refratária. Poucas ou nenhuma reflexões eram feitas e estas poucas voltavam, obstinadamente, ao objeto primitivo, como a um centro. As meditações nunca eram agradáveis e, ao fim do devaneio, a causa primeira, longe de estar fora de vista, atingira aquele interesse sobrenaturalmente exagerado que era a característica principal da doença. Em uma palavra: as faculdades da mente mais particularmente exercitadas em mim eram, como já disse antes, as da *atenção*, ao passo que no sonhador-acordado são as *especulativas.*

Naquela época, os meus livros, se não contribuíam eficazmente para irritar a moléstia, participavam largamente, como é fácil perceber-se, pela sua natureza imaginativa e inconsequente, das qualidades características da própria doença. Bem me lembro, entre outros, do tratado do nobre italiano Coelius Secundus Curio *De amplitudine beati regni dei*; da grande obra de santo Agostinho *A Cidade de Deus*; do *De Carne Christi*, de Tertuliano, no qual a paradoxal sentença *Mortuus est Dei filius; credible est quia ineptum est; et sepultus resurrexit; certum est quia impossible est* absorveu meu tempo todo, durante semanas de laboriosa e infrutífera investigação.

Dessa forma, minha razão, perturbada no seu equilíbrio por coisas simplesmente triviais, assemelhava-se àquele penhasco marítimo, de que fala Ptolomeu Hefestião, o qual resistia inabalável aos ataques da violência humana e ao furioso ataque das águas e dos ventos, mas tremia ao simples toque da flor chamada asfódelo. E, embora a um pensador desatento possa parecer fora de dúvida que a alteração produzida pela lastimável moléstia no estado moral de Berenice fornecesse motivos vários para o exercício daquela intensa e anormal meditação, cuja natureza tive dificuldade em explicar, tal não se deu absolutamente. Nos intervalos lúcidos de minha enfermidade, a desgraça que a feria me dava realmente pena, e me afetava fundamente o coração aquela ruína total de sua vida alegre e doce. Por isso não deixava de refletir muitas vezes, com amargura, nas causas prodigiosas que tinham tão subitamente produzido modificação tão estranha. Mas essas reflexões não participavam da idiossincrasia de minha doença, tais como teriam ocorrido, em idênticas circunstâncias, à massa ordinária dos homens. Fiel a seu próprio caráter, meu desarranjo mental preocupava-se com as menos importantes, porém mais chocantes, mudanças operadas na constituição *física* de Berenice, na estranha e mais espantosa alteração de sua personalidade.

Posso afirmar que nunca amara minha prima durante os dias mais brilhantes de sua incomparável beleza. Na estranha anomalia de minha existência, os sentimentos *nunca me provinham do coração*, e minhas paixões *eram sempre* do espírito. Através do crepúsculo matutino, entre as sombras estriadas da floresta, ao meio-dia, no silêncio de minha biblioteca, à noite, esvoaçara ela diante de meus olhos e eu a contemplara, não como a viva e respirante Berenice, mas como a Berenice de um sonho; não como um ser da terra, um ser carnal, mas como a abstração de tal ser; não como uma coisa para admirar, mas para ser analisada; não como um objeto para amar, mas como o tema da mais abstrusa, embora inconstante, especulação. E *agora*... agora eu estremecia na sua presença e empalidecia ao vê-la aproximar-se; contudo, lamentando amargamente sua deplorável decadência, lembrei-me de que ela me havia amado muito tempo, e, num momento fatal, falei-lhe em casamento.

Aproximava-se, enfim, o período de nossas núpcias quando, numa tarde de inverno de um daqueles dias intempestivamente cálidos, sossegados e nevoentos, que são a alma do belo Alcíone,[3] me sentei no mais recôndito gabinete da biblioteca. Julgava estar sozinho, mas erguendo a vista divisei Berenice, em pé, à minha frente.

---

3 Porque como Júpiter, durante a estação invernosa, dá duas vezes sete dias de calor, os homens chamavam este benigno e temperado tempo de "A ama da bela Alcíone" (Simônides). (N.T.)

Foi a minha imaginação excitada, ou a nevoenta influência da atmosfera, ou o crepúsculo impreciso do aposento, ou as cinéreas roupagens que lhe caíam em torno do corpo, que lhe deu aquele contorno indeciso e trêmulo? Não sei dizê-lo. Ela não disse uma palavra e eu por forma alguma podia emitir uma só sílaba. Um gélido calafrio correu-me pelo corpo, uma sensação de intolerável ansiedade me oprimia, uma curiosidade devoradora invadiu-me a alma e, recostando-me na cadeira, permaneci por algum tempo imóvel e sem respirar, com os olhos fixos no seu vulto. Ai! sua magreza era excessiva e nenhum vestígio da criatura de outrora se vislumbrava numa linha sequer de suas formas. O meu olhar ardente pousou afinal em seu rosto.

A fronte era alta e muito pálida, e de uma placidez singular. O cabelo, outrora negro, de azeviche, caía-lhe parcialmente sobre a testa, e sombreava as fontes encovadas com numerosos anéis, agora dum amarelo vivo, em chocante discordância, pelo seu caráter fantástico, com a melancolia que lhe dominava o rosto. Os olhos, sem vida e sem brilho, pareciam estar desprovidos de pupilas. Desviei involuntariamente a vista daquele olhar vítreo para olhar-lhe os lábios delgados e contraídos. Entreabriram-se e, num sorriso bem significativo, *os dentes* da Berenice transformada se foram lentamente mostrando. Prouvera a Deus que eu nunca os tivesse visto, ou que, tendo-os visto, tivesse morrido!

A batida duma porta me assustou e, erguendo a vista, vi que minha prima havia saído do aposento. Mas do aposento desordenado do meu cérebro não havia saído, ai de mim!, e não queria sair o *espectro* branco de seus dentes lívidos. Nem uma mancha se via em sua superfície, nem uma pinta no esmalte, nem uma falha nas suas pontas, que aquele breve tempo de seu sorriso não houvesse gravado na minha memória. Via-os *agora*, mesmo mais distintamente do que os vira *antes*. Os dentes!... Os dentes! Estavam aqui e ali e por toda parte, visíveis, palpáveis, diante de mim. Compridos, estreitos e excessivamente brancos, com os pálidos lábios contraídos sobre eles, como no instante mesmo do seu primeiro e terrível crescimento. Então desencadeou-se a plena fúria de minha *monomania* e em vão lutei contra sua estranha e irresistível influência. Nos múltiplos objetos do mundo exterior, só pensava naqueles dentes. Queria-os com frenético desejo. Todos os assuntos e todos os interesses diversos foram absorvidos por aquela exclusiva contemplação. Eles... somente eles estavam presentes aos olhos de meu espírito, e eles, na sua única individualidade, se tornaram a essência de minha vida mental. Via-os sob todos os aspectos. Revolvia-os em todas as direções. Observava-lhes as características. Detinha-me em todas as suas peculiaridades. Meditava em sua conformação. Refletia na alteração de sua natureza. Estremecia ao atribuir-lhes, em imaginação, faculdades de sentimento e de sensação, e, mesmo quando desprovidos dos lábios, capacidade de expressão moral. Dizia-se, com razão, de Mademoiselle Sallé que: *tous ses pas étaient des sentiments*, e de Berenice que: *tous ses dents étaient des idées*. *Des idées!*[4] Ah, esse foi o pensamento absurdo que me destruiu! *Des idées!* Ah, essa era a razão pela qual eu os cobiçava tão loucamente! Sentia que somente a posse deles me poderia restituir a paz para sempre, fazendo-me voltar a razão.

E assim cerrou-se a noite em torno de mim. Vieram as trevas, demoraram-se, foram embora. E o dia raiou mais uma vez. E os nevoeiros de uma segunda noite de novo se adensaram em torno de mim. E ainda sentado estava, imóvel, naquele quarto solitário, ainda mergulhado em minha meditação, ainda com o *fantasma* dos dentes mantendo sua terrível ascendência sobre mim, a flutuar, com a mais viva e hedionda nitidez, entre as luzes mutáveis e as sombras do aposento. Afinal, explodiu em meio de meus sonhos um grito de horror e de consternação, ao qual se seguiu, depois de uma pausa, o som de vozes aflitas, entremeadas de surdos lamentos de tristeza e pesar. Levantei-me e, escancarando uma das portas da biblioteca, vi, de pé, na antecâmara, uma criada, toda em lágrimas, que me

4 *Todos os seus passos eram sentimentos... / Todos os seus dentes eram ideias. Ideias! (N.T.)*

disse que Berenice havia... morrido! Sofrera um ataque epiléptico pela manhã e agora, ao cair da noite, a cova estava pronta para receber seu morador e todos os preparativos do enterro terminados.

Com o coração cheio de angústia, oprimido pelo temor, dirigi-me, com repugnância, para o quarto de dormir da defunta. Era um quarto vasto, muito escuro, e eu me chocava, a cada passo, com os preparativos do sepultamento. Os cortinados do leito, disse-me um criado, estavam fechados sobre o ataúde e naquele ataúde, acrescentou ele, em voz baixa, jazia tudo quanto restava de Berenice.

Quem, pois, me perguntou se eu não queria ver o corpo? Não vi moverem-se os lábios de ninguém; entretanto, a pergunta fora realmente feita e o eco das últimas sílabas ainda se arrastava pelo quarto. Era impossível resistir e, com uma sensação opressiva, dirigi-me a passos tardos para o leito. Ergui de manso as sombrias dobras das cortinas; mas, deixando-as cair de novo, desceram elas sobre meus ombros e, separando-me do mundo dos vivos, me encerraram na mais estreita comunhão com a defunta.

Todo o ar do quarto respirava morte; mas o cheiro característico do ataúde me fazia mal e imaginava que um odor deletério se exalava já do cadáver. Teria dado mundos para escapar, para livrar-me da perniciosa influência mortuária, para respirar, uma vez ainda, o ar puro dos céus eternos. Mas faleciam-me as forças para mover-me, meus joelhos tremiam e me sentia como que enraizado no solo, contemplando fixamente o rígido cadáver, estendido ao comprido no caixão aberto.

Deus do céu! Seria possível? Ter-se-ia meu cérebro transviado? Ou o dedo da defunta se mexera no sudário que a envolvia? Tremendo de inexprimível terror, ergui lentamente os olhos para ver o rosto do cadáver. Haviam-lhe amarrado o queixo com um lenço, o qual, não sei como, se desatara. Os lábios lívidos se torciam numa espécie de sorriso, e por entre sua moldura melancólica os dentes de Berenice, brancos, luzentes, terríveis me fixavam ainda, com uma realidade demasiado vívida. Afastei-me convulsivamente do leito e, sem pronunciar uma palavra, como um louco, corri para fora daquele quarto de mistério, de horror e de morte...

Achei-me de novo sentado na biblioteca, e de novo ali estava só. Parecia-me que havia pouco despertara de um sonho confuso e agitado. Sabia que era então meia-noite e bem ciente estava de que, desde o pôr do sol, Berenice tinha sido enterrada. Mas, durante esse tétrico intervalo, eu não tinha qualquer percepção positiva, ou pelo menos definida. Sua recordação, porém, estava repleta de horror, horror mais horrível porque vindo do impreciso, terror mais terrível porque saído da ambiguidade. Era uma página espantosa do registro de minha existência, toda escrita com sombra e com medonhas e ininteligíveis recordações. Tentava decifrá-la, mas em vão; e de vez em quando, como o espírito de um som evadido, parecia-me retinir nos ouvidos o grito agudo e lancinante de uma voz de mulher. Eu fizera alguma coisa; que era, porém? Fazia a mim mesmo tal pergunta, em voz alta, e os ecos do aposento me respondiam: *Que era?*

Sobre a mesa, a meu lado, ardia uma lâmpada e perto dela estava uma caixinha. Não era de forma digna de nota e eu frequentemente a vira antes, pois pertencia ao médico da família; mas, como viera ter *ali*, sobre minha mesa, e por que estremecia eu ao contemplá-la? Não valia a pena importar-me com tais coisas e meus olhos por fim caíram sobre as páginas abertas de um livro, sobre uma sentença nelas sublinhada. Eram as palavras singulares, porém simples, do poeta Ebn Zaiat: *Dicebant mihi sodales, si sepulchrum amicae visitarem, curas meas aliquantulum fore levatas.*

Por que, então, ao lê-las, os cabelos de minha cabeça se eriçaram até a ponta e o sangue de meu corpo se congelou nas veias?

Uma leve pancada soou na porta da biblioteca. E, pálido como o habitante de um sepulcro, um criado entrou, na ponta dos pés. Sua fisionomia estava transtornada de pavor e ele me falou numa voz trêmula, rouca e muito baixa. Que disse? Ouvi frases truncadas. Falou-me de um grito selvagem que perturbara o silêncio da noite... todos em casa se reuniram... saíram procurando em direção ao som. E depois sua voz se tornou penetrantemente distinta, ao falar-me de um túmulo violado... de um corpo desfigurado, desamortalhado, mas que ainda respirava, ainda palpitava, ainda *vivia*!

Apontou para minhas roupas; estavam sujas de coágulos de sangue. Eu nada falava e ele pegou-me levemente na mão; gravavam-se nela os sinais de unhas humanas. Chamou-me a atenção para certo objeto encostado à parede: era uma pá.

Com um grito, saltei para a mesa e agarrei a caixa que nela se achava. Mas não pude arrombá-la; e, no meu tremor, ela deslizou de minhas mãos e caiu com força, quebrando-se em pedaços. E dela, com um som tintinante, rolaram vários instrumentos de cirurgia dentária, de mistura com trinta e duas coisas brancas, pequenas, como que de marfim, que se espalharam por todo o assoalho.

MORELA[5]

Ele mesmo, por si mesmo
unicamente, eternamente Um e único.
— PLATÃO, *Symposium*

Era com sentimentos de profunda embora singularíssima afeição que eu encarava minha amiga Morela. Levado a conhecê-la por acaso, há muitos anos, minha alma, desde nosso primeiro encontro, ardeu em chamas que nunca antes conhecera; não eram, porém, as chamas de Eros, e foi amarga e atormentadora para meu espírito a convicção crescente de que eu não podia, de modo algum, definir sua incomum significação, ou regular-lhe a vaga intensidade. Conhecemo-nos, porém, e o destino conduziu-nos juntos ao altar; mas nunca falei de paixão ou pensei em amor. Ela, contudo, evitava as companhias e, ligando-se só a mim, fazia-me feliz. Maravilhar-se é uma felicidade; e é uma felicidade sonhar.

A erudição de Morela era profunda. Asseguro que seus talentos não eram de ordem comum, sua força de espírito era gigantesca.

---

5 Publicado pela primeira vez no Southern Literary Messenger*, abril de 1835. Título original:* Morella.

Senti-a e, em muitos assuntos, tornei-me seu aluno. Logo, porém, verifiquei que, talvez por causa de sua educação, feita em Presburgo, ela me apresentava numerosos desses escritos místicos que usualmente são considerados o simples sedimento da primitiva literatura germânica. Por motivos que eu não podia imaginar, eram essas obras o seu estudo favorito e constante. E o fato de que, com o correr do tempo, se tornassem elas também o meu pode ser atribuído à simples mas eficaz influência do costume e do exemplo.

Em tudo isso, se não me engano, minha razão tinha pouco a fazer. Minhas convicções, ou me desconheço, de modo algum eram conformes a um ideal, nem se podia descobrir qualquer tintura das coisas místicas que eu lia, a menos que esteja grandemente enganado, nos meus atos ou nos meus pensamentos.

Persuadido disso, abandonei-me implicitamente à direção de minha esposa e penetrei, de coração resoluto, no labirinto de seus estudos. E então... então, quando, mergulhado nas páginas nefastas, sentia um espírito nefasto acender-se dentro de mim, Morela colocava a mão fria sobre a minha e extraía das cinzas de uma filosofia morta algumas palavras profundas e singulares, cujo estranho sentido as gravava a fogo em minha memória.

Santa Maria! Volve o teu olhar tão belo,
de lá dos altos céus, do teu trono sagrado,
para a prece fervente e para o amor singelo
que te oferta, da terra, o filho do pecado.

Se é manhã, meio-dia, ou sombrio poente,
meu hino em teu louvor tens ouvido, Maria!
Sê, pois, comigo, ó Mãe de Deus, eternamente,
quer no bem ou no mal, na dor ou na alegria!

No tempo que passou, veloz, brilhante, quando
nunca nuvem qualquer meu céu escureceu,
temeste que me fosse a inconstância empolgando
e guiaste minha alma a ti, para o que é teu.

Hoje, que o temporal do Destino ao Passado
e sobre o meu presente espessas sombras lança,
fulgure ao menos meu Futuro, iluminado
por ti, pelo que é teu, na mais doce esperança!

E então, hora após hora, eu me estendia a seu lado, imergindo-me na música de sua voz, até que, afinal, essa melodia se maculasse de terror: então caía uma sombra sobre minha alma, eu empalidecia, tremia internamente àqueles sons que não eram da terra. Assim a alegria subitamente se desvanecia no horror e o mais belo se transformava no mais hediondo, como o Hinom se transformou na Geena.[6]

É desnecessário fixar o caráter exato dessas disquisições que, irrompendo dos volumes mencionados, formaram, por longo tempo, quase que o único objeto de conversação entre mim e Morela. Mas os instruídos no que se pode denominar moralidade teológica facilmente o conceberão e os leigos, de qualquer modo, não o poderiam entender. O extravagante panteísmo de Fichte; a palingenésia modificada de Pitágoras; e, acima de tudo, às doutrinas de *Identidade*, como as impõe Schelling, eram esses geralmente os assuntos de discussão que mais beleza apresentavam à imaginativa Morela. Aquela identidade que se chama pessoal, Locke, penso, define-a com realismo, como consistindo na conservação do ser racional. E, desde que por pessoa compreendemos uma essência inteligente dotada de razão, e desde que há uma consciência que sempre acompanha o pensamento, é ela que nos faz, a todos, sermos o que chamamos *nós mesmos*, distinguindo-nos por isso de outros seres que pensam e dando-nos nossa identidade pessoal. Mas o *principium individuationis*, a noção daquela identidade *que, com a morte, está ou não perdida para sempre*, foi para mim, em todos os tempos, uma questão de intenso interesse, não só por causa da natureza embaraçosa e

6 *Do latim* gehenna, *que dizem vir do hebraico* ge-hinnon, *vale de Hinom, a sudoeste de Jerusalém, no qual nos tempos da impiedade se sacrificava a Moloc. É, também, a denominação do Inferno, na Bíblia. (N.T.)*

excitante de suas consequências como pela maneira acentuada e agitada com que Morela as mencionava.

Na verdade, porém, chegara o tempo em que o mistério da conduta de minha esposa me oprimia como um encantamento. Eu não podia suportar mais o contato de seus dedos lívidos, nem o tom grave de sua fala musical, nem o brilho de seus olhos melancólicos. E ela sabia de tudo isso, porém não me repreendia; parecia consciente de minha fraqueza ou de minha loucura e, a sorrir, chamava-a Destino. Parecia também consciente de uma causa, para mim ignota, do crescente alheamento de minha amizade; mas não me dava sinal ou mostra da natureza disso. Era, contudo, mulher e fenecia dia a dia. Por fim, uma rubra mancha se fixou, firmemente, na sua face e as veias azuis de sua fronte pálida se tornaram proeminentes; por instantes minha natureza se fundia em piedade, mas, em seguida, meu olhar encontrava o brilho de seus olhos significativos e minha alma enfermava e entontecia, com a vertigem de quem olhasse para dentro de qualquer horrível e insondável abismo.

Poderei dizer então que ansiava, com desejo intenso e devorador, pelo momento da morte de Morela? Ansiei; mas o frágil espírito agarrou-se à sua mansão de argila por muitos dias, por muitas semanas, por meses penosos, até que meus versos torturados obtiveram domínio sobre meu cérebro e me tornei furioso com a demora e, com o coração de um inimigo, amaldiçoei os dias, as horas e os amargos momentos que pareciam ampliar-se cada vez mais, à medida que sua delicada vida declinava como as sombras ao morrer do dia.

Numa tarde de outono, porém, quando os ventos silenciavam nos céus, Morela chamou-me a seu leito. Sombria névoa cobria toda a terra e um resplendor ardia sobre as águas e entre as bastas folhas de outubro na floresta, como se um arco-íris tivesse caído do firmamento.

– Este é o dia dos dias – disse ela, quando me aproximei. – O mais belo dos dias para viver ou para morrer. É um belo dia para os filhos da terra e da vida... ah, e mais belo ainda para as filhas do céu e da morte!

Beijei-lhe a fronte, e ela continuou:

– Vou morrer e, no entanto, viverei.

– Morela!

– Jamais existiram esses dias em que podias amar-me... mas aquela a quem na vida aborreceste, depois de morta a adorarás.

– Morela!

– Repito que vou morrer. Mas dentro de mim há um penhor desta afeição – ah, quão pequena! – que deveste sentir por mim, Morela. E, quando meu espírito partir, a criança viverá – teu filho e meu filho, o filho de Morela. Mas os teus dias serão dias de pesar, desse pesar que é a mais duradoura das impressões, do mesmo modo que o cipreste é a mais resistente das árvores. Porque as horas da tua felicidade passaram e alegria não se colhe duas vezes numa vida, como as rosas de Paesturo[7] duas vezes num ano. Não jogarás mais, portanto, com o tempo o jogo do homem de Teos, mas, não conhecendo o mirto e a vinha, levarás contigo, por toda parte, a tua mortalha, como o muçulmano a sua em Meca.

– Morela! – exclamei. – Morela! Como sabes disto?

Ela, porém, voltou o rosto sobre o travesseiro. Leve tremor agitou-lhe os membros e assim ela morreu, não mais ouvindo eu a sua voz.

Entretanto, como o predissera ela, seu filho, a quem, ao morrer, dera à vida, que só respirou quando a mãe deixou de respirar, seu filho, uma menina, sobreviveu. E, estranhamente, cresceu em estatura e inteligência, vindo a tornar-se a semelhança perfeita daquela que se fora. E eu a amava com um amor mais fervoroso do que acreditava fosse possível sentir por qualquer criatura terrestre.

Mas dentro em pouco o céu dessa pura afeição se enegreceu e a melancolia, o horror e a angústia nele se acastelaram como nuvens. Disse que a criança crescia, estranhamente, em estatura e inteligência. Estranho, na verdade, foi o rápido crescimento de seu tamanho corporal, mas terríveis, oh!, terríveis eram os tumultuosos pensamentos que sobre mim se amontoaram, enquanto observava o desenvolvimento de sua mentalidade. Poderia ser de outra forma, quando,

7 Vila da antiga Itália, a noventa e cinco quilômetros de Nápoles, famosa pelas ruínas admiráveis que apresenta, destacando-se dentre elas as de dois templos: um, dedicado a Netuno; o outro, a Ceres. (N.T.)

diariamente, descobria eu nas concepções da criança as energias adultas e as faculdades da mulher? Quando as lições da experiência brotavam dos lábios da infância? E quando eu via a sabedoria ou as paixões da maturidade cintilarem a cada instante naqueles olhos grandes e meditativos? Quando, repito, quando tudo isso se tornou evidente aos meus sentidos aterrados, quando não mais o pude ocultar à minha alma nem repeli-lo dessas percepções, que tremiam ao recebê-lo, há de que admirar-se que suspeitas de natureza terrível e excitante se introduzissem no meu espírito, ou que meus pensamentos se tenham reportado, com horror, às histórias espantosas e às arrepiantes teorias da falecida Morela? Arranquei à curiosidade do mundo uma criatura a quem o destino me compeliu a adorar e, na rigorosa reclusão de meu lar, velava com agoniante ansiedade tudo quanto concernia à bem-amada.

E, enquanto rolavam os anos e eu contemplava, dia a dia, o seu rosto santo, suave e eloquente, e estudava-lhe as formas maturescentes, dia após dia descobria novos pontos de semelhança entre a criança e sua mãe, a melancólica e a morta. E a todo instante se tornavam mais negras aquelas sombras de semelhança e mais completas, mais definidas, mais inquietantes e mais terrivelmente espantosas no seu aspecto. Porque não podia deixar de admitir que seu sorriso era igual ao de sua mãe; mas essa *identidade* demasiado perfeita fazia-me estremecer; não podia deixar de tolerar que seus olhos fossem como os de Morela; mas eles também penetravam muitas vezes nas profundezas de minha alma com a mesma intensa e desnorteante expressividade dos de Morela. E, no contorno de sua fronte elevada, nos cachos de seu cabelo sedoso, nos seus dedos pálidos que nele mergulhavam, no timbre musical e triste de sua fala e, sobretudo – oh! acima de tudo –, nas frases e expressões da morta sobre os lábios da amada e da vida, encontrava eu alimento para um pensamento horrendo e devorador – para um verme que *não queria* morrer.

Assim se passaram dois lustros de sua vida, e, contudo, permanecia minha filha sem nome sobre a terra. "Minha filha" e "meu amor" eram os apelativos usualmente ditados por minha afeição de pai, e a severa reclusão de sua vida impedia qualquer outra relação. O nome de Morela acompanhara-a na morte. Da mãe nunca falara à filha; era impossível falar. De fato, durante o breve período de sua existência, não recebera essas últimas impressões do mundo exterior, exceto as que lhe puderam ser proporcionadas pelos estreitos limites de seu retiro. Mas afinal a cerimônia do batismo apresentou-se a meu espírito, naquele estado de agitação e enervamento, como uma libertação imediata dos terrores do meu destino. E na fonte batismal hesitei na escolha de um nome. E numerosas denominações de sabedoria e de beleza, de tempos antigos e modernos, de minha e de terras estrangeiras, vieram amontoar-se nos meus lábios, com outras lindas denominações, de nobreza, de ventura e de bondade. Quem me impeliu então a perturbar a memória da morta sepultada? Que demônio me incitou a suspirar aquele som cuja simples lembrança sempre fazia fluir, em torrentes, o sangue rubro das fontes do coração? Que espírito maligno falou dos recessos de minha alma quando, entre aquelas sombrias naves e no silêncio da noite, eu sussurrei aos ouvidos do santo homem as sílabas "Mo-re-la"? Quem senão o demônio convulsionou as feições de minha filha e sobre elas espalhou tons de morte, quando, estremecendo ao ouvir aquele som quase inaudível, volveu os olhos límpidos da terra para o céu e, caindo prostrada sobre as negras lajes de nosso mausoléu de família, respondeu: "Estou aqui!"?

Distinta, fria e calmamente precisos, esses tão poucos e tão simples sons penetraram-me nos ouvidos e, depois, como chumbo derretido, rolaram, sibilantes, dentro do meu cérebro. Anos e mais anos podem-se passar, mas a lembrança daquela época, nunca. Nem desconhecia eu de fato as flores e a vinha, mas o acônito e o cipreste ensombraram-me noite e dia. E não guardei memória de tempo ou de lugar, e as estrelas da minha sorte sumiram do céu e desde então a terra se tornou tenebrosa e suas figuras passaram perto de mim como sombras esvoaçantes, e entre elas só uma eu vislumbrava: Morela. Os ventos do firmamento somente um som murmuravam aos meus ouvidos e o marulho das ondas sussurrava sem cessar: "Morela!" Ela, porém, morreu e com minhas próprias mãos levei-a ao túmulo. E ri, uma risada longa e amarga, quando não achei traços da primeira Morela no sepulcro em que depositei a segunda.

O VISIONÁRIO[8]

Fica a esperar-me ali!
Não deixarei de te encontrar nesse profundo vale.
— HENRY KING, bispo de Chichester,
Elegia sobre a morte de sua mulher

Malfadado e misterioso homem! Desnorteado no esplendor de tua própria fantasia e tombado nas chamas de tua própria juventude! De novo, na imaginação eu te contemplo! Mais uma vez teu vulto se ergueu diante de mim... Não, não como te encontras, no frio vale, na sombra!, mas como *deverias* estar, dissipando uma vida de sublime meditação naquela cidade de sombrias visões, tua própria Veneza, que é um Eliseu do mar querido das estrelas, onde as amplas janelas dos palácios paladinos contemplam, com profunda e amarga reflexão, os segredos de suas águas silenciosas. Sim, repito-o: como deverias estar! Há seguramente outros mundos que não este... outros pensamentos que não os pensamentos da multidão... outras especulações que não as especulações dos sofistas. Quem discutirá então

8 *Publicado pela primeira vez no* Godey's Lady's Book, *janeiro de 1834, este conto é também conhecido com o título de "O encontro marcado" (*The Assignation*). Título original:* The Visionary.

tua conduta? Quem te censurará por tuas horas visionárias, ou denunciará aquelas ocupações como uma perda de vida, quando eram apenas a superabundância de tuas energias eternas?

Foi em Veneza, por baixo da arcada coberta que chamam de *Ponte di Sospiri*, que encontrei, pela terceira ou quarta vez, a pessoa de quem falo. É com uma confusa recordação que trago à mente as circunstâncias daquele encontro. Contudo, recordo... ah, como poderia esquecer!... a profunda treva da meia-noite, a Ponte dos Suspiros, a beleza de mulher e o Gênio Romântico que palmilhava abaixo e acima o estreito canal.

Era uma noite de insólita escuridão. O grande sino da Piazza havia soado a quinta hora da noite italiana. O Largo do Campanile jazia silente e deserto e as luzes, no velho Palácio Ducal, iam rapidamente morrendo. Voltava eu para casa da Piazzetta, através do Grande Canal. Mas, quando minha gôndola chegou em frente à boca do canal San Marco, uma voz feminina irrompeu subitamente de seus recessos, dentro da noite, num grito selvagem, histérico e interminável. Abalado pelo grito, ergui-me, enquanto o gondoleiro, deixando deslizar seu único remo, perdeu-o naquela escuridão de breu sem nenhuma possibilidade de recuperá-lo. Em consequência, ficamos ao sabor da corrente, que ali existe vinda do grande para o pequeno canal. Como um imenso condor de penas de areia éramos vagarosamente levados para a Ponte dos Suspiros, quando milhares de archotes acenderam-se nas janelas e nas escadarias do Palácio Ducal, transformando imediatamente toda aquela profunda treva num dia lívido e sobrenatural.

Uma criança, escorregando dos braços de sua mãe, tinha caído de uma das janelas de cima do elevado edifício dentro do fundo e sombrio canal. As águas tranquilas haviam-se fechado, placidamente, sobre sua vítima; e, embora minha gôndola fosse a única à vista, muitos nadadores ousados já se achavam dentro da água procurando em vão, na superfície, o tesouro que, infelizmente, apenas deveria ser encontrado dentro do abismo. Sobre as largas e negras lajes de mármore, à entrada do palácio, e a poucos passos acima da água, estava de pé um vulto que ninguém que o visse poderia daí por diante esquecer. Era a marquesa Afrodite, adorada por Veneza inteira, a mais alegre das criaturas alegres, a mais bela onde todas eram belas – mas também a jovem esposa do velho e intrigante Mentoni e a mãe daquela linda criança, seu primeiro e único filho, que agora, mergulhado nas águas lôbregas, pensava, cheio de amargura o coração, nas doces carícias de sua mãe e exauria sua pequenina vida lutando por chamá-la.

Ela permanecia só. Seus pequeninos pés nus e prateados cintilavam no espelho negro do mármore sobre o qual pousavam. Seu cabelo, ainda mal desnastrado dos seus enfeites de baile para o sono da noite, enrolava-se, entre um chuveiro de diamantes, em torno de sua cabeça de linhas clássicas, em cachos como os de um jacinto em botão. Uma túnica de gaze, branca como a neve, parecia ser a única coisa que lhe cobria as formas delicadas; mas o ar daquela meia-noite de verão era quente, soturno e silencioso, e nenhum movimento, naquela forma estatuária, agitava mesmo as dobras daquele vestuário vaporoso, que a envolvia como o pesado mármore envolve a Níobe. Contudo – estranho é dizê-lo! – seus grandes e brilhantes olhos não estavam voltados para baixo, para aquela sepultura onde jazia mergulhada sua mais brilhante esperança, mas fixavam-se numa direção completamente diversa! A prisão da Velha República é, penso eu, o mais majestoso edifício de toda Veneza. Mas como poderia aquela mulher olhar tão fixamente para ele, quando abaixo dela estava se extinguindo seu próprio filho? Aquele sombrio e lúgubre nicho também escancarava-se justamente diante da janela de seu quarto. Que, pois, poderia haver nas suas sombras, na sua arquitetura, nas suas cornijas solenes e cingidas de hera que a marquesa de Mentoni não houvesse contemplado antes, milhares de vezes? Absurdo! Quem não lembra que, em ocasiões como esta, os olhos, como um espelho partido, multiplicam as imagens de seu pesar e veem, em numerosos lugares distantes, a desgraça que está ali próxima?

Muitos passos acima da marquesa e sob o arco do portão que dava para a água, estava de pé, em trajes de gala, a própria figura de sátiro de Mentoni. Ele se achava, na ocasião, ocupado em arranhar uma guitarra e parecia mortalmente aborrecido quando, a intervalos, dava ordens para o salvamento de seu filho. Estupefato e horrorizado, eu mesmo não tinha forças para mover-me da posição ereta que tomara ao ouvir o primeiro grito e devo ter apresentado, à vista do grupo agitado, um aspecto espectral e sinistro quando, lívido e de membros rígidos, flutuava entre eles naquela funerária gôndola.

Todos os esforços resultaram vãos. Muitos dos mais enérgicos na busca tinham relaxado suas diligências e entregavam-se a um sombrio pesar. Parecia haver pouca esperança de salvar a criança (e quão muito menos para a mãe!). Mas então, do interior daquele escuro nicho já mencionado, como fazendo parte da prisão da Velha República – e fronteiro ao postigo da marquesa –, um vulto, envolto numa capa, adiantou-se para dentro do círculo de luz e, detendo-se um instante à beira da descida vertiginosa, mergulhou de cabeça para baixo no canal. Quando, um instante depois, ele se ergueu com a criança ainda viva e a respirar entre seus braços sobre as lajes de mármore ao lado da marquesa, sua capa, pesada da água que a embebia, desabotoou-se e, caindo em pregas em volta de seus pés, descobriu aos olhos dos espectadores, tomados de surpresa, a figura graciosa de um homem muito jovem, cujo nome repercutia então na maior parte da Europa.

O salvador nenhuma palavra pronunciou. Mas a marquesa... Receberá agora seu filho! Apertá-lo-á de encontro ao coração, abraçar-se-á estreitamente ao seu pequeno corpo e o cobrirá de carícias! Mas, ai!, os braços de *outrem* tomaram-no das mãos do estrangeiro; os braços de *outrem* tinham-no levado, tinham conduzido para longe, despercebidamente, para dentro do palácio! E a marquesa?... Seus lábios, seus lindos lábios tremem; o pranto inunda-lhe os olhos, aqueles olhos que, como o acanto de Plínio, eram "macios e quase líquidos". Sim, o pranto inunda aqueles olhos e – vede! – aquela mulher treme até a alma... a estátua recuperou a vida! O palor do rosto marmóreo, a marmórea turgescência dos seios e a alvura imácula dos pés marmóreos vemo-los, de súbito, enrubescidos por uma onda de incoercível vermelhidão. E um leve tremor lhe agita as delicadas formas como a brisa em Nápoles agita os lírios prateados que brotam dentre a relva.

Por que enrubesceu aquela mulher? Para essa pergunta não há resposta, exceto que, tendo deixado, com a pressa ávida e com o terror de um coração de mãe, a intimidade da sua alcova, tinha se esquecido de prender os delicados pés nas sandálias e completamente deixado de lançar sobre seus ombros venezianos aquela túnica que eles mereciam... Que outra possível razão haveria para que ela assim enrubescesse? Para o lampejo selvagem daqueles olhos fascinantes? Para o insólito tumulto daquele seio arfante? Para a convulsa pressão daquela mão trêmula, aquela mão que caiu, acidentalmente, quando Mentoni voltou para dentro do palácio, sobre a mão do estrangeiro? Que razão poderia haver para o som baixo, singularmente baixo, daquelas ininteligíveis palavras que a mulher apressadamente murmurou ao dizer-lhe adeus?

– Venceste – disse ela, ou os murmúrios da água me enganaram. – Venceste... Uma hora depois de o sol nascer... nós nos encontraremos... está combinado!

O tumulto se extinguira. As luzes se apagaram dentro do palácio e o estrangeiro, a quem eu agora reconhecia, ficara só sobre as lajes. Tremia inconcebivelmente agitado e seus olhos buscavam em redor uma gôndola. Não pude deixar de oferecer-lhe os serviços da minha e ele aceitou o obséquio. Tendo arranjado um remo perto do portão, seguimos juntos até sua residência, enquanto ele, rapidamente, recuperava o domínio de si mesmo e se referia ao nosso antigo e leve conhecimento, em termos aparentemente de grande cordialidade.

Há alguns pontos a respeito dos quais tenho prazer em ser minucioso. A pessoa do estrangeiro – deixe-me assim chamar quem para todo mundo era ainda um estrangeiro –, a pessoa do estrangeiro é um desses pontos. Seu porte era mais abaixo do que acima da altura média, embora em momentos de intensa paixão seu corpo como que se expandia e desmentia o asserto. A fraca e quase delgada conformação de seu vulto era mais adequada à pronta atividade que demonstrara na Ponte dos Suspiros do que à força hercúlea que, se sabe, ele revelara sem esforços, em ocasiões de mais perigosa emergência. Com a boca e o queixo de um deus, olhos estranhos, selvagens, amplos, líquidos, cujas sombras variavam do puro castanho ao intenso e brilhante azeviche; bastos cabelos negros e cacheados, dentre os quais brilhava uma fronte, a intervalos, toda luminosa e ebúrnea, uma fronte de insólita amplitude; eram feições estas, cuja regularidade clássica eu jamais vira, a não ser talvez as feições marmóreas do imperador Cômodo. Contudo, sua fisionomia não era dessas que os homens fixam para sempre. Não tinha expressão característica, nem predominante, para se gravar na memória; uma fisionomia vista e instantaneamente esquecida, mas esquecida com um vago e incessante desejo de reevocá-la à recordação. Não porque o espírito de qualquer rápida paixão deixasse, a qualquer hora, de mostrar sua imagem distinta no espelho daquela face; mas porque o espelho, sendo espelho, não retinha vestígios da paixão quando a paixão se dissipava.

Ao deixá-lo, na noite de nossa aventura, solicitou-me ele, duma maneira que reputei urgente, que o visitasse bem cedo na manhã seguinte. Logo depois do amanhecer, achei-me, por conseguinte, em seu *palazzo*, um daqueles imensos edifícios de sombria porém fantástica majestade que se erguem por cima das águas do Grande Canal, nas vizinhanças do Rialto. Subindo por uma larga escadaria circular de mosaicos, entrei num aposento cujo esplendor inigualável flamejava pela porta aberta, numa verdadeira cintilação que me tornava cego e entontecido, pela sua faustosidade.

Verifiquei que meu conhecido era rico. O que eu ouvira a respeito de suas posses me parecera uma exageração ridícula. Mas, ao olhar em torno de mim, não podia ser levado a acreditar que a riqueza de qualquer súdito europeu pudesse suprir a principesca magnificência que flamejava e resplandecia ali.

Embora, como disse, o sol já se tivesse erguido, o quarto ainda se achava brilhantemente iluminado. Julgo, por essa circunstância, bem como pelo ar de cansaço de meu amigo, que ele não se deitara durante toda a noite precedente.

Na arquitetura e embelezamentos do quarto, o objetivo evidente fora o de deslumbrar e espantar. Pouca atenção se dera à decoração do que é tecnicamente chamado "harmonia", ou às características de nacionalidade. O olhar vagava de um objeto a outro e não se fixava em nenhum, nem nos *grotesques* dos pintores gregos, nem nas esculturas das melhores épocas italianas, nem nas imensas inscrições do primitivo Egito. Ricas tapeçarias, por toda parte do quarto, tremiam à vibração de uma música suave e melancólica cuja origem não podia ser descoberta. O olfato era sufocado pela mistura de perfumes heterogêneos que exalavam de estranhos incensários retorcidos, juntamente com numerosas e agitadas línguas flamejantes dum fogo de esmeralda e violeta. Os raios do sol, que acabava de nascer, banhavam todo o quarto através das janelas formadas, cada uma, de simples peça de vidro cor-de-rosa. Cintilando para lá e para cá, em mil reflexos, das cortinas que pendiam de suas cornijas como cataratas de prata derretida, os raios da luz natural misturavam-se por fim, caprichosamente, com a luz artificial e rolavam, em massas avassaladoras, sobre um tapete de um rico tecido, que parecia o ouro líquido do Chile.

– Ah, ah, ah! Ah, ah, ah! – riu o proprietário, apontando-me uma cadeira, quando eu entrei no quarto, e lançando-se de costas, a fio comprido, sobre uma otomana. – Vejo – disse ele, notando que eu não podia imediatamente adaptar-me à esquisitice de tão singular acolhida –, vejo que está atônito à vista de meu aposento, de minhas estátuas, de meus quadros, de minha originalidade de concepção em arquitetura e tapeçamento... Absolutamente embriagado, hein, com a minha magnificência? Mas, perdoe-me, meu caro senhor – e aqui o tom de sua voz encheu-se do verdadeiro espírito de cordialidade –, perdoe-me a minha descaridosa gargalhada. O senhor se mostrou tão extremamente atônito! Além disso, algumas coisas há tão completamente ridículas que um homem deve rir ou morrer. Morrer rindo deve ser a mais gloriosa de todas as mortes gloriosas! Sir Thomas More, e que homem inteligente era Sir Thomas More!, morreu rindo, como o senhor se recorda. Também nos *Absurdos* de Ravisius Textor há uma longa lista de personagens que tiveram o mesmo magnífico fim. O senhor sabe, porém – continuou ele, reflexivamente –, que em Esparta (que é agora Palaeochori), em Esparta, como disse, a oeste da cidadela, entre um amontoado de ruínas dificilmente visíveis, há uma espécie de soco, sobre o qual se leem ainda as letras "LASM". Fazem parte, sem dúvida, da palavra "GELASMA". Ora, em Esparta havia milhares de templos e santuários dedicados a milhares de divindades diferentes. Como é excessivamente estranho que o altar do Riso tenha sobrevivido a todos os outros! Mas na presente circunstância – prosseguiu ele, com singular alteração da voz e das maneiras – não tenho o direito de alegrar-me à sua custa. O senhor tinha bem razão de ficar admirado. A Europa não pode produzir qualquer coisa tão bela como esta, este meu régio gabinete. Meus outros aposentos não são, de modo algum, da mesma espécie; são meros "ultras" de insipidez elegante. Isto é melhor do que a moda, não é? Contudo, basta o que se está vendo para provocar o despeito daqueles que só poderiam adquiri-lo à custa de seu inteiro patrimônio. Tenho evitado, porém, semelhante profanação. Com uma exceção apenas: é o senhor a única criatura humana, além de mim mesmo e de meu criado, a ser admitido dentro dos mistérios deste recinto imperial desde que ele foi adornado da maneira que o senhor vê...

Curvei-me, reconhecido, pois a dominante sensação de esplendor, o perfume e a música, juntamente com a inesperada excentricidade da fala e das maneiras dele, impediam-me de exprimir, com palavras, aquilo que eu compusera na mente como um cumprimento.

– Aqui – continuou ele, levantando-se e apoiando-se no meu braço, enquanto vagava pelo aposento –, aqui estão pinturas, desde os gregos até Cimabue, e de Cimabue até a época atual. Muitas foram escolhidas, como vê, com pouco respeito às opiniões da crítica de arte. Todas, porém, são tapeçarias adequadas a um quarto como este. Aqui, também, há algumas obras-primas dos grandes desconhecidos... e, ali, desenhos inacabados de homens célebres na sua época e cujos verdadeiros nomes a perspicácia das academias abandonou ao silêncio e a mim. Que pensa o senhor – disse ele, voltando-se bruscamente, enquanto falava –, que pensa o senhor desta *Madonna della Pietà*?

– É do próprio Guido! – disse eu, com todo o entusiasmo de minha natureza, pois tinha estado de olhos atentamente fixos sobre sua beleza transcendente. – É do próprio Guido! Como pôde obtê-la? É, indubitavelmente, em pintura, o que Vênus é em escultura!...

– Ah! – disse ele pensativamente. – Vênus... a bela Vênus... a Vênus dos Médicis? A de cabeça pequena e de cabelo dourado? Parte do braço esquerdo – aí sua voz baixou, a ponto de ser ouvida com dificuldade – e todo o braço direito são restaurações; e no amaneirado daquele braço direito se encontra, penso eu, a quinta-essência de toda a afetação. Para mim, a Vênus de Canova! O próprio Apolo, também, é uma cópia... não pode haver dúvida... Oh, louco, estúpido cego que eu sou, que não posso apreender a ostentosa inspiração do Apolo! Não posso deixar, pobre de mim, não posso deixar de preferir o Antínoo. Não foi Sócrates quem disse que o escultor descobre sua estátua no bloco de mármore? Por isso Miguel Ângelo não foi, de modo algum, original nos seus versos:

Non ha l'ottimo artista alcun concetto
che un marmo solo in se non circunscriva.[9]

Tem sido ou deveria ter sido notado que na maneira dos verdadeiros homens de gosto nós sempre estamos cônscios de uma diferença do procedimento do homem vulgar, sem sermos imediata e precisamente capazes de determinar em que consiste tal diferença. Admitindo que a observação se aplicasse em todo o seu vigor à conduta estranha de meu conhecido, sentia, naquela manhã cheia de acontecimentos, que ela era mais plenamente aplicável ainda ao seu temperamento moral e ao seu caráter. Nem posso eu melhor definir aquela peculiaridade de espírito que parecia colocá-lo tão essencialmente à parte de todos os outros seres humanos do que chamando-a um *hábito* de intenso e contínuo pensamento, tomando conta até mesmo de suas mais triviais ações, intrometendo-se nos seus momentos de ócio e interferindo nas suas explosões de alegria, como

9 *Não tem o ótimo artista algum conceito/ que um mármore só em si não circunscreva. (N.T.)*

serpentes que irrompem dos olhos das máscaras careteantes nas cornijas que cercam os templos de Persépolis.

Não podia deixar, porém, de repetidas vezes observar, através do tom de misturada leviandade e solenidade com que ele rapidamente comentava assuntos de pouca importância, certo ar de trepidação, um grau de *fervor* nervoso no agir e no falar, certa inquieta excitabilidade de maneiras que a mim me parecia, a todo tempo, inexplicável e, em algumas ocasiões mesmo, me alarmava. Frequentemente, também, parando em meio de uma frase cujo começo tinha sido, na aparência, esquecido, parecia estar escutando em meio da mais profunda atenção, como se esperasse, de momento, um visitante ou ouvisse sons que só deviam ter existência na sua imaginação.

Foi durante um desses devaneios ou pausas de aparente abstração que, passando uma folha da bela tragédia do poeta e erudito Policiano, *Orfeu* (a primeira tragédia original italiana), que estava ao meu lado sobre uma otomana, descobri um trecho sublinhado a lápis. Era uma passagem, já no fim do terceiro ato, uma passagem da mais excitante comoção, uma passagem que, embora tinta de impureza, nenhum homem lerá sem um arrepio de nova emoção e nenhuma mulher sem um suspiro. A página inteira estava manchada de lágrimas recentes e, na página oposta, viam-se os seguintes versos ingleses, escritos numa caligrafia tão diferente da letra característica de meu conhecido que tive alguma dificuldade em reconhecer como de seu próprio punho:

Tudo quanto anelei foste, amor,
tudo quanto minha alma queria:
ilha verde nos mares, amor,
templo, fonte que límpida fluía
num jardim de encantado primor
onde a mim cada flor pertencia.

Ah, o sonho fulgiu demais, para
persistir! Foi anseio estrelado
que morreu, mal surgira e brilhara!

Diz-me "Avante" o Futuro em voz clara;
não o escuto! Somente o Passado
(triste abismo) é que o espírito encara,
mudo, lívido, petrificado.

Sim, a luz me fugiu desta vida!
Foi-se a chama! Ficaram-me os ais.
Nunca mais, nunca mais, nunca mais
(ah! com essas palavras fatais
fala às praias a vaga abatida),
fronde ao raio tombada, jamais
te hás de erguer, nem tu, águia ferida!

E meus dias em êxtases passo,
e meu sonho procura no espaço
teu olhar, onde quer que o escondas,
e o fulgor de teus rastros, o traço
de teus pés, em celestes, mil rondas,
junto a eternas, incógnitas ondas.

Causou-me pouca surpresa que aqueles versos estivessem escritos em inglês, língua que eu não acreditava fosse do conhecimento de seu autor. Mas também estava certo da extensão de seus conhecimentos e do singular prazer que ele experimentava em ocultá-los à observação, para que me espantasse diante de semelhante descoberta. O lugar da data, porém, devo confessar, causou-me não pequeno espanto. Fora originariamente de *Londres* e depois, cuidadosamente riscado, não porém de modo eficiente para ocultar a palavra a um olhar escrutinador. Afirmo que isso me causou não pequeno espanto, pois bem me recordo de que, em anterior conversa com meu amigo, inquiri particularmente dele se havia se encontrado em Londres, alguma vez, com a marquesa de Mentoni (que durante alguns anos, antes de seu casamento, havia residido naquela cidade), quando sua resposta, se não me engano, deu-me a entender que ele nunca visitara a metrópole da Grã-Bretanha. Eu poderia, entretanto, aqui mencionar que mais de uma vez ouvi (sem indubitavelmente dar crédito a um boato, que implicava tantas improbabilidades) que a pessoa de quem falo era, não só de nascimento, mas de educação, *inglês*.

— Há um quadro — disse ele, sem saber que eu conhecia a tragédia —, há ainda um quadro que o senhor não viu.

E, afastando para um lado uma cortina, descobriu um retrato inteiro da marquesa Afrodite.

A arte humana nada mais podia ter feito no delinear-lhe a sobre-humana beleza. O mesmo vulto etéreo que se erguera diante de mim na noite precedente sobre os degraus do Palácio Ducal ali permanecia à minha frente, mais uma vez. Mas, na expressão da fisionomia, toda a cintilar de sorrisos, ali ainda se ocultava (anomalia incompreensível!) aquela caprichosa sombra de melancolia que sempre se encontra como inseparável da perfeição do belo.

Seu braço direito dobrava-se sobre seu seio. Com o braço esquerdo apontava para um vaso de formato estranho. Um pequeno e lindo pé, mal visível, tocava de leve a terra; e, dificilmente discernível, na brilhante atmosfera que parecia cercar e aureolar sua beleza, flutuava um par das mais delicadamente imaginadas asas. Meu olhar desceu do quadro para o rosto de meu amigo e as vigorosas palavras do *Bussy d'Amboise*, de Chapman, palpitaram-me, instintivamente, nos lábios:

Está de pé ali
Como uma romana estátua. E assim ficará
Até que a morte em mármore o transforme!

— Venha! — disse ele afinal, voltando-se para uma mesa de prata maciça, ricamente esmaltada, sobre a qual viam-se várias taças fantasticamente pintadas, ao lado de dois grandes vasos etruscos, talhados no mesmo extraordinário modelo do do primeiro plano do quadro, e cheios do que supunha eu ser Johannisberger.

– Venha! – disse ele bruscamente. – Bebamos! É cedo ainda, mas bebamos! É *realmente* cedo – continuou ele, reflexivamente, quando um querubim, com um pesado martelo de ouro, fez o aposento retinir com a primeira hora depois do nascer do sol. – É *realmente* cedo... Mas que importa? Bebamos! Façamos uma libação àquele solene sol que essas brilhantes lâmpadas e incensários estão tão ávidos de dominar!

E, tendo-me feito brindá-lo com um enorme copo, engoliu, em rápida sucessão, várias taças de vinho.

– Sonhar – continuou ele, no tom de sua inconstante conversa, ao erguer, diante da viva flama dum incensário, um dos magníficos vasos –, sonhar tem sido a ocupação de minha vida. Armei, pois, para mim, como vê, um camarim de sonhos. Poderia construir um melhor no coração de Veneza? O senhor observa em torno de si, é verdade, uma mistura de adornos arquitetônicos. A castidade de Iônia é ofendida pelas inscrições antediluvianas e as esfinges do Egito se estendem sobre tapetes dourados. Contudo, o efeito só é incongruente para o tímido. Conveniências de lugares, e especialmente de tempo, são os fantasmas que afastam a humanidade aterrorizada da contemplação do magnificente. Fui outrora decorador, mas esta sublimação do disparate embotou a minha alma. Tudo isso é agora o mais apropriado para meu propósito. Como aqueles arabescados incensários, meu espírito se estorce em labaredas e o delírio desta cena está se amoldando para as mais insensatas visões daquela região de verdadeiros sonhos para onde estou agora rapidamente partindo.

Aqui parou subitamente, inclinou a cabeça sobre o peito e pareceu escutar um som que eu não podia ouvir. Por fim, erguendo o busto, olhou para cima e proferiu os versos do bispo de Chichester:

> Fica a esperar-me ali! Não deixarei
> De te encontrar nesse profundo vale.

No momento seguinte, reconhecendo o poder do vinho, lançou-se, a fio comprido, sobre uma otomana.

Ouviu-se então um leve rumor de passos na escadaria, a que logo se seguiu pesada pancada na porta. Apressava-me em evitar segunda interrupção, quando um pajem da casa de Mentoni irrompeu pelo quarto e gaguejou, numa voz embargada de emoção, estas incoerentes palavras:

– A minha senhora... a minha senhora... envenenada... envenenada! Oh, formosa... oh, formosa Afrodite!

Atordoado, corri para a otomana e tentei despertar o adormecido para que soubesse da apavorante informação. Mas seus membros estavam rígidos, seus lábios estavam lívidos, seus olhos, ainda há pouco cintilantes, estavam revirados pela *morte*. Recuei, cambaleante, para a mesa. Minha mão caiu sobre uma taça partida e enegrecida e a consciência da completa e terrível verdade brilhou subitamente na minha alma.

O REI PESTE[10] (CONTO ALEGÓRICO)

Os deuses suportam nos reis,
e permitem, as coisas que odeiam em meio à ralé.
— BUCKHURST, *A tragédia de Ferrex e Porrex*

Por volta da meia-noite de um dia do mês de outubro, durante o cavalheiresco reinado de Eduardo III, dois marinheiros pertencentes à tripulação do *Free and Easy* (Livre e Feliz), escuna de comércio que trafegava entre Eclusa (Bélgica) e o Tâmisa, e então ancorada neste rio, ficaram bem surpresos ao se acharem sentados na ala duma cervejaria da paróquia de Santo André, em Londres, a qual tinha como insígnia a tabuleta dum "Alegre Marinheiro".

A sala, embora malconstruída, enegrecida de fuligem, acachapada e, sob todos os outros aspectos, semelhante às demais tabernas daquela época, estava, não obstante, na opinião dos grotescos grupos de frequentadores ali dentro espalhados, muito bem adaptada a seu fim.

10 *Publicado pela primeira vez no* Southern Literary Messenger, *setembro de 1835. Título original:* King Pest the First. A Tale Containing an Allegory.

Dentre aqueles grupos, formavam nossos dois marinheiros, creio eu, o mais interessante, se não o mais notável.

O que parecia mais velho e a quem seu companheiro se dirigia chamando-o pelo característico apelido de *Legs* (Pernas) era também o mais alto dos dois. Mediria talvez uns dois metros e dez centímetros de altura e a inevitável consequência de tão grande estatura se via no hábito de andar de ombros curvados. O excesso de altura era, porém, mais que compensado por deficiências de outra natureza. Era excessivamente magro e poderia, como afirmavam seus companheiros, substituir, quando bêbedo, um galhardete no topete do mastro, ou servir de pau de bujarrona, se não estivesse embriagado. Mas essas pilhérias e outras de igual natureza jamais produziram, evidentemente, qualquer efeito sobre os músculos cachinadores do marinheiro. Com as maçãs do rosto salientes, grande nariz adunco, queixo fugidio, pesado maxilar inferior e grandes olhos protuberantes e brancos, a expressão de sua fisionomia, embora repassada duma espécie de indiferença intratável por assuntos e coisas em geral, nem por isso deixava de ser extremamente solene e séria, fora de qualquer possibilidade de imitação ou descrição.

O marujo mais moço era, pelo menos aparentemente, o inverso de seu companheiro. Sua estatura não ia além de um metro e vinte. Um par de pernas atarracadas e arqueadas suportava-lhe o corpo pesado e rechonchudo, enquanto os braços, descomunalmente curtos e grossos, de punhos incomuns, pendiam balouçantes dos lados, como as barbatanas duma tartaruga marinha. Os olhos pequenos, de cor imprecisa, brilhavam-lhe encravados fundamente nas órbitas. O nariz se afundava na massa de carne, que lhe envolvia a cara redonda, cheia, purpurina. O grosso lábio superior descansava sobre o inferior, ainda mais carnudo, com um ar de complacente satisfação pessoal, mais acentuada pelo hábito que tinha o dono de lamber os beiços, de vez em quando. É evidente que ele olhava seu camarada alto com um sentimento meio de espanto, meio de zombaria, e, quando, às vezes, erguia a vista para encará-lo, parecia o vermelho sol poente a fitar os penhascos de Ben Nevis.

Várias e aventurosas haviam, porém, sido as peregrinações do digno par, pelas diversas cervejarias da vizinhança, durante as primeiras horas da noite. Mas os cabedais, por mais vastos que sejam, não podem durar sempre e foi de bolsos vazios que nossos amigos se aventuraram a entrar na taberna aludida.

No momento preciso, pois, em que esta história começa, Legs e seu companheiro, Hugh Tarpaulin,[11] estão sentados, com os cotovelos apoiados na grande mesa de carvalho, no meio da sala, e a cara metida entre as mãos. Olhavam, por trás duma enorme garrafa de *humming-stuff* a pagar, as agourentas palavras *Não se fia* que, para indignação e espanto deles, estavam escritas a giz na porta de entrada.[12] Não que o dom de decifrar caracteres escritos – dom considerado então, entre o povo, pouco menos cabalístico do que a arte de escrever – pudesse, em estrita justiça, ter sido deixado a cargo dos dois discípulos do mar; mas havia, para falar a verdade, certa contorção no formato das letras, uma indescritível guinada no conjunto, que pressagiava, na opinião dos dois marinheiros. Uma longa viagem de tempo ruim, e os decidia a, imediatamente, na linguagem alegórica do próprio Legs, "correr às bombas, ferrar todas as velas e correr com o vento em popa".

Tendo, consequentemente, consumido o que restava da cerveja, e abotoado seus curtos gibões, trataram afinal de saltar para a rua. Embora Tarpaulin houvesse, por duas vezes, entrado chaminé adentro, pensando tratar-se da porta, conseguiram por fim realizar com êxito a escapada, e meia hora depois da meia-noite achavam-se nossos heróis prontos para outra e correndo a bom correr por uma escura viela, na direção da Escada de Santo André, encarniçadamente perseguidos pela taberneira do "Alegre Marinheiro".

Periodicamente, durante muitos anos antes e depois da época desta dramática história, ressoava, por toda a Inglaterra, e mais especialmente na metrópole, o espantoso grito de "Peste!". A cidade

---

11 Tarpaulin, *lenço ou chapéu encerado, e também marinheiro. (N.T.)*

12 *O autor faz aqui um jogo de palavras intraduzível com a expressão* No chalk, *que tanto quer dizer "não se fia" como "não há giz". (N.T.)*

estava em grande parte despovoada, e naqueles horríveis bairros das vizinhanças do Tâmisa, onde, entre aquelas vielas e becos escuros, estreitos e imundos, o Demônio da Peste tinha, como se dizia, seu berço, a Angústia, o Terror e a Superstição passeavam, como únicos senhores, à vontade.

Por ordem do rei, estavam aqueles bairros condenados e as pessoas proibidas, sob pena de morte, de penetrar-lhes a lúgubre solidão. Contudo, nem o decreto do monarca, nem as enormes barreiras erguidas às entradas das ruas, nem a perspectiva daquela hedionda morte que, com quase absoluta certeza, se apoderaria do desgraçado, a quem nenhum perigo poderia deter de ali aventurar-se, impediam que as habitações vazias e desmobiliadas fossem despojadas, pelos rapinantes noturnos, de coisas como ferro, cobre ou chumbo, que pudessem, de qualquer maneira, ser transformadas em lucro apreciável.

Verificava-se, sobretudo, por ocasião da abertura anual das barreiras, no inverno, que fechaduras, ferrolhos e subterrâneos secretos não passavam de fraca proteção para aqueles ricos depósitos de vinhos e licores que, dados os riscos e incômodos da remoção, muitos dos numerosos comerciantes, com estabelecimentos na vizinhança, tinham consentido em confiar, durante o período de exílio, a tão insuficiente segurança.

Mas poucos eram, entre o povo aterrorizado, os que atribuíam tais fatos à ação de mãos humanas. Os espíritos, os duendes da peste, os demônios da febre eram, para o povo, os autores das façanhas. E tamanhas histórias arrepiantes se contavam a toda hora que toda a massa de edifícios proibidos ficou, afinal, como que envolta numa mortalha de horror e os próprios ladrões, muitas vezes, se deixavam tomar do pavor que suas depredações haviam criado e abandonaram todo o vasto recinto do bairro proibido às trevas, ao silêncio, à peste e à morte.

Foi uma daquelas terríficas barreiras já mencionadas e que indicavam estar o bairro adiante sob a condenação da peste que deteve, de repente, a disparada em que vinham, beco adentro, Legs e o digno Hugh Tarpaulin. Arrepiar caminho estava fora de cogitação e não havia tempo a perder, pois os perseguidores se achavam quase a seus calcanhares. Para marinheiros chapados era um brinquedo subir por aquela tosca armação de madeira; exasperados pela dupla excitação do licor e da corrida, pularam sem hesitar para o outro lado e, continuando sua carreira de ébrios, com berros e urros, em breve se perderam naquelas profundezas intrincadas e pestilentas.

Não se achassem eles tão embriagados, a ponto de haverem perdido o senso moral, o horror de sua situação lhes teria paralisado os passos vacilantes. O ar era frio e nevoento. As pedras do calçamento, arrancadas do seu leito, jaziam em absoluta desordem, em meio ao capim alto e viçoso, que lhes subia em torno dos pés e tornozelos. Casas desmoronadas obstruíam as ruas. Os odores mais fétidos e mais deletérios dominavam por toda parte, e, graças àquela luz lívida que, mesmo à meia-noite, nunca deixa de emanar duma atmosfera pestilencial e brumosa, podiam-se perceber, jacentes nos atalhos e becos, ou apodrecendo nas casas sem janelas, as carcaças de muitos saqueadores noturnos, detidos pela mão da peste, no momento mesmo da perpetração de seu roubo.

Mas não estava no poder de imagens, sensações ou obstáculos como esses deter a corrida de homens que, naturalmente corajosos e, especialmente naquela ocasião, repletos de coragem e de *humming-stuff*, teriam ziguezagueado, tão eretos quanto lhes permitia seu estado, sem temor, até mesmo dentro das fauces da Morte. Na frente, sempre na frente, caminhava o disforme Legs, fazendo aquele deserto solene soar e ressoar, com berros semelhantes aos terríveis urros de guerra dos índios; e para a frente, sempre para a frente, rebolava o atarracado Tarpaulin, agarrado ao gibão de seu companheiro mais ativo, levando-lhe enorme vantagem nos tenazes esforços, à moda de música vocal, com seus mugidos taurinos arrancados das profundezas de seus pulmões estentóricos.

Haviam agora evidentemente alcançado o reduto da peste. A cada passo, ou a cada tropeção, o caminho que seguiam se tornava mais fedorento e mais horrível, as veredas mais estreitas e mais intrincadas. Enormes pedras e vigas que caíam de repente dos telhados desmoronados demonstravam, com sua queda soturna e pesada, a altura prodigiosa das casas circunvizinhas; e, quando lhes era necessário imediato esforço para forçar passagem através de frequentes montões de caliça, não era raro que a mão caísse sobre um esqueleto ou pousasse num cadáver ainda com carne.

De repente, ao tropeçarem os marujos, à entrada dum elevado e sinistro edifício, um berro, mais retumbante que os outros, irrompeu da garganta do excitado Legs e lá de dentro veio uma resposta, em rápida sucessão de ferozes e diabólicos guinchos, semelhantes a risadas. Sem se intimidarem com aqueles sons que, pela sua natureza, pela ocasião e pelo lugar, teriam gelado todo o sangue de corações menos irrevogavelmente incendiados, o par de bêbedos embarafustou pela porta, escancarando-a e, cambaleantes, com um chorrilho de pragas, se viram em meio a um montão de coisas.

A sala em que se encontravam era uma loja de cangalheiro; mas um alçapão, a um canto do soalho, perto da entrada, dava para uma longa fileira de adegas, cujas profundezas, reveladas pelo ocasional rumor de garrafas que se partiam, estavam bem sortidas do conteúdo apropriado. No meio da sala havia uma mesa, em cujo centro se erguia uma enorme cuba, cheia, ao que parecia, de ponche. Garrafas de vários vinhos e cordiais, juntamente com jarros, pichéis e garrafões de todo formato e qualidade, estavam espalhadas profusamente pela mesa. Em torno desta via-se um grupo de seis indivíduos sentados em catafalcos. Vou tentar descrevê-los um por um.

Em frente à porta de entrada e em plano acima dos companheiros estava sentado um personagem que parecia ser o presidente da mesa. Era descarnado e alto, e Legs sentiu-se confuso ao notar nele um aspecto mais emaciado do que o seu. Tinha o rosto açafroado, mas nenhum de seus traços, exceção feita de um, era bastante característico para merecer descrição especial. Aquele traço único consistia numa fronte tão insólita e tão horrivelmente elevada que tinha a aparência de um boné ou coroa de carne acrescentada à cabeça natural. Sua boca, enrugada, encovava-se numa expressão de afabilidade horrível, e seus olhos, bem como os olhos de todos quantos se achavam em torno à mesa, tinham aquele humor vítreo da embriaguez. Esse cavalheiro trajava, da cabeça aos pés, uma mortalha de veludo de seda negra, ricamente bordada, que lhe envolvia, com displicência, o corpo à moda duma capa espanhola. Estava com a cabeça cheia de plumas negras mortuárias, que ele fazia ondular para lá e para cá, com um ar afetado e presunçoso. E na mão direita segurava um enorme fêmur humano, com o qual parecia ter acabado de bater em algum dos presentes para que cantasse.

Defronte dele, e de costas para a porta, estava uma mulher de fisionomia não menos extraordinária. Embora tão alta quanto o personagem que acabamos de descrever, não tinha direito de se queixar da mesma magreza anormal. Encontrava-se, evidentemente, no derradeiro grau de uma hidropisia e seu todo era bem semelhante ao imenso pipote de cerveja de outubro que se erguia, de tampa arrombada, a seu lado, a um canto do aposento. Seu rosto era excessivamente redondo, vermelho e cheio e a mesma peculiaridade, ou antes falta de peculiaridade, ligada à sua fisionomia, que já mencionei no caso do presidente, isto é, somente uma feição de seu rosto era suficientemente destacada para merecer caracterização especial. De fato, o perspicaz Tarpaulin notou logo que a mesma observação podia ser feita a respeito de um dos indivíduos ali presentes. Cada um deles parecia monopolizar alguma porção particular de fisionomia. Na dama em questão, essa parte era a boca. Começando na orelha direita, rasgava-se, em aterrorizante fenda, até a esquerda. Ela fazia, no entanto, todos os esforços para conservar a boca fechada, com ar de dignidade. Seu traje consistia num sudário, recentemente engomado e passado a ferro, chegando-lhe até o queixo, com uma gola encrespada de musselina de cambraia.

À sua direita sentava-se uma mocinha chocha, a quem ela parecia amadrinhar. Essa delicada criaturinha deixava ver, pelo tremor de seus dedos descarnados, pela lívida cor de seus lábios e pela leve mancha héctica que lhe tingia a tez, aliás cor de chumbo, sintomas de tuberculose galopante. Um ar de extrema distinção, porém, dominava em toda a sua aparência. Usava, duma maneira graciosa e negligente, uma larga e bela mortalha da mais fina cambraia indiana. Seu cabelo caía-lhe em cachos sobre o pescoço. Um leve sorriso pairava-lhe nos lábios, mas seu nariz, extremamente comprido, delgado, sinuoso, flexível e cheio de borbulhas, acavalava-se por demais sobre o lábio inferior; e, a despeito da delicada maneira pela qual ela, de vez em quando, o movia para um lado e outro com a língua, dava-lhe à fisionomia uma expressão um tanto quanto equívoca.

Do outro lado, e à esquerda da dama hidrópica, estava sentado um velho pequeno, inchado, asmático e gotoso, cujas bochechas lhe repousavam sobre os ombros como dois imensos odres de vinho do Porto. De braços cruzados e uma perna enfaixada posta sobre a mesa, parecia achar-se com direito a alguma consideração. Evidentemente orgulhava-se bastante de cada centímetro de sua aparência pessoal, mas sentia mais especial deleite em chamar a atenção para seu sobretudo de cores vistosas. Para falar a verdade, não deveria ter este custado pouco dinheiro e lhe assentava esplendidamente bem, talhado como estava em uma dessas cobertas de seda, curiosamente bordadas, pertencentes àqueles gloriosos escudos que, na Inglaterra e noutros lugares, são ordinariamente suspensos, em algum lugar bem patente, nas residências de aristocratas falecidos.

Junto dele, e à direita do presidente, via-se um cavalheiro, com compridas meias brancas e ceroulas de algodão. Seu corpo tremelicava, de maneira ridícula, num acesso daquilo que Tarpaulin chamava "os terrores". Seus queixos, recentemente barbeados, estavam atados estreitamente por uma faixa de musselina, e, tendo os braços amarrados nos pulsos da mesma maneira, não lhe era possível servir-se, muito à vontade, dos licores que se achavam sobre a mesa, precaução necessária, na opinião de Legs, graças à expressão caracteristicamente idiota e temulenta de seu rosto. Sem embargo, um par de prodigiosas orelhas, que sem dúvida era impossível ocultar, alteava-se na atmosfera do aposento e, de vez em quando, arrebitavam-se espasmodicamente ao rumor das rolhas que espocavam.

Defronte dele, sentava-se o sexto e último personagem, de aparência rígida, que, sofrendo de paralisia, devia sentir-se, falando sério, muito mal à vontade nos seus trajes nada cômodos. Essa roupa, um tanto singular, consistia em um novo e belo ataúde de mogno. Sua tampa ou capacete apertava-se sobre o crânio do sujeito e estendia-se sobre ele, à moda de um elmo, dando-lhe a todo o rosto um ar de indescritível interesse. Cavas para os braços tinham sido cortadas dos lados, mais por conveniência que por elegância; mas, apesar disso, o traje impedia seu proprietário de se sentar direito como seus companheiros. E como se sentasse reclinado de encontro a um cavalete, formando um ângulo de quarenta e cinco graus, um par de enormes olhos esbugalhados revirava suas apavorantes escleróticas para o teto, num absoluto espanto de sua própria enormidade.

Diante de cada um dos presentes estava a metade dum crânio, usada como copo. Por cima, pendia um esqueleto humano, pendurado duma corda amarrada numa das pernas e presa a uma argola no forro. A outra perna, sem nenhuma amarra, saltava do corpo em ângulo reto, fazendo flutuar e girar toda a carcaça desconjuntada e chocalhante, ao sabor de qualquer sopro de vento que penetrasse no aposento. O crânio daquela hedionda coisa continha certa quantidade de carvão em brasa, que lançava uma luz vacilante, mas viva, sobre a cena, enquanto ataúdes e outras mercadorias de casa mortuária empilhavam-se até o alto, em toda a sala e contra as janelas, impedindo assim que qualquer raio de luz se projetasse na rua.

À vista de tão extraordinária assembleia e de seus mais extraordinários adornos, nossos dois marujos não se conduziram com aquele grau de decoro que era de esperar. Legs, encostando-se à parede junto da qual se encontrava, deixou cair o queixo ainda mais baixo do que de costume e arregalou os olhos até mais não poder, enquanto Hugh Tarpaulin, abaixando-se a ponto de colocar o nariz ao nível da mesa e dando palmadas nas coxas, explodiu numa desenfreada e extemporânea gargalhada, que mais parecia um rugido longo, poderoso e atroador.

Sem, no entanto, ofender-se diante de procedimento tão excessivamente grosseiro, o escanifrado presidente sorriu com toda a graça para os intrusos, fazendo-lhes um gesto cheio de dignidade com a cabeça empenachada de negro, e, levantando-se, pegou os dois pelos braços e levou-os aos assentos que alguns dos outros presentes tinham colocado, enquanto isso, para que eles estivessem a cômodo. Legs nenhuma resistência ofereceu a tudo isso, sentando-se no lugar indicado, ao passo que o galanteador Hugh, removendo seu cavalete de ataúde do lugar perto da cabeceira da mesa para junto da mocinha tuberculosa, da mortalha ondulante, derreou-se a seu lado, com grande júbilo, e, emborcando um crânio de vinho vermelho, esvaziou-o em honra de suas mais íntimas relações. Diante de tamanha presunção, o cavalheiro teso do ataúde mostrou-se excessivamente exasperado, e sérias consequências poderiam ter se seguido não houvesse o presidente, batendo com o bastão na mesa, distraído a atenção de todos os presentes para o seguinte discurso:

– É dever nosso na atual feliz ocasião...

– Pare com isso! – interrompeu Legs, com toda a seriedade. – Cale essa boca, digo-lhe eu, e diga-nos quem diabos são vocês todos e o que estão fazendo aqui, com essas farpelas de diabos sujos e bebendo a boa pinga armazenada para o inverno pelo meu honrado camarada Will Wimble, o cangalheiro!

À vista daquela imperdoável amostra de má-educação, toda a esquipática assembleia se soergueu e emitiu aqueles mesmos rápidos e sucessivos guinchos ferozes e diabólicos que já haviam chamado antes a atenção dos marinheiros. O presidente, porém, foi o primeiro a retomar a compostura e por fim, voltando-se para Legs, com grande dignidade, recomeçou:

– De muita boa vontade satisfaremos qualquer curiosidade razoável da parte de hóspedes tão ilustres, embora não convidados. Ficai, pois, sabendo que, nestes domínios, sou o monarca e aqui governo, com indivisa autoridade, com o título de "Rei Peste I".

"Esta sala, que supondes injuriosamente ser a loja do cangalheiro Will Wimble, homem que não conhecemos e cujo sobrenome plebeu jamais ressoara, até esta noite, aos nossos reais ouvidos... esta sala, repito, é a Sala do Trono de nosso palácio, consagrada aos conselhos de nosso reino e outros destinos de natureza sagrada e superior.

"A nobre dama sentada à nossa frente é a Rainha Peste, nossa Sereníssima Esposa. Os outros personagens ilustres que vedes pertencem todos à nossa família e usam as insígnias do sangue real nos respectivos títulos de: 'Sua Graça o Arquiduque Peste-Ífero', 'Sua Graça o Duque Pest-Ilencial', 'Sua Graça o Duque Tem-Pestuoso' e 'Sua Serena Alteza a Arquiduquesa Ana-Pest'.[13]

"Quanto à vossa pergunta", continuou ele, "a respeito do que nos traz aqui reunidos em conselho, ser-nos-ia lícito responder que concerne, e concerne *exclusivamente*, ao nosso próprio e particular interesse e não tem importância para ninguém mais que não nós mesmos. Mas, em consideração aos direitos de que, na qualidade de hóspedes e estrangeiros, possais julgar-vos merecedores, explicar-vos-emos, no entanto, que estamos aqui, esta noite, preparados por intensa pesquisa e acurada investigação, a examinar, analisar e determinar, indubitavelmente, o indefinível espírito, as incompreensíveis qualidades e natureza desses inestimáveis tesouros do paladar, que são os vinhos, cervejas e licores desta formosa metrópole. Assim procedemos não só para melhorar nossa própria situação, mas para o bem-estar verdadeiro daquela soberana sobrenatural que reina sobre todos nós, cujos domínios não têm limites e cujo nome é 'Morte'."

– Cujo nome é Davi Jones! – exclamou Tarpaulin, oferecendo à sua vizinha um crânio de licor e emborcando ele próprio um segundo.

– Lacaio profanador! – exclamou o presidente, voltando agora a sua atenção para o digno Hugh. – Miserável e execrando profanador! Dissemos que, em consideração àqueles direitos que, mesmo na tua imunda pessoa, não nos sentimos com inclinação para violar, condescendemos em responder às tuas grosseiras e desarrazoadas indagações. Contudo, tendo em vista a vossa profana intrusão no recinto de nossos conselhos, acreditamos ser de nosso dever multar, a ti e a teu companheiro, num galão de Black Strap,[14] que bebereis pela prosperidade de nosso reino, dum só gole e de joelhos; logo depois estareis livres para continuar vosso caminho ou permanecerdes e

13 *Poe emprega aqui um trocadilho, pois em inglês* anapest *significa assim, numa palavra, "anapesto", que é, como bem se sabe, pé de verso, grego ou latino, composto de três sílabas: as duas primeiras breves e a terceira longa. (N.T.)*
14 *Mistura de melado e cachaça. (N.T.)*

serdes admitidos aos privilégios de nossa mesa, de acordo com vossos respectivos gostos pessoais.

– Será coisa de absoluta impossibilidade – replicou Legs, a quem a imponência e a dignidade do Rei Peste I tinham evidentemente inspirado alguns sentimentos de respeito, e que se levantara, ficando de pé junto da mesa, enquanto aquele falava. – Será, com licença de Vossa Majestade, coisa extremamente impossível arrumar no meu porão até mesmo a quarta parte desse tal licor que Vossa Majestade acaba de mencionar. Não falando das mercadorias colocadas esta manhã a bordo para servir de lastro, e não mencionando as várias cervejas e licores embarcados esta noite em vários portos, tenho, presentemente, uma carga completa de *humming-tuff*, entrada e devidamente paga na taberna do "Alegre Marinheiro". De modo que há de Vossa Majestade ter a bondade de tomar a intenção como coisa realizada, pois não posso de modo algum, nem quero, engolir outro trago e muito menos um trago dessa repugnante água de porão que responde pelo nome de Black Strap.

– Pare com isso! – interrompeu Tarpaulin, espantado não só pelo tamanho do discurso de seu companheiro, como pela natureza de sua recusa. – Pare com isso, seu marinheiro de água doce! Repito, Legs, pare com esse palavreado! O *meu* casco está ainda leve, embora, confesso-o, esteja o seu mais pesado em cima que embaixo. Quanto à história de sua parte da carga, em vez de provocar uma borrasca, acharei jeito de arrumá-la eu mesmo no porão, mas...

– Este modo de proceder – interferiu o presidente – não está de modo algum em acordo com os termos da multa ou sentença, que é de natureza média e não pode ser alterada nem apelada. As condições que impusemos devem ser cumpridas à risca, e isto sem um instante de hesitação... sem o quê, decretamos que sejais amarrados, pescoços e calcanhares juntos, e devidamente afogados, como rebeldes, naquela pipa de cerveja de outubro!

– Que sentença! Que sentença! Que sentença justa e direita! Que decreto glorioso! A condenação mais digna, mais irrepreensível, mais sagrada! – gritaram todos os membros da família Peste ao mesmo tempo.

O rei franziu a testa em rugas inumeráveis; o homenzinho gotoso soprava, como um par de foles; a dona da mortalha de cambraia movia o nariz para um lado e para outro; o cavalheiro de ceroulas de algodão arrebitou as orelhas; a mulher do sudário ofegava como um peixe agonizante; e o sujeito do ataúde entesou-se mais, arregalando os olhos para cima.

– Oh, uh, uh! – ria Tarpaulin, entre dentes, sem notar a excitação geral. – Uh, uh, uh!... Uh, uh, uh... Estava eu dizendo, quando aqui o sr. Rei Peste veio meter seu bedelho, que a respeito da questão de dois ou três galões mais ou menos de Black Strap era uma bagatela para um barco sólido como eu que não está sobrecarregado; e quando se tratar de beber à saúde do Diabo (que Deus lhe perdoe) e de me pôr de joelhos diante dessa horrenda majestade aqui presente, que eu conheço tão bem como sei que sou um pecador, e que não é outro senão Tim Hurlygurly, o palhaço!... Ora essa, é muito outra coisa, e vai muito além de minha compreensão.

Não lhe permitiram que terminasse tranquilamente seu discurso. Ao nome de Tim Hurlygurly, todos os presentes pularam dos assentos.

– Traição! – gritou Sua Majestade o Rei Peste I.

– Traição! – disse o homenzinho gotoso.

– Traição! – esganiçou a Arquiduquesa Ana-Peste.

– Traição! – murmurou o homem dos queixos amarrados.

– Traição! – grunhiu o sujeito do ataúde.

– Traição, traição! – berrou Sua Majestade, a mulher da bocarra. E, agarrando o infeliz Tarpaulin pela traseira das calças, o qual estava justamente enchendo outro crânio de licor, ergueu-o bem alto no ar e deixou-o cair sem cerimônia no imenso barril aberto de sua cerveja predileta. Boiando para lá e para cá, durante alguns segundos, como uma maçã numa tigela de ponche, desapareceu ele afinal no turbilhão de espuma que, no já efervescente licor, haviam provocado seus esforços de safar-se.

Não se resignou, porém, o marinheiro alto com a derrota de seu camarada. Empurrando o Rei Peste para dentro do alçapão aberto, o valente Legs deixou cair a tampa sobre ele, com uma praga, e correu para o meio da sala. Ali, puxando para baixo o esqueleto que pendia sobre a mesa, com tamanha força e vontade o fez que conseguiu fazer saltar os miolos do homenzinho gotoso, ao tempo que morriam os derradeiros lampejos de luz dentro da sala.

Precipitando-se, então, com toda a sua energia, contra a pipa fatal, cheia de cerveja de outubro e de Hugh Tarpaulin, revirou-a, num instante, de lado. Dela jorrou um dilúvio de licor tão impetuoso, tão violento, tão irresistível, que a sala ficou inundada de parede a parede, as mesas carregadas viraram de pernas para o ar, os cavaletes rebolaram uns por cima dos outros, a tina de ponche foi lançada na chaminé da lareira... e as damas caíram com ataques histéricos. Montes de artigos fúnebres boiavam. Jarros, pichéis e garrafões confundiam-se, numa misturada enorme, e as garrafas cobertas de vime embatiam-se, desesperadamente, com cantis trançados. O homem dos tremeliques afogou-se imediatamente. O sujeitinho teso flutuava no seu caixão... e o vitorioso Legs, agarrando pela cintura a mulher gorda do sudário, arrastou-a para a rua e tomou, em linha reta, a direção do *Free and Easy*, seguido, a bom pano, pelo temível Hugh Tarpaulin, que, tendo espirrado três ou quatro vezes, ofegava e bufava atrás dele, puxando a Arquiduquesa Ana-Peste.

METZENGERSTEIN[15]

Pestis eram vivus –
moriens tua mors ero.[16]
– MARTINHO LUTERO

O horror e a fatalidade têm tido livre curso em todos os tempos. Por que então datar esta história que vou contar? Basta dizer que, no período de que falo, havia, no interior da Hungria, uma crença bem assentada, embora oculta, nas doutrinas da metempsicose. Das próprias doutrinas, isto é, de sua falsidade, ou de sua probabilidade, nada direi. Afirmo, porém, que muito de nossa incredulidade (como diz La Bruyère, explicando todas as nossas infelicidades) *vient de ne pouvoir être seuls*.[17]

---

15 Publicado pela primeira vez no Saturday Courier, *14 de janeiro de 1832. Título original:* Metzengerstein.

16 Vivendo era teu açoite – morto, serei tua morte. (N.T.)

17 "Provém de não podermos estar sozinhos." Mercier, em L'An deux mille quatre cents quarante *[O ano 2440], defende seriamente as doutrinas da metempsicose, e J. D'Israeli diz que "não há sistema tão simples e que menos repugne a inteligência". O coronel Ethan Allen, o* Green Mountain Boy *[o*

Mas havia na superstição húngara alguns pontos que tendiam fortemente para o absurdo. Diferiam os húngaros, bastante essencialmente, de suas autoridades do Oriente. Por exemplo: *a alma*, dizem eles – cito as palavras dum sutil e inteligente parisiense –, *ne demeure qu'une seule fois dans un corps sensible: au reste, un cheval, un chien, un homme même, n'est que la ressemblanc peu tangible de ces animaux*.[18]

As famílias de Berlifitzing e Metzengerstein viviam há séculos em discórdia. Jamais houvera antes duas casas tão ilustres acirradas mutuamente por uma hostilidade tão mortal. Parece encontrar-se a origem dessa inimizade nas palavras duma antiga profecia: "Um nome elevado sofrerá queda mortal quando, como o cavaleiro sobre seu cavalo, a mortalidade de Metzengerstein triunfar da imortalidade de Berlifitzing."

Decerto as próprias palavras tinham pouca ou nenhuma significação. Mas as causas mais triviais têm dado origem – e isso sem remontar a muito longe – a consequências igualmente cheias de acontecimentos. Além disso, as duas casas, aliás vizinhas, vinham de muito exercendo influência rival nos negócios de um governo movimentado. É coisa sabida que vizinhos próximos raramente são amigos e os habitantes do castelo de Berlifitzing podiam, de seus altos contrafortes, mergulhar a vista nas janelas do palácio de Metzengerstein. Afinal, essa exibição duma magnificência mais que feudal era pouco propícia a acalmar os sentimentos irritáveis dos Berlifitzings, menos antigos e menos ricos. Não há, pois, motivo de espanto para o fato de haverem as palavras daquela predição, por mais disparatadas que parecessem, conseguido criar e manter a discórdia entre duas famílias já predispostas a querelar, graças às instigações da inveja hereditária. A profecia parecia implicar – se é que implicava alguma

Garoto da Montanha Verde], foi também, segundo dizem, um sério e importante metempsicosista.

18 Só uma vez permanece num corpo sensível: quanto ao resto, um cavalo, um cachorro, um homem mesmo, não são senão a semelhança pouco tangível desses animais. (N.T.)

coisa – um triunfo final da parte da casa mais poderosa já, e era sem dúvida relembrada, com a mais amarga animosidade, pela mais fraca e de menor influência.

O conde Guilherme de Berlifitzing, embora de elevada linhagem, era, ao tempo desta história, um velho enfermo e caduco, sem nada de notável a não ser uma antipatia pessoal desordenada e inveterada pela família de seu rival e uma paixão tão louca por cavalos e pela caça que nem a enfermidade corporal, nem a idade avançada, nem a incapacidade mental impediam sua participação diária nos perigos das caçadas.

O barão Frederico de Metzengerstein, por outro lado, ainda não atingira a maioridade. Seu pai, o ministro G***, morrera moço. Sua mãe, d. Maria, logo acompanhara o marido. Frederico estava, naquela época, com dezoito anos de idade. Numa cidade, dezoito anos não constituem um longo período; mas num lugar solitário, numa solidão tão magnificente como a daquela velha casa senhorial, o pêndulo vibra com significação mais profunda.

Em virtude de certas circunstâncias características decorrentes da administração de seu pai, o jovem barão, por morte daquele, entrou imediatamente na posse de vastas propriedades. Raramente se vira antes um nobre húngaro senhor de tamanhos bens. Seus castelos eram incontáveis. O principal, pelo esplendor e pela vastidão, era o palácio de Metzengerstein. Os limites de seus domínios jamais foram claramente delineados, mas seu parque principal abrangia uma área de cinquenta milhas.

O acontecimento da entrada de posse de uma fortuna tão incomparável por um proprietário tão jovem e de caráter tão bem conhecido poucas conjeturas trouxe à tona referentes ao curso provável de sua conduta. E de fato, no espaço de três dias, a conduta do herdeiro sobrepujou a do próprio Herodes e ultrapassou, de longe, as expectativas de seus admiradores mais entusiastas. Orgias vergonhosas, flagrantes perfídias, atrocidades inauditas deram logo a compreender a seus apavorados vassalos que nenhuma submissão servil de sua parte e nenhum escrúpulo de consciência da parte dele lhes poderia de ora em diante garantir a segurança contra as implacáveis garras daquele mesquinho Calígula. Na noite do quarto dia, pegaram fogo as estrebarias do castelo de Berlifitzing e a opinião unânime da vizinhança acrescentou mais esse crime à já horrenda lista dos delitos e atrocidades do barão.

Mas, durante o tumulto ocasionado por esse fato, o jovem senhor estava sentado – aparentemente mergulhado em funda meditação – num vasto e solitário aposento superior do palácio senhorial dos Metzengersteins. As ricas, embora desbotadas, colgaduras que balançavam lugubremente nas paredes representavam as figuras sombrias e majestosas de milhares de antepassados ilustres. Aqui, padres ricamente arminhados e dignitários pontificais, familiarmente sentados com o autocrata e o soberano, opunham o seu veto aos desejos dum rei temporal, ou reprimiam com o *fiat* da supremacia papal o cetro rebelde do Grande Inimigo. Ali, os negros e altos vultos dos príncipes de Metzengerstein – os musculosos corcéis de guerra pisoteando os cadáveres dos inimigos tombados – abalavam os nervos mais firmes, com sua vigorosa expressão; e aqui, ainda, voluptuosos e brancos como cisnes, flutuavam os vultos das damas de outrora, nos volteios duma dança irreal, aos acentos duma melodia imaginária.

Mas, enquanto o barão escutava ou fingia escutar a algazarra sempre crescente que se erguia das cavalariças de Berlifitzing – ou talvez meditasse em algum ato de audácia, mais novo e mais decidido –, seus olhos se voltaram involuntariamente para a figura dum enorme cavalo, dum colorido fora do comum, representado na tapeçaria como pertencente a um antepassado sarraceno da família de seu rival. O cavalo se mantinha, no primeiro plano do desenho, sem movimento, como uma estátua, enquanto que, mais para trás, seu cavaleiro derrotado perecia sob o punhal dum Metzengerstein.

Abriu-se nos lábios de Frederico uma expressão diabólica, ao perceber a direção que seu olhar tinha tomado, sem que ele o houvesse notado. Contudo não desviou a vista. Pelo contrário, não podia de forma alguma explicar a acabrunhante ansiedade que parecia apoderar-se, como uma mortalha, de seus sentidos. Era com dificuldade que conciliava suas sensações imaginárias e incoerentes com a certeza de estar acordado. Quanto mais olhava, mais absorvente se tornava o feitiço, mais impossível lhe parecia poder arrancar seu olhar do fascínio daquela tapeçaria. Mas a algazarra lá de fora se tornou de repente mais violenta e, com um esforço constrangedor, desviou sua atenção para o clarão de luz vermelha lançado em cheio sobre as janelas do aposento pelas cavalariças chamejantes.

A ação, porém, foi apenas momentânea; seu olhar se voltou maquinalmente para a parede. Com extremo espanto e horror, verificou que a cabeça do gigantesco corcel havia, entrementes, mudado de posição. O pescoço do animal antes arqueado, como que cheio de compaixão, sobre o corpo prostrado de seu dono estendia-se agora, plenamente, na direção do barão. Os olhos, antes invisíveis, tinham agora uma expressão enérgica e humana, e cintilavam com um vermelho ardente e extraordinário; e os beiços distendidos do cavalo, que parecia enraivecido, exibiam por completo seus dentes sepulcrais e repugnantes.

Estupefato de terror, o jovem senhor dirigiu-se, cambaleante, para a porta. Ao escancará-la, um jato de luz vermelha, invadindo até o fundo do aposento, lançou a sombra dele em nítido recorte de encontro à tapeçaria tremulante. Ele estremeceu, ao perceber que a sombra – enquanto se detinha vacilante no umbral – tomava a exata posição e preenchia, precisamente, o contorno do implacável e triunfante matador do sarraceno Berlifitzing.

Para aliviar a depressão de seu espírito, o barão correu para o ar livre. No portão principal do palácio encontrou três eguariços. Com muita dificuldade, e com imenso perigo de suas vidas, continham eles os saltos convulsivos dum cavalo gigantesco e de cor avermelhada.

– De quem é esse cavalo? Onde o encontraram? – perguntou o jovem, num tom lamentoso e rouco, ao verificar, instantaneamente, que o misterioso corcel do quarto tapeçado era a reprodução do furioso animal que tinha diante dos olhos.

– Ele vos pertence, senhor – respondeu um dos eguariços –, ou pelo menos não foi reclamado por nenhum outro proprietário. Nós o pegamos quando fugia, todo fumegante e escumando de raiva, das cavalariças incendiadas do castelo de Berlifitzing. Supondo que pertencesse à manada de cavalos estrangeiros do velho conde, levamo-lo para trás, como se fosse um dos remanescentes da estrebaria. Mas os empregados ali negam qualquer direito ao animal, o que é estranho, uma vez que ele traz marcas evidentes de ter escapado dificilmente dentre as chamas.

– As letras "W.V.B." estão também distintamente marcadas na sua testa – interrompeu um segundo eguariço. – Supunha, portanto, que eram as iniciais de Wilhelm von Berlifitzing, mas todos no castelo negam peremptoriamente conhecer o cavalo.

– É extremamente singular! – disse o jovem barão, com um ar pensativo e parecendo inconsciente do significado de suas palavras. – É, como dizem vocês, um cavalo notável, um cavalo prodigioso... embora, como vocês muito bem observaram, de caráter arisco e intratável... Pois que me fique pertencendo – acrescentou ele, depois duma pausa. – Talvez um cavaleiro como Frederico de Metzengerstein possa domar até mesmo o diabo das cavalariças de Berlifitzing.

– Estais enganado, senhor. O cavalo, como já dissemos, creio eu, não pertence às cavalariças do conde. Se tal se desse, conhecemos demasiado nosso dever para trazê-lo à presença duma nobre pessoa de vossa família.

– É verdade! – observou o barão, secamente.

Nesse momento, um jovem camareiro veio a correr, afogueado, do palácio. Sussurrou ao ouvido de seu senhor a história do súbito desaparecimento de pequena parte da tapeçaria, num aposento que ele designou, entrando, ao mesmo tempo, em pormenores de caráter minucioso e circunstanciado. Mas, como tudo isso foi transmitido em tom de voz bastante baixo, nada transpirou que satisfizesse a excitada curiosidade dos eguariços.

O jovem Frederico, enquanto ouvia, mostrava-se agitado por emoções variadas. Em breve, porém, recuperou a compostura e uma expressão de resoluta maldade espalhou-se-lhe na fisionomia ao dar expressas ordens para que o aposento em questão fosse imediatamente fechado e a chave trazida às suas mãos.

– Soubestes, senhor, da lamentável morte do velho caçador Berlifitzing? – perguntou um de seus vassalos ao barão, enquanto, após a partida do camareiro, o enorme corcel, que o gentil-homem adotara como seu, saltava e corveteava, com redobrada fúria, pela longa avenida que se estendia desde o palácio até as cavalariças de Metzengerstein.

– Não! – disse o barão, voltando-se abruptamente para quem lhe falava. – Morreu, disse você?

– É a pura verdade, senhor, e suponho que para um nobre com o vosso nome não será uma notícia desagradável.

Rápido sorriso abriu-se no rosto do barão.

– Como morreu ele?

– Nos seus esforços imprudentes para salvar a parte favorita de seus animais de caça, pereceu miseravelmente nas chamas.

– De... ve... e... e... ras! – exclamou o barão, como que impressionado, lenta e deliberadamente, pela verdade de alguma ideia excitante.

– Deveras – repetiu o vassalo.

– Horrível – disse o jovem, com calma, e voltou sossegadamente ao palácio.

Desde essa data, sensível alteração se operou na conduta exterior do jovem e dissoluto barão Frederico de Metzengerstein. Na verdade, seu procedimento desapontava todas as expectativas e se mostrava pouco em acordo com as vistas de muita mamãe de filha casadoura, ao passo que seus hábitos e maneiras, ainda menos do que dantes, não ofereciam algo de congenital com os da aristocracia da vizinhança. Nunca era visto além dos limites de seu próprio domínio e, no vasto mundo social, andava absolutamente sem companheiros, a não ser que, na verdade, aquele cavalo descomunal, impetuoso e fortemente colorido, que ele de contínuo cavalgava, a partir dessa época, tivesse qualquer misterioso direito ao título de seu amigo.

Numerosos convites, da parte dos vizinhos, chegaram, porém, durante muito tempo: "Quererá o barão honrar nossas festas com sua presença?" "Quererá o barão se juntar a nós para caçar javali?" – "Metzengerstein não caça" ou "Metzengerstein não comparecerá" eram as respostas lacônicas e arrogantes.

Esses repetidos insultos não podiam ser suportados por uma nobreza imperiosa. Tais convites tornaram-se menos cordiais, menos frequentes, até que cessaram por completo. A viúva do infortunado conde de Berlifitzing exprimiu mesmo, como se diz ter-se ouvido, a esperança de "que o barão estivesse em casa, quando não desejava estar em casa, desde que desdenhava a companhia de seus iguais e que andasse a cavalo, quando não queria andar a cavalo, uma vez que preferia a companhia de um cavalo". Isso decerto era uma estúpida explosão da hereditária má vontade e provava, tão só, quanto se tornam nossas palavras singularmente absurdas quando desejamos dar-lhes forma enérgica fora do comum.

As pessoas caridosas, no entanto, atribuíam a alteração de procedimento do jovem fidalgo à tristeza natural de um filho pela precoce perda de seus pais, esquecidas, porém, de sua conduta atroz e dissipada durante o curto período que se seguiu logo àquela perda. Alguns havia, de fato, que a atribuíam a uma ideia demasiado exagerada de sua própria importância e dignidade. Outros ainda (entre os quais pode ser mencionado o médico da família) não hesitavam em falar numa melancolia mórbida e num mal hereditário, enquanto tenebrosas insinuações de natureza mais equívoca corriam entre o povo.

Na verdade, o apego depravado do barão à sua montaria recentemente adquirida – apego que parecia alcançar novas forças a cada novo exemplo das inclinações ferozes e demoníacas do animal – tornou-se, por fim, aos olhos de todos os homens de bom senso, um fervor nojento e contra a natureza. No esplendor do meio-dia, a horas mortas da noite, doente ou com saúde, na calma ou na tempestade, o jovem Metzengerstein parecia parafusado à sela daquele cavalo colossal, cujas ousadias intratáveis tão bem se adequavam ao próprio espírito do dono.

Havia, além disso, circunstâncias que, ligadas aos recentes acontecimentos, davam um caráter sobrenatural e monstruoso à mania do cavaleiro e às capacidades do corcel. O espaço que ele transpunha num simples salto fora cuidadosamente medido e verificou-se que excedia, por uma diferença espantosa, as mais ousadas expectativas das mais imaginosas criaturas. Além disso, o barão não tinha um *nome* particular para o animal, embora todos os outros de suas cavalariças fossem diferençados por denominações características. Sua estrebaria também ficava a certa distância das dos restantes, e, quanto ao trato e outros serviços necessários, ninguém, a não ser o dono em pessoa, se havia aventurado a fazê-los ou mesmo a entrar no recinto da baia particular daquele cavalo. Observou-se também que, embora os três estribeiros que haviam capturado o corcel quando este fugia do incêndio em Berlifitzing houvessem conseguido deter-lhe a carreira por meio dum laço corrediço, nenhum dos três podia afirmar com certeza que tivesse, no correr daquela perigosa luta, ou em outro qualquer tempo depois, posto jamais a mão sobre o corpo do animal. Provas de inteligência característica na conduta dum nobre cavalo árdego não bastariam, decerto, para excitar uma atenção desarrazoada, mas havia certas circunstâncias que violentavam os espíritos mais céticos e mais fleumáticos. E dizia-se que, por vezes, o animal obrigava a multidão curiosa que o cercava a recuar de horror diante da profunda e impressionante expressão de seu temperamento terrível e que, outras vezes, o jovem Metzengerstein empalidecera e fugira diante da súbita e inquisitiva expressão de seu olhar quase humano.

Entre toda a domesticidade do barão ninguém havia, porém, que duvidasse do ardor daquela extraordinária afeição que existia da parte do jovem fidalgo pelas ferozes qualidades de seu cavalo; ninguém, exceto um insignificante e disforme pajenzinho, cujos aleijões estavam sempre à mostra de todos e cujas opiniões não tinham a mínima importância possível. Ele (se é que suas ideias são dignas afinal de menção) tinha o desplante de afirmar que seu senhor jamais montava na sela sem um estremecimento inexplicável e quase imperceptível, e que ao voltar de cada um de seus demorados e habituais passeios uma expressão de triunfante malignidade retorcia todos os músculos de sua fisionomia.

Numa noite tempestuosa, Metzengerstein, despertando dum sono pesado, desceu, como um maníaco, de seu quarto e, montando a cavalo, a toda a pressa lançou-se a galope para o labirinto da floresta. Uma ocorrência tão comum não atraiu particular atenção, mas seu regresso foi esperado com intensa ansiedade pelos seus criados quando, após algumas horas de ausência, as estupendas e magníficas seteiras do palácio de Metzengerstein se puseram a estalar e a tremer até as bases, sob a ação duma densa e lívida massa de fogo indomável.

Como as chamas, quando foram vistas pela primeira vez, já tivessem feito tão terríveis progressos que todos os esforços para salvar qualquer parte do edifício eram evidentemente inúteis, toda a vizinhança atônita permanecia ociosa e calada, senão apática. Mas outra coisa inesperada e terrível logo prendeu a atenção da turba e demonstrou quão muito mais intensa é a excitação provocada nos sentimentos duma multidão pelo espetáculo da agonia humana do que a suscitada pelas mais aterradoras cenas da matéria inanimada.

Ao longo da comprida avenida de anosos carvalhos que levava da floresta até a entrada principal do palácio de Metzengerstein, um corcel, conduzindo um cavaleiro sem chapéu e em desordem, era visto a pular com uma impetuosidade que ultrapassava a do próprio Demônio da Tempestade.

Era evidente que o cavaleiro não conseguia mais dominar a carreira do animal. A angústia de sua fisionomia, os movimentos convulsivos de toda a sua pessoa mostravam o esforço sobre-humano que fazia; mas som algum, a não ser um grito isolado, escapava de seus lábios lacerados, que ele mordia cada vez mais, no paroxismo do terror. Num instante, o tropel dos cascos ressoou forte e áspero acima do bramido das labaredas e dos assobios do vento; um instante ainda e, transpondo dum só salto o portão e o fosso, o corcel lançou-se pelas escadarias oscilantes do palácio e, com o cavaleiro, desapareceu no turbilhão caótico do fogo.

A fúria da tempestade imediatamente amainou e uma calma de morte sombriamente se seguiu. Uma labareda pálida ainda envolveu o edifício como uma mortalha, e, elevando-se na atmosfera tranquila, dardejava um clarão de luz sobrenatural, enquanto uma nuvem de fumaça se abatia pesadamente sobre as ameias com a forma bem nítida dum gigantesco *cavalo.*

LIGEIA[19]

E ali dentro está a vontade que não morre.
Quem conhece os mistérios da vontade,
bem como seu vigor? Porque Deus é apenas uma
grande vontade, penetrando todas as coisas
pela qualidade de sua aplicação.
O homem não se submete aos anjos nem se
rende inteiramente à morte, a não ser pela
fraqueza de sua débil vontade.
— JOSEPH GLANVILL

Juro pela minha alma que não posso lembrar-me quando, ou mesmo precisamente onde, travei, pela primeira vez, conhecimento com Lady Ligeia. Longos anos se passaram desde então e minha memória se enfraqueceu pelo muito sofrer. Ou, talvez, não posso *agora* reevocar aqueles pontos, porque, na verdade, o caráter de minha bem-amada, seu raro saber, sua estranha mas plácida qualidade de beleza e a emocionante e subjugante eloquência de sua profunda linguagem musical haviam aberto caminho dentro do meu coração, a passos tão constantes e tão furtivos que passaram despercebidos e ignorados. Entretanto, acredito que a encontrei, pela primeira vez, e depois frequentemente, em alguma grande e decadente cidade velha das margens do Reno. Quanto à família... certamente ouvi-a falar a respeito. Que fosse de origem muito remota, é coisa que não se pode pôr em dúvida. Ligeia!

19 *Publicado pela primeira vez no* American Museum of Science, Literature and the Arts*, setembro de 1838. Título original:* Ligeia

Ligeia! Mergulhado em estudos, mais adaptados que quaisquer outros, pela sua natureza, a amortecer as impressões do mundo exterior, é apenas por aquela doce palavra, Ligeia, que na imaginação evoco, diante de meus olhos, a imagem daquela que não mais existe. E agora, enquanto escrevo, uma lembrança me vem, como um clarão: que eu *jamais conheci* o nome de família daquela que foi minha amiga e minha noiva, que se tornou a companheira de meus estudos e finalmente a esposa de meu coração. Fora uma travessa injunção de Ligeia ou uma prova da força de meu afeto que me levara a não indagar esse ponto? Ou fora antes um capricho de minha parte, uma oferta loucamente romântica, no altar da mais apaixonada devoção? Só confusamente me lembro do próprio fato. Mas há alguma coisa de admirar no ter eu inteiramente esquecido as circunstâncias que o originaram ou o acompanharam? E, na verdade, se jamais o espírito de *romance*, se jamais a pálida *Ashtophet*, de asas tenebrosas, do Egito idólatra, preside, como dizem, aos casamentos de mau agouro, então com mais certeza presidira ao meu.

Há, no entanto, um assunto querido, a respeito do qual a memória não me falta. É a *pessoa* de Ligeia. Era de alta estatura, um tanto delgada, e, nos seus últimos dias, bastante emagrecida. Tentaria em vão retratar a majestade, o tranquilo desembaraço de seu porte, ou a incompreensível ligeireza e elasticidade de seu passo. Ela entrava e saía como uma sombra. Jamais me apercebia de sua entrada no meu gabinete de trabalho, exceto quando ouvia a música de sua doce e profunda voz, quando punha sua mão de mármore sobre o meu ombro. Em beleza de rosto, nenhuma mulher jamais a igualou. Era o esplendor de um sonho de ópio, uma visão aérea e encantadora, mais estranhamente divina que as fantasias que flutuam nas almas dormentes das ilhas de Delos. Entretanto, não tinham suas feições aquele modelado regular, que falsamente nos ensinaram a cultuar nas obras clássicas do paganismo. "Não há beleza rara – disse Bacon, lorde Verulam, falando verdadeiramente de todas as formas e gêneros de beleza – sem algo de *estranheza* nas proporções." Contudo, embora eu visse que as feições de Ligeia não possuíam a regularidade clássica, embora percebesse que sua beleza era realmente "esquisita" e sentisse que muito de "estranheza" a dominava, tentara em vão descobrir essa irregularidade e rastrear, até sua origem, minha própria concepção de "estranheza". Examinava o contorno da fronte elevada e pálida: era impecável – mas quão fria, na verdade, é essa palavra, quando aplicada a uma majestade tão divina! – pela pele que rivalizava com o mais puro marfim, pela largura imponente e calma, a graciosa elevação das regiões acima das fontes; e depois aquelas luxuriantes e luzentes madeixas, naturalmente cacheadas, dum negro de corvo, realçando a plena força da expressão homérica; "cabelo hiacintino". Considerava as linhas delicadas do nariz e em nenhuma outra parte, senão nos graciosos medalhões dos hebreus, tinha eu contemplado perfeição semelhante. Tinham a mesma voluptuosa maciez de superfície, a mesma tendência quase imperceptível para o aquilino, as mesmas narinas harmoniosamente arredondadas, a revelar um espírito livre. Olhava a encantadora boca. Nela esplendia de fato o triunfo de todas as coisas celestes: a curva magnífica do curto lábio superior, o aspecto voluptuoso e macio do inferior, as covinhas do rosto, que pareciam brincar, e a cor que falava; os dentes refletindo, com uma irradiação quase cegante, cada raio da bendita luz que sobre eles caía, quando ela os mostrava num sorriso sereno e plácido, que era no entanto o mais triunfantemente radioso de todos os sorrisos. Analisava a forma do queixo, e aqui também encontrava a graciosidade da largura, a suavidade e a majestade, a plenitude e espiritualidade grega, aquele contorno que o deus Apolo só revelou num sonho a Cleómenes, o filho do ateniense. E depois eu contemplava os grandes olhos de Ligeia.

Para os olhos, não encontramos modelos na remota Antiguidade. Podia ser, também, que naqueles olhos de minha bem-amada repousasse o segredo a que alude lorde Verulam. Eram, devo crer, bem maiores que os olhos habituais de nossa raça. Eram mesmo mais rasgados que os mais belos olhos das gazelas da tribo do vale de Nourjahad. No entanto, era somente a intervalos, em momentos de intensa excitação, que essa peculiaridade se tornava mais vivamente perceptível em Ligeia. E, em tais momentos, era a sua beleza – pelo menos assim surgia diante de minha fantasia exaltada –, a beleza de criaturas que se acham acima ou fora da terra, a beleza da fabulosa huri dos turcos. As pupilas eram do negro mais brilhante, veladas por longuíssimas pestanas de azeviche. As sobrancelhas, de desenho levemente irregular, eram da mesma cor. Todavia, a "estranheza" que eu descobria nos olhos era de natureza distinta da forma, da cor ou do brilho deles e devia ser, decididamente, atribuída à sua *expressão.* Ah, palavra sem significação, simples som, por trás de cuja vasta latitude entrincheiramos nossa ignorância de tanta coisa espiritual. A expressão dos olhos de Ligeia... Quantas e quantas horas refleti sobre ela! Quanto tempo esforcei-me por sondá-la, durante uma noite inteira de verão! Que era então aquilo – aquela alguma coisa mais profunda que o poço de Demócrito – que jazia bem no fundo das pupilas de minha bem-amada? Que era *aquilo*? Obsessionava-me a paixão de descobri-lo. Aqueles olhos, aquelas largas, brilhantes, divinas pupilas, tornaram-se para mim as estrelas gêmeas de Lêda e eu para elas o mais fervente dos astrólogos.

Não há caso, entre as numerosas anomalias incompreensíveis da ciência psicológica, mais emocionantemente excitante do que o fato – nunca, creio eu, observado nas escolas – de nos encontrarmos, muitas vezes, em nossas tentativas de trazer à memória alguma coisa há muito tempo esquecida, *justamente à borda* da lembrança, sem poder, afinal, recordar. E assim, quantas vezes, na minha intensa análise dos olhos de Ligeia, senti aproximar-se o conhecimento completo de sua expressão!

Senti-o aproximar-se, e contudo não estava ainda senhor absoluto dele, e por fim desaparecia totalmente! E (estranho, oh, o mais estranho de todos os mistérios!) descobri nos objetos mais comuns do universo uma série de analogias para aquela expressão. Quero dizer que, depois da época em que a beleza de Ligeia passou para o meu espírito e nele se instalou como num relicário, eu deduzia, de vários seres do mundo material, uma sensação idêntica à que me cercava e me penetrava sempre, quando seus grandes e luminosos olhos me fitavam. Entretanto, nem por isso sou menos incapaz de definir essa sensação, de analisá-la, ou mesmo de ter dela uma percepção integral. Reconheci-a, repito, algumas vezes no aspecto duma vinha rapidamente crescida, na contemplação duma falena, duma borboleta, duma crisálida, duma corrente de água precipitosa. Senti-a no oceano, na queda dum meteoro. Senti-a nos olhares de pessoas extraordinariamente velhas. E há uma ou duas estrelas no céu (uma especialmente, uma estrela de sexta grandeza, dupla e mutável, que se encontra perto da grande estrela da Lira) que, vistas pelo telescópio, me deram aquela sensação. Senti-me invadido por ela ao ouvir certos sons de instrumentos de corda e, não poucas vezes, ao ler certos trechos de livros. Entre numerosos outros exemplos, lembro-me de alguma coisa num volume de Joseph Glanvill que (talvez simplesmente por causa de sua singularidade, quem sabe lá?) jamais deixou de inspirar-me a mesma sensação: "E ali dentro está a vontade que não morre. Quem conhece os mistérios da vontade, bem como seu vigor? Porque Deus é apenas uma grande vontade, penetrando todas as coisas pela qualidade de sua aplicação. O homem não se submete aos anjos nem se rende inteiramente à morte, a não ser pela fraqueza de sua débil vontade."

Com o correr dos anos e graças a subsequentes reflexões, consegui descobrir, realmente, certa ligação remota entre essa passagem do moralista inglês e parte do caráter de Ligeia. Uma *intensidade* de pensamento, de ação ou de palavra era possivelmente nela resultado, ou pelo menos sinal, daquela gigantesca volição que, durante nossas longas relações, deixou de dar outras e mais imediatas provas de sua existência. De todas as mulheres que tenho conhecido, era ela, a aparentemente calma, a sempre tranquila Ligeia, a mais violentamente presa dos tumultuosos abutres da paixão desenfreada. E só podia eu formar uma estimativa daquela paixão pela miraculosa dilatação daqueles olhos que, ao mesmo tempo, me encantavam e atemorizavam, pela quase mágica melodia, pela modulação, pela clareza e placidez de sua voz bem grave e pela selvagem energia (tornada duplamente efetiva pelo contraste com sua maneira de emiti-las) das ardentes palavras que habitualmente pronunciava.

Falei do saber de Ligeia: era imenso, como jamais encontrei em mulher alguma. Era versada em línguas clássicas, e, tão longe quanto iam meus próprios conhecimentos das modernas línguas europeias, nunca a descobri em falta. E na verdade, em qualquer tema dos mais admirados, precisamente porque mais abstrusos, da louvada erudição acadêmica, encontrei eu *jamais* Ligeia em falta? Quão singularmente, quão excitantemente, esse único ponto da natureza de minha mulher havia, apenas nesse último período, subjugado minha atenção! Disse que seu saber era tal como jamais conhecera em mulher alguma, mas onde existe o homem que tenha atravessado, e com êxito, todas as vastas áreas da ciência moral, física e matemática? Eu não via então o que agora claramente percebo, que os conhecimentos de Ligeia eram gigantescos, espantosos. Entretanto, estava suficientemente cônscio de sua infinita supremacia para resignar-me, com uma confiança de criança, a ser por ela guiado através do caótico mundo da investigação metafísica em que me achava acuradamente ocupado durante os primeiros anos de nosso casamento. Com que vasto triunfo, com que vivo deleite, com que tamanha esperança etérea *sentia* eu – quando ela se curvava sobre mim, em meio de estudos tão pouco devassados, tão pouco conhecidos – alargar-se pouco a pouco, diante de mim, aquela deliciosa perspectiva, ao longo de cuja via esplêndida e jamais palmilhada podia eu afinal seguir adiante até o termo de uma sabedoria por demais preciosa e divina para não ser proibida!

Quão pungente, então, deve ter sido o pesar com que, depois de alguns anos, vi minhas bem fundadas esperanças criarem asas por si mesmas e voarem além! Sem Ligeia, era apenas uma criança tateando no escuro. Sua presença, somente suas lições podiam tornar vivamente luminosos os muitos mistérios do transcendentalismo em que estávamos imersos. Privado do clarão radioso de seus olhos, aquela literatura leve e dourada tornava-se mais pesada e opaca do que o simples chumbo. E agora aqueles olhos brilhavam cada vez menos frequentemente sobre as páginas que eu esquadrinhava. Ligeia adoeceu. Os olhos ardentes esbraseavam numa refulgência por demais esplendorosa; os pálidos dedos tomaram a transparência cérea da morte e as veias azuis, na elevada fronte, intumesciam-se e palpitavam, impetuosamente, aos influxos da mais leve emoção. Vi que ela ia morrer e, desesperadamente, travei combate em espírito com o horrendo Azrael. E os esforços daquela mulher apaixonada eram, com grande espanto meu, mais enérgicos mesmo do que os meus. Havia muito na sua severa natureza para fazer-me crer que, para ela, a morte chegaria sem terrores; mas assim não foi. As palavras são impotentes para transmitir qualquer justa ideia da ferocidade de resistência com que ela batalhou contra a Morte. Eu gemia de angústia diante daquele lamentável espetáculo. Teria querido acalmá-la, teria querido persuadi-la, mas na intensidade do seu feroz desejo de viver, de viver, *nada* mais que viver, todos os alívios e razões teriam sido o cúmulo da loucura. Entretanto, nem mesmo no derradeiro instante, entre as mais convulsivas contorções do seu espírito ardente, foi abalada a externa placidez de seu porte. Sua voz tornou-se mais suave, tornou-se mais grave, mas eu não queria confiar na significação estranha daquelas palavras, sossegadamente pronunciadas. Meu cérebro vacilava quando eu escutava, extasiado por uma melodia sobre-humana, aquelas elevações e aspirações que os homens mortais jamais conheceram até então.

Que ela me amasse, não podia pô-la em dúvida, e era-me fácil saber que, num peito como o seu, o amor não deveria ter reinado como uma paixão comum. Mas somente na morte é que compreendi toda a força de seu afeto. Durante longas horas, presas minhas mãos nas suas, derramava diante de mim a superabundância dum coração cuja devoção, mais do que apaixonada, atingia as raias da idolatria. Como tinha eu merecido a beatitude de ouvir tais confissões? Como tinha eu merecido a maldição de que minha amada me fosse roubada na hora mesma em que mais falta fazia? Mas sobre essa questão não posso suportar o demorar-me. Permiti-me apenas dizer que no abandono mais do que feminino de Ligeia a um amor, ai de mim!, inteiramente imerecido, concedido a quem era de todo indigno, eu afinal reconheci o princípio de sua saudade, com um desejo, tão avidamente selvagem, da vida que agora lhe fugia com tal rapidez. É essa violenta aspiração, essa ávida veemência do desejo da vida, *apenas* da vida, que não tenho poder para retratar nem palavras capazes de exprimir.

Bem no meio da noite durante a qual partiu, chamando-me, autoritariamente, a seu lado, ela me pediu que lhe repetisse certos versos, que ela mesma compusera, não muitos dias antes; obedeci-lhe. Eram os que seguem:

Vede! é noite de gala, hoje, nestes
anos últimos e desolados!
Turbas de anjos alados, em vestes
de gaze, olhos em pranto banhados,
vêm sentar-se no teatro, onde há um drama
singular, de esperança e agonia;
e, ritmada, uma orquestra derrama
das esferas a doce harmonia.

Bem à imagem do Altíssimo feitos,
os atores, em voz baixa e amena,
murmurando, esvoaçam na cena,
são de títeres, só, seus trejeitos,
sob o império de seres informes,
dos quais cada um a cena retraça
a seu gosto, com as asas enormes
esparzindo invisível Desgraça!

Certo, o drama confuso já não
poderá ser um dia olvidado,
com o espectro a fugir, sempre em vão
pela turba furiosa acossado,
numa ronda sem fim, que regressa,
incessante, ao lugar de partida;
e há Loucura, e há Pecado, e é tecida
de Terror toda a intriga da peça!

Mas olhai! No tropel dos atores
uma forma se arrasta e insinua!
Vem, sangrenta, a enroscar-se, da nua
e erma cena, junto aos bastidores,
a enroscar-se! Um a um, cai, exangue,

cada ator, que esse monstro devora.
E soluçam os anjos – que é sangue,
sangue humano, o que as fauces lhe cora.

E se apagam as luzes! Violenta,
a cortina, funérea mortalha,
sobre os trêmulos corpos se espalha,
ao cair, com um rugir de tormenta.
Mas os anjos, que espantos consomem,
já sem véus, a chorar, vêm depor
que esse drama, tão tétrico, é "O Homem"
e que o herói da tragédia de horror
é o Verme Vencedor.

– Ó, Deus! – quase gritou Ligeia, erguendo-se sobre os pés e estendendo os braços para a frente num movimento espasmódico, quando terminei aqueles versos. – Ó, Deus! Ó, Pai Divino! Deverão ser essas coisas inflexivelmente assim? Não será uma só vez vencido esse vencedor? Não somos uma parte, uma parcela de Ti? Quem... quem conhece os mistérios da vontade, bem como seu vigor? O homem não se submete aos anjos *nem se rende inteiramente à morte*, a não ser pela fraqueza de sua débil vontade.

E então, como se a emoção a exaurisse, ela deixou os alvos braços caírem e regressou solenemente a seu leito de morte. E, enquanto exalava os últimos suspiros, veio de envolta com eles um baixo murmúrio de seus lábios: *"O homem não se submete aos anjos nem se rende inteiramente à morte, a não ser pela fraqueza de sua débil vontade."*

Morreu. E eu, aniquilado, pulverizado pela tristeza, não pude mais suportar a solitária desolação de minha morada, na sombria e decadente cidade à beira do Reno. Não me faltava aquilo que o mundo chama riqueza. Ligeia me trouxera bem mais, muitíssimo mais do que cabe de ordinário à sorte dos humanos. Depois, portanto, de poucos meses de vaguear cansativamente e sem rumo, adquiri e restaurei em parte uma abadia que não denominarei em um dos mais incultos e menos frequentados rincões da bela Inglaterra. A grandeza melancólica e sombria do edifício, o aspecto quase selvagem da propriedade, as muitas recordações tristonhas e vetustas que a ambos se ligavam tinham muito de união com os sentimentos de extremo abandono que me haviam levado àquela remota e deserta região do interior. Contudo, embora a parte externa da abadia, com sinais esverdinhados de ruína a pender em volta, apenas experimentasse pouca modificação, entreguei-me com perversidade como que pueril, e talvez com a fraca esperança de encontrar alívio a minhas tristezas, a exibir dentro dela uma magnificência mais do que régia. Mesmo na infância, eu tomara gosto por tais fantasias, e agora elas me voltavam como uma extravagância do pesar. Ai!, sinto quanto de loucura, mesmo incipiente, pode ser descoberta nas tapeçarias ostentosas e fantasmagóricas, nas solenes esculturas egípcias, nas fantásticas colunas, nos móveis estranhos, nos desenhos alucinados dos tapetes enfeitados de ouro! Tornei-me um escravo acorrentado às peias do ópio, e meus trabalhos e decisões tomavam o colorido de meus sonhos. Mas não devo deter-me em pormenorizar tais absurdos. Permiti-me que fale só daquele aposento, maldito para sempre, aonde conduzi, do altar, como minha esposa, num momento de alienação mental – como sucessora da inesquecível Ligeia –, a loura Lady Rowena Trevanion, de Tremaine, de olhos azuis.

Não há pormenor da arquitetura e decoração daquela câmara nupcial que não esteja agora presente a meus olhos. Onde estavam as almas da altiva família da noiva quando, movidas pela sede do ouro, permitiram que transpusesse o umbral dum aposento tão ataviado uma jovem e tão amada filha? Disse que me recordo minuciosamente dos pormenores do quarto, se bem que minha memória tristemente se esqueça de coisas de profunda importância; e não havia nenhuma sistematização, nenhuma harmonia, naquela fantástica exibição que cativasse a memória. O aposento achava-se numa alta torre da abadia acastelada, tinha a forma pentagonal e era bastante espaçoso. Ocupando toda a face sul do pentágono havia uma única janela, imensa folha de vidro inteiriço de Veneza, dum só pedaço e duma cor plúmbea, de modo que os raios do sol, ou da lua, passando através dele, lançavam sobre os objetos do interior uma luz sinistra. Sobre a parte superior dessa imensa janela prolongava-se a latada duma velha vinha que grimpara pelas maciças paredes da torre. O forro, de carvalho quase negro, era excessivamente elevado, abobadado e primorosamente ornado com os mais estranhos e os mais grotescos espécimes dum estilo semigótico e semidruídico. Do recanto mais central dessa melancólica abóbada pendia, duma única cadeia de ouro de compridos elos, um imenso turíbulo do mesmo metal, de modelo sarraceno, e com numerosas perfurações, tão tramadas que dentro e fora delas se estorcia, como se dotada de vitalidade serpentina, uma contínua sucessão de luzes multicores.

Algumas poucas otomanas e candelabros de ouro, de forma oriental, ocupavam em redor vários lugares; e havia também o leito – o leito nupcial – de modelo indiano, baixo e esculpido em ébano maciço, encimado por um dossel semelhante a um pano mortuário. Em cada um dos ângulos do quarto se erguia um gigantesco sarcófago de granito negro tirado dos túmulos dos reis em face de Luxor, com suas vetustas tampas cheias de esculturas imemoriais. Mas a fantasia principal, ai de mim!, se ostentava nas colgaduras do aposento. As paredes elevadas à gigantesca altura – acima mesmo de qualquer proporção – estavam cobertas, de alto a baixo, de vastos panejamentos duma pesada e maciça tapeçaria, que tinha seu similar no material empregado no tapete do soalho, bem como na cobertura das otomanas e do leito de ébano, no seu dossel e nas suntuosas volutas das cortinas, que parcialmente ocultavam a janela. Esse material era um tecido riquíssimo de ouro, todo salpicado, a intervalos regulares, de figuras arabescas com cerca de trinta centímetros de diâmetro e lavradas no pano em modelos do mais negro azeviche. Mas essas figuras só participavam do caráter de arabesco quando observadas dum único ponto de vista. Graças a um processo hoje comum, e na verdade rastreável até a mais remota Antiguidade, eram feitos de modo a mudar de aspecto. Para quem entrasse no quarto, tinham a aparência de simples monstruosidades, mas à medida que se avançava desaparecia gradualmente esse aspecto e, passo a passo, à proporção que o visitante mudasse de posição no quarto, via-se cercado por uma infindável sucessão das formas espectrais pertencentes às superstições dos normandos ou que surgem nos sonhos pecaminosos dos monges. O efeito fantasmagórico era vastamente realçado pela introdução artificial duma forte corrente contínua de vento por trás das cortinas, dando horrenda e inquietante animação ao todo.

Em aposentos tais como aquele, numa câmara nupcial tal como aquela, passava eu, com Lady de Tremaine, as horas não sagradas do primeiro mês do nosso casamento, e as passava com muito pouca inquietação. Que minha mulher receava o violento mau humor de meu temperamento, que me evitava e que me amava muito pouco eram coisas que eu não podia deixar de perceber. Mas isso me causava mais prazer que outra coisa. Eu a detestava com um ódio que tinha mais de diabólico que de humano. Minha memória retomava (oh, com que intensa saudade!) a Ligeia, a bem-amada, a augusta, a bela, a morta. Entregava-me a orgias de recordações de sua pureza, de sua sabedoria, de sua nobreza, de sua etérea natureza, de seu apaixonado e idolátrico amor. Agora, pois, plena e livremente, meu espírito se abrasava em chamas mais ardentes que as da própria Ligeia. Na excitação de meus sonhos de ópio (pois vivia habitualmente agrilhoado às algemas da droga), gritava seu nome em voz alta, durante o silêncio da noite, ou de dia, entre os recantos protetores dos vales, como se, pela ânsia selvagem, pela paixão solene, pelo ardor devorante de meu desejo pela morta, eu pudesse ressuscitá-la, nas sendas que abandonara nesta terra... será possível que para sempre?

Cerca do começo do segundo mês do casamento, Lady Rowena foi atacada por súbita doença, da qual só lentamente veio a restabelecer-se. A febre que a consumia tornava suas noites penosas e no seu agitado estado de semissonolência referia-se ela a sons e a movimentos dentro e em redor do quarto da torre, e que eu não podia deixar de atribuir senão ao desarranjo de sua imaginação ou talvez às fantasmáticas influências do próprio quarto. Veio afinal a convalescer... e, por fim, recobrou a saúde. Todavia, mal se passara breve período, eis que segundo e mais violento acesso a lança de novo no leito de sofrimento; e desse ataque seu corpo, que sempre fora fraco, jamais se restabeleceu inteiramente. Desde essa época, sua doença tomou caráter alarmante e de recaídas mais alarmantes, desafiando ao mesmo tempo o saber e os grandes esforços de seus médicos. Com o aumento da moléstia crônica, que assim, ao que parecia, de tal modo se apoderara de sua constituição que não era mais possível erradicá-la por meios humanos, não podia eu deixar de observar idêntico aumento da irritação nervosa de seu temperamento e da sua excitabilidade por motivos triviais de medo. Referia-se novamente, e agora com mais frequência e mais pertinácia, aos sons, aos mais leves sons e aos insólitos movimentos das tapeçarias, a que já antes aludira.

Numa noite dos fins de setembro, chamou minha atenção, com insistência insólita, para o desagradável assunto. Ela acabava de despertar de um sono inquieto e eu estivera observando, com sentimentos mistos de ansiedade e vago terror, as contrações de sua fisionomia emagrecida. Sentei-me ao lado de seu leito de ébano, em uma das otomanas da Índia. Ela ergueu-se um pouco e falou, num sussurro ansioso e baixo, de sons que ela *então* ouvia, mas que eu não podia perceber. O vento corria com violência por trás das tapeçarias e eu tentei mostrar-lhe (o que, confesso, eu mesmo não podia acreditar *inteiramente*) que aqueles sopros, quase inarticulados, e aquelas oscilações muito suaves das figuras na parede eram apenas o efeito natural daquela corrente costumeira de vento. Mas um palor mortal, espalhando-se em sua face, demonstrou-me que os esforços para reanimá-la seriam infrutíferos. Ela parecia desmaiar, e nenhum criado poderia ouvir se eu chamasse. Lembrei-me de onde fora guardado um frasco de vinho leve que os médicos haviam receitado e apressei-me em atravessar o quarto para buscá-lo. Mas, ao passar por sob a luz do turíbulo, duas circunstâncias de natureza impressionante me atraíram a atenção. Senti que alguma coisa palpável, embora invisível, passara de leve junto de mim, e vi que jazia ali, sobre o tapete dourado, bem no meio do forte clarão lançado pelo turíbulo, uma sombra, uma sombra fraca, indecisa, de aspecto angélico, tal como o que se poderia imaginar ser a sombra de uma sombra. Mas eu estava desvairado pela excitação de uma dose imoderada de ópio e considerei essas coisas como nada, não falando delas a Rowena. Tendo encontrado o vinho, tornei a atravessar o quarto e enchi uma taça, que levei aos lábios da mulher desmaiada. Ela havia então, em parte, recuperado os sentidos, porém, e segurou o copo, enquanto eu me afundava numa otomana próxima, com os olhos presos à sua pessoa. Sucedeu então que percebi distintamente um leve rumor de passos sobre o tapete e perto do leito, e um segundo depois, quando Rowena estava a erguer o vinho aos lábios, vi, ou posso ter sonhado que vi, caírem dentro da taça, como vindos de fonte invisível na atmosfera do quarto, três ou quatro grandes gotas de um líquido brilhante, cor de rubi. Se eu o vi, não o viu Rowena. Bebeu o vinho sem hesitar e eu contive-me de falar-lhe de uma circunstância que, julguei, devia, afinal de contas, ter sido apenas a sugestão de uma imaginação viva, tornada morbidamente ativa pelo ópio e pela hora da noite.

Não posso, contudo, ocultar de minha própria percepção que, imediatamente após a queda das gotas de rubi, uma rápida mudança para pior se verificou na enfermidade de minha mulher; assim é que, na terceira noite subsequente, as mãos de seus criados a preparavam para o túmulo, e na quarta eu me sentei só, com seu corpo amortalhado, naquele quarto fantástico que a recebera como minha esposa. Fantásticas visões, geradas pelo ópio, esvoaçavam, como sombras, à minha frente. Contemplei com olhar inquieto a essa armada nos ângulos do quarto, as figuras oscilantes da tapeçaria e o enroscar-se das chamas multicoloridas do turíbulo, no alto. Meus olhos então caíram, enquanto eu recordava as circunstâncias de uma noite anterior, sobre o lugar por baixo do clarão do turíbulo, onde eu vira os fracos traços da sombra. Ela, contudo, já não estava mais ali, e, respirando com maior liberdade, voltei a vista para a pálida e rígida figura que jazia no leito. Então precipitaram-se em mim milhares de recordações de Ligeia, e então recaiu-me no coração, com a violência turbulenta de uma torrente, o conjunto daquele indizível sentimento de desgraça com que eu a contemplara, *a ela*, amortalhada assim. A noite avançava e ainda, com o peito cheio de amargas lembranças dela, a única e supremamente amada, eu continuava a olhar o corpo de Rowena.

Podia ser meia-noite, ou talvez mais cedo ou mais tarde, pois eu não notava o decorrer do tempo, quando um soluço, baixo, suave, mas bem distinto, me sobressaltou do sonho. *Senti* que ele vinha do leito de ébano, do leito da morta. Prestei ouvidos, numa agonia de terror supersticioso, mas não houve repetição do som. Agucei a vista, para apreender qualquer movimento do cadáver, mas perceptivelmente nada havia. Contudo, eu não podia ter sido enganado. *Ouvira* o ruído, embora fraco, e minha alma despertara dentro de mim. Resoluta e perseverantemente conservei a atenção fixa no corpo. Muitos minutos decorreram antes que qualquer circunstância ocorresse tendente a atrair luz sobre o mistério. Afinal, tornou-se evidente que uma coloração fraca, muito fraca e mal perceptível, corava as faces e se estendia nas pequenas veias deprimidas das pálpebras. Através de uma espécie de horror e espanto indizíveis, para os quais a linguagem humana não tem expressões suficientemente significativas, senti meu coração deixar de bater e meus membros se enrijeceram, no lugar em que estava sentado. O senso do dever, contudo, agiu para devolver-me o domínio de mim mesmo. Não podia mais duvidar de que havíamos sido precipitados em nossos preparativos, de que Rowena ainda vivia. Era necessário que se fizesse alguma tentativa; entretanto, o torreão estava completamente separado daquela parte da abadia em que residiam os criados, e não havia nenhum que se pudesse chamar; eu não podia ordenar-lhes que me ajudassem sem deixar o quarto por muitos minutos, e isso não me podia aventurar a fazer. Lutei, portanto, sozinho, nas tentativas para chamar de volta o espírito, que ainda pairava sobre o corpo. Em curto período tornou-se certo, contudo, que uma recaída se verificara; a coloração desapareceu tanto das pálpebras como da face, deixando em seu lugar uma palidez ainda maior do que a do mármore; os lábios tornaram-se duplamente fechados e contorcidos, na espantosa expressão da morte; uma frialdade e uma viscosidade repulsivas espalharam-se rapidamente na superfície do corpo; e sobreveio imediatamente toda a costumeira e rigorosa rigidez. Caí, trêmulo, sobre a poltrona de que me erguera tão sobressaltadamente e de novo me entreguei às apaixonadas recordações de Ligeia.

Uma hora assim decorreu, quando (podia ser possível?) verifiquei, pela segunda vez, que certo som indeciso saía da região do leito. Prestei ouvidos, na extremidade do horror. Repetiu-se o som: era um suspiro. Correndo para o cadáver, vi, vi distintamente, um tremor em seus lábios. Um minuto depois, eles se abriram, exibindo uma fileira brilhante de dentes de pérola. A estupefação agora lutava em meu corpo, com o profundo horror que até então dominara sozinho. Senti que minha vista se ensombrava, que minha razão divagava; e foi só com violento esforço que afinal consegui dominar os nervos para entregar-me à tarefa que o dever assim mais uma vez me apontava. Havia agora um brilho parcial na fronte, na face e na garganta; um calor perceptível invadia todo o corpo; havia mesmo um leve bater do coração. A mulher *vivia*, e com redobrado ardor entreguei-me ao trabalho de reanimá-la. Esfreguei-lhe e banhei-lhe as têmporas e as mãos e usei de todos os esforços que a experiência e não pouca leitura de assuntos médicos puderam sugerir. Mas em vão. De súbito, a cor desapareceu, a pulsação cessou, os lábios retomaram a expressão cadavérica e, um instante depois, todo o corpo se tornou de frialdade de gelo, com a coloração lívida, a rigidez intensa, os contornos cavados e todas as particularidades repulsivas de quem tinha sido, durante muitos dias, um habitante do sepulcro.

E imergi de novo nas recordações de Ligeia, e de novo (será de admirar que eu estremeça ao escrevê-lo?), *de novo* alcançou meus ouvidos um baixo soluço vindo da região do leito de ébano. Mas por que irei pormenorizar miudamente os indescritíveis horrores daquela noite? Por que me demorarei a relatar como de tempo em tempo, até quase a hora acinzentada do alvorecer, se repetiu esse horrendo drama de revivificação? E como cada terrível recaída só o era numa morte mais profunda e aparentemente mais irremissível? E como cada agonia tinha o aspecto de uma luta com algum adversário invisível? E como a cada luta se sucedia não sei que estranha mudança na aparência pessoal do cadáver? Permiti que apresse a conclusão.

A maior parte da noite terrível se fora e aquela que morrera, de novo, outra vez, se movera, e agora mais vigorosamente do que até então, embora erguendo-se de um aniquilamento mais apavorante, em seu extremo desamparo, do que qualquer outro. Eu há muito cessara de lutar, ou de mover-me, e permanecia rigidamente sentado na otomana, presa inerme de um turbilhão de emoções violentas, das quais o pavor extremo era talvez a menos terrível, a menos consumidora. O cadáver, repito, moveu-se, e agora mais violentamente do que antes. As cores da vida irromperam, com indomável energia, no seu rosto, os membros se relaxaram e, a não ser porque as pálpebras ainda se mantivessem estreitamente cerradas e porque os panejamentos e faixas tumulares ainda impusessem seu caráter sepulcral ao rosto, eu poderia ter sonhado que Rowena, na verdade, repelira completamente as cadeias da Morte. Mas, se essa ideia não foi, mesmo então, inteiramente adotada, eu não pude pelo menos duvidar mais quando, erguendo-se do leito, vacilando, com passos trôpegos, com os olhos fechados e com as maneiras de alguém perdido num sonho, a coisa amortalhada avançou, ousada e perceptivelmente, para o meio do aposento.

Não tremi... não me movi... pois uma multidão de inenarráveis fantasias, ligadas com o aspecto, a estatura, a maneira do vulto, precipitando-se atropeladamente em meu cérebro, me paralisaram, me enregelaram em pedra. Não me movi, mas contemplei a aparição. Havia uma louca desordem em meus pensamentos, um tumulto não apaziguável. Podia, na verdade, ser Rowena *viva* que me enfrentava? Podia, de fato, ser *verdadeiramente* Rowena, a loura, a dos olhos azuis, Lady Rowena Trevanion de Tremaine? Por que, *por que* duvidaria disso? A faixa rodeava apertadamente a boca; mas então não podia ser a boca respirante de Lady de Tremaine? E as faces, onde havia rosas, como no esplendor de sua vida, sim, bem podiam ser elas as belas faces da viva Lady de Tremaine. E o queixo, com suas covinhas, como antes da doença, não podia ser o dela? *Mas, então, ela crescera desde a doença?* Que inexprimível loucura me dominou com esse pensamento? Um salto, e fiquei a seu lado! Estremecendo ao meu contato, deixou cair da cabeça, desprendidos, os fúnebres enfaixamentos que a circundavam, e dali se espalharam, na atmosfera agitada pelo vento do quarto, compactas massas de longos e revoltos cabelos: *e eram mais negros do que as asas de corvo da meia-noite!* E então se abriram vagarosamente os *olhos* do vulto que estava à minha frente.

– Aqui estão, afinal – clamei em voz alta –, nunca poderei... nunca poderei enganar-me... Estes são os olhos grandes, negros e estranhos de meu perdido amor... de Lady... de "Lady Ligeia"!

A QUEDA DO SOLAR DE USHER[20]

Son coeur est un luth suspendu;
sitôt qu'on le touche, il résonne.[21]
— DE BÉRANGER

Durante todo um pesado, sombrio e silente dia outonal, em que as nuvens pairavam opressivamente baixas no céu, estive eu passeando, sozinho, a cavalo, através de uma região do interior, singularmente tristonha, e afinal me encontrei, ao caírem as sombras da tarde, perto do melancólico Solar de Usher. Não sei como foi, mas ao primeiro olhar sobre o edifício invadiu-me a alma um sentimento de angústia insuportável, digo insuportável porque o sentimento não era aliviado por qualquer dessas semiagradáveis, porque poéticas, sensações com que a mente recebe comumente até mesmo as mais cruéis imagens naturais de desolação e de terror. Contemplei o panorama em minha frente – a casa simples e os aspectos simples da paisagem da propriedade, as paredes soturnas, as janelas vazias, semelhando olhos, uns poucos canteiros

20 *Publicado pela primeira vez na* Burton's Gentleman's Magazine, *setembro de 1839. Título original:* The Fall of the House of Usher.
21 *Seu coração é um alaúde pendurado; tão logo alguém o toca, ressoa. (N.T.)*

de caniços e uns poucos troncos brancos de árvores mortas, com extrema depressão de alma que só posso comparar, com propriedade, a qualquer sensação terrena, lembrando os instantes após o sonho de ópio, para quem dele desperta, a amarga recaída na vida cotidiana, o terrível tombar do véu. Havia um enregelamento, uma tontura, uma enfermidade de coração, uma irreparável tristeza no pensamento, que nenhum incitamento da imaginação podia forçar a transformar-se em qualquer coisa de sublime. Que era – parei para pensar –, que era o que tanto me perturbava à contemplação do Solar de Usher? Era um mistério inteiramente insolúvel; e eu não podia apreender as ideias sombrias que se acumulavam em mim ao meditar nisso. Fui forçado a recair na conclusão insatisfatória de que, se *há*, sem dúvida, combinações de objetos muito naturais que têm o poder de assim influenciar-nos, a análise desse poder, contudo, permanece entre as considerações além de nossa argúcia. Era possível, refleti, que um mero arranjo diferente dos detalhes da paisagem, dos pormenores do quadro, fosse suficiente para modificar ou talvez aniquilar sua capacidade de produzir tristes impressões; e, demorando-me nessa ideia, dirigi o cavalo para a margem escarpada de um pantanal negro e lúgubre que reluzia parado junto ao prédio, e olhei para baixo – com um tremor ainda mais forte do que antes –, para as imagens alteradas e invertidas dos caniços cinzentos e dos lívidos troncos de árvores e das janelas semelhantes a órbitas vazias.

Não obstante isso, eu me propusera ficar algumas semanas naquela mansão de melancolia. Seu proprietário, Roderick Usher, fora um dos meus alegres companheiros de infância; mas muitos anos haviam decorrido desde o nosso último encontro. Uma carta, porém, chegara-me recentemente, em distante região do país – uma carta dele, a qual, por sua natureza estranhamente importuna, não admitia resposta que não fosse pessoal. O manuscrito dava indícios de nervosa agitação. O signatário falava de uma aguda enfermidade física, de uma perturbação mental que o oprimia e de um ansioso desejo de ver-me, como seu melhor e, em realidade, seu único amigo pessoal, a fim de lograr, pelo carinho de minha companhia, algum alívio a seus males. A maneira pela qual tudo isso e ainda mais era dito, o aparente sentimento que seu pedido demonstrava não me deixaram lugar para hesitação; e, em consequência, aceitei logo o que ainda considerava um convite bastante singular.

Embora quando crianças tivéssemos sido companheiros íntimos, eu, na verdade, conhecia pouco meu amigo. Sua reserva sempre fora excessiva e constante. Sabia, contudo, que sua família, das mais antigas, se tornara notada desde tempos imemoriais por uma particular sensibilidade de temperamento, manifestando-se, através de longas eras, em muitas obras de arte exaltada e, ultimamente, evidenciando-se em repetidas ações de caridade munificente, embora discreta, assim como uma intensa paixão pelas sutilezas, talvez mesmo mais do que pelas belezas ortodoxas e facilmente reconhecíveis, da ciência musical. Eu conhecia, também, o fato, muito digno de nota, de que do tronco da família Usher, apesar de sua nobre antiguidade, jamais brotara, em qualquer época, um ramo duradouro; em outras palavras, a família inteira só se perpetuava por descendência direta e assim permanecera sempre, com variações muito efêmeras e sem importância. Era essa deficiência, pensava eu, enquanto a mente examinava a concordância perfeita do aspecto da propriedade com o caráter exato de seus habitantes, e enquanto especulava sobre a possível influência que aquela, no longo decorrer dos séculos, poderia ter exercido sobre estes, era essa deficiência, talvez, de um ramo colateral, e a consequente transmissão em linha reta, de pai a filho, do nome e do patrimônio, que afinal tanto identificaram ambos, a ponto de dissolver o título original do domínio na estranha e equívoca denominação de "Solar de Usher", denominação que parecia incluir, na mente dos camponeses que a usavam, tanto a família quanto a mansão familiar.

Disse que o simples efeito de minha experiência algo pueril – a de olhar para dentro do pântano – aprofundara a primeira impressão de singularidade. Não podia haver dúvida de que a consciência do rápido aumento de minha superstição – por que não a chamaria assim? – servia principalmente para intensificar esse aumento. Tal, sabia eu de há muito, é a lei paradoxal de todos os sentimentos que têm o terror como base. E só podia ter sido por essa razão que, quando de novo ergui os olhos da imagem do edifício no pântano para a própria casa, cresceu-me no espírito uma estranha fantasia – uma fantasia de fato tão ridícula que só a menciono para mostrar a viva força das sensações que me oprimiam. Tanto eu forçara a imaginação que realmente acreditava que em torno da mansão e da propriedade pairava uma atmosfera característica de ambos e de seus imediatos arredores – atmosfera que não tinha afinidade com o ar do céu, mas que exalava das árvores apodrecidas e do muro cinzento e do lago silencioso – um vapor pestilento e misterioso, pesado, lento, fracamente visível e cor de chumbo.

Desembaraçando o espírito do que devia ter sido um sonho, examinei mais estreitamente o aspecto real do edifício. Sua feição dominante parecia ser a duma excessiva antiguidade. Fora grande o desbotamento produzido pelos séculos. Cogumelos miúdos se espalhavam por todo o exterior, pendendo das goteiras do telhado como uma fina rede emaranhada. Tudo isso, porém, estava fora de qualquer deterioração incomum. Nenhuma parte da alvenaria havia caído e parecia haver uma violenta incompatibilidade entre sua perfeita consistência de partes e o estado particular das pedras esfarinhadas. Isso me lembrava bastante a especiosa integridade desses velhos madeiramentos que durante muitos anos apodreceram em alguma adega abandonada, sem serem perturbados pelo hálito do vento exterior. Além desse índice de extensa decadência, porém, dava o edifício poucos indícios de fragilidade. Talvez o olhar dum observador minucioso descobrisse uma fenda mal perceptível que, estendendo-se do teto da fachada, ia descendo em zigue-zague pela parede, até perder-se nas soturnas águas do lago.

Notando essas coisas, segui a cavalo por uma curta calçada que levava à casa. Um criado tomou meu cavalo e penetrei na abóbada gótica do vestíbulo. Outro criado, a passos furtivos, conduziu-me, então, em silêncio, através de muitos corredores escuros e intrincados, até o gabinete de seu patrão. Muito do que ia encontrando pelo caminho contribuía, não sabia eu como, para reforçar os sentimentos vagos de que já falei. Os objetos que me cercavam, as esculturas dos forros, as sombrias tapeçarias das paredes, a negrura de ébano dos soalhos e os fantasmagóricos troféus de armas que tilintavam à minha passagem precipitada eram coisas com as quais me familiarizara desde a infância e, conquanto não hesitasse em reconhecê-las como assim familiares, espantava-me ainda verificar como não eram familiares as fantasias que essas imagens habituais faziam irromper. Numa das escadarias encontrei o médico da família. Seu aspecto, pensei, apresentava a expressão mista da agudeza baixa e da perplexidade. Passou por mim precipitadamente e seguiu. O criado então abriu uma porta e me levou à presença de seu patrão.

O aposento em que me achei era muito amplo e elevado. As janelas eram longas, estreitas e pontudas, a uma distância tão vasta do soalho de carvalho negro que, de pé sobre este, não as poderíamos atingir. Fracos clarões de uma luz purpúrea penetravam pelos vitrais e gelosias, conseguindo tornar suficientemente distintos os objetos mais salientes em derredor; em vão, porém, o olhar lutava para alcançar os ângulos mais distantes do quarto, ou os recessos do teto esculpido e abobadado. Negras tapeçarias penduravam-se das paredes. O mobiliário, em geral, era profuso, desconfortável, antigo e desconjuntado. Viam-se espalhados muitos livros e instrumentos musicais, mas nenhuma vivacidade conseguiam eles dar ao cenário. Senti que respirava uma atmosfera de tristeza. Um ar de melancolia acre, profunda e irremissível pairava ali, penetrando tudo.

À minha entrada, Usher ergueu-se de um sofá em que estivera deitado, ao comprido, e saudou-me com o vivo calor que em si tinha muito, pensei eu a princípio, de cordialidade constrangida, do esforço obrigatório do homem de sociedade entediado. Um olhar, porém, para seu rosto convenceu-me de sua perfeita sinceridade. Sentamo-nos. E, por alguns momentos, enquanto ele não falou, olhei-o com um sentimento meio de dó, meio de espanto. Certamente, homem algum jamais se modificou tão terrivelmente, em período tão breve, quanto Roderick Usher! Foi com dificuldade que cheguei a admitir a identidade do fantasma à minha frente com o companheiro de minha primeira infância. Os característicos de sua face, porém, sempre haviam sido, em todos os tempos, notáveis.

Uma compleição cadavérica; um olhar amplo, líquido e luminoso, além de qualquer comparação; lábios um tanto finos e muito pálidos, mas de uma curva extraordinariamente bela; nariz de delicado modelo hebraico, mas com uma amplidão de narinas incomum em tais formas; um queixo finamente modelado, denunciando, na sua falta de proeminência, a falta de energia moral; cabelos de mais tenuidade e maciez que fios de aranha; tais feições e um desenvolvimento frontal excessivo, acima das regiões das têmporas, compunham uma fisionomia que dificilmente se olvidava. E agora, pelo simples exagero das características dominantes desses traços e da expressão que eles costumavam apresentar, tanta se tornara a mudança, que não reconheci logo com quem falava. A lividez agora cadavérica da pele e o brilho sobrenatural do olhar, principalmente, me deixaram atônito e mesmo horrorizado. Também o cabelo sedoso crescera à vontade, sem limites; e, como ele, na sua tessitura de aranhol, mais flutuava do que caía em torno da face, eu não podia, mesmo com esforço, ligar sua aparência estranha com a simples ideia de humanidade.

Impressionou-me logo certa incoerência nas maneiras de meu amigo, certa inconsistência; e logo verifiquei que isso nascia de uma série de lutas fracas e fúteis para dominar uma perturbação habitual, uma excessiva agitação nervosa. Na verdade, eu me achava preparado para encontrar algo dessa natureza, não só pela carta dele, como por certas recordações de fatos infantis e por conclusões derivadas de sua conformação física e temperamento especiais. Seu modo de agir era alternadamente vivo e indolente. Sua voz variava, rapidamente, de uma indecisão trêmula (quando a energia animal parecia inteiramente ausente) àquela espécie de concisão enérgica, àquela abrupta, pesada, pausada e cavernosa enunciação, àquela pronúncia carregada, equilibrada e de modulação guturalmente perfeita que se pode observar no ébrio contumaz ou no irremediável fumador de ópio durante os períodos de sua mais intensa excitação.

Foi assim que ele falou do objetivo de minha visita, de seu ansioso desejo de me ver e da consolação que esperava que eu lhe trouxesse. Passou a tratar, com alguma extensão, do que concebia ser a natureza de sua doença. Era, disse ele, um mal orgânico e de família, para o qual desesperara de achar remédio. Simples afecção nervosa – acrescentou imediatamente –, que sem dúvida passaria depressa. Desenvolvia-se numa multidão de sensações anormais. Algumas destas, como ele as detalhou, me interessaram e admiraram, embora talvez para isso concorressem os termos e o modo geral de sua narrativa. Sofria muito de uma acuidade mórbida dos sentidos; só o alimento mais insípido lhe era suportável; somente podia usar vestes de determinados tecidos; eram-lhe asfixiantes os perfumes de todas as flores; mesmo uma fraca luz lhe torturava os olhos; e apenas sons especiais, além dos brotados dos instrumentos, não lhe inspiravam horror.

Verifiquei que ele era um escravo agrilhoado a uma espécie anômala de terror. "Morrerei", disse ele, "*devo* morrer nesta loucura deplorável. Estarei perdido assim, assim e não de outra maneira. Temo os acontecimentos do futuro, não por si mesmos, mas por seus resultados. Estremeço ao pensar em algum incidente, mesmo o mais trivial, que possa influir sobre essa intolerável agitação da alma. Na verdade, não tenho horror ao perigo, exceto no seu efeito positivo: o terror. Nessa situação enervante e lastimável, sinto que chegará, mais cedo ou mais tarde, o período em que deverei abandonar, ao mesmo tempo, a vida e a razão, em alguma luta com esse fantasma lúgubre: o MEDO."

Fiquei sabendo, ademais, a intervalos e por meio de frases quebradas e equívocas, de outro traço singular de sua condição mental. Ele estava preso a certas impressões supersticiosas com relação ao prédio em que morava e de onde, por muitos anos, nunca se afastara, e com relação a uma influência cuja força hipotética era exposta em termos demasiado tenebrosos para serem aqui repetidos; influência que certas particularidades apenas de forma e de substância do seu solar familiar, através de longos sofrimentos, dizia ele, exerciam sobre seu espírito; efeito que o *físico* das paredes e torreões cinzentos e do sombrio pântano em que esse conjunto se espelhava, afinal, produzira sobre o *moral* de sua existência.

Ele admitia, porém, embora com hesitação, que muito da melancolia peculiar que assim o afligia podia rastrear-se até uma origem mais natural e bem mais admissível: a doença severa e prolongada, a morte – aparentemente a aproximar-se – de uma irmã ternamente amada, sua única companhia durante longos anos, sua última e única parenta na Terra. “O falecimento dela”, dizia ele, com amargura que nunca poderei esquecer, deixar-me-ia (a ele, o desesperançado e frágil) como o último da antiga raça dos Ushers.” Enquanto ele falava, Lady Madeline (pois era assim chamada) passou lentamente para uma parte recuada do aposento e, sem ter notado minha presença, desapareceu. Olhei-a com extremo espanto não destituído de medo. E contudo achava impossível dar-me conta de tais sentimentos. Uma sensação de estupor me oprimia, enquanto meus olhos acompanhavam seus passos que se afastavam. Quando afinal se fechou sobre ela uma porta, meu olhar buscou instintivamente, curiosamente, a fisionomia do irmão. Mas ele havia mergulhado a face nas mãos e apenas pude perceber que uma palidez bem maior do que a habitual se havia espalhado sobre os dedos emagrecidos, através dos quais se filtravam lágrimas apaixonadas.

A doença de Lady Madeline tinha por muito tempo zombado da habilidade de seus médicos. Uma apatia fixa, um esgotamento gradual de sua pessoa e crises frequentes, embora transitórias, de caráter parcialmente cataléptico eram os insólitos sintomas. Até ali tinha ela suportado bravamente o peso de sua doença e não quisera ir para a cama; mas, ao fim da noite de minha chegada à casa, ela sucumbiu (como me contou seu irmão, à noite, com inexprimível agitação) ao poder esmagador do flagelo; e eu soube que o olhar que havia lançado sobre ela seria assim, provavelmente, o último e que não mais veria aquela mulher, pelo menos enquanto estivesse viva.

Durante os vários dias que se seguiram, seu nome não foi pronunciado nem por Usher nem por mim, e nesse período fiquei eu ocupado em esforços tenazes para aliviar a melancolia de meu amigo. Pintávamos e líamos juntos, ou ouvíamos, como em sonhos, suas improvisações estranhas, em sua eloquente guitarra. E assim, à medida que uma intimidade cada vez maior me introduzia sem reservas nos recessos de seu espírito, mais amargamente eu percebia a vaidade de todas as minhas tentativas de alegrar uma alma da qual a escuridão, com uma quantidade inerente e positiva, se derramava sobre todos os objetos do universo moral e físico, numa incessante irradiação de trevas.

Guardarei para sempre a lembrança de muitas horas solenes que passei a sós com o dono do Solar de Usher. Contudo, seria malsucedido em qualquer tentativa de exprimir uma ideia do exato caráter dos estudos ou das ocupações a que ele me arrastava ou de que me mostrava o caminho. Uma idealidade excitada e altamente mórbida lançava um brilho sulfuroso sobre tudo. Suas longas e improvisadas endechas soarão para sempre aos meus ouvidos. Entre outras coisas, recordo-me penosamente de certa adulteração singular e amplificação da estranha ária da derradeira valsa de Von Weber. Quanto às pinturas geradas pela sua complicada fantasia – e que iam aumentando, traço a traço, numa espécie de vaguidão que me causava calafrios, porque eu tremia sem saber por quê –, quanto a essas pinturas (como suas imagens estão vivas agora diante de mim!), em vão tentaria delas extrair mais do que uma pequena parte que pudesse ficar nos limites das simples palavras escritas. Pela extrema simplicidade, pela nudez de seus desenhos, ele atraía e subjugava a atenção. Se jamais algum mortal pintou uma ideia, esse foi Roderick Usher. Para mim, pelo menos, nas circunstâncias que então me cercavam, erguia-se das puras abstrações que o hipocondríaco se esforçava por lançar na tela um terror de intensidade intolerável, do qual nem a sombra eu jamais senti na contemplação dos devaneios de Fuselli,[22] certamente brilhantes, embora demasiado concretos.

Uma das fantasmagóricas concepções de meu amigo, que não partilhava tão rigidamente do espírito de abstração, pode ser esboçada, embora fracamente, em palavras. Um pequeno quadro apresentava o interior de uma adega, ou túnel, imensamente longo e retangular, com paredes baixas, polidas, brancas e sem interrupção ou ornamento. Certos pontos acessórios da composição serviam bem para traduzir a ideia de que essa escavação jazia a uma profundidade excessiva, abaixo da superfície da terra. Não se via qualquer saída em seu vasto percurso, e nenhuma tocha ou qualquer outra fonte artificial de luz era perceptível; e, no entanto, uma efusão de

22 Pintor suíço estabelecido na Inglaterra (1742-1825). (N.T.)

intensos raios rolava de uma extremidade à outra, tudo banhando de esplendor fantástico e inapropriado.

Já me referi àquele estado mórbido do nervo acústico que tornava toda música intolerável ao paciente, exceto certos efeitos de instrumentos de corda. Foram talvez os estreitos limites a que ele assim se confinou na guitarra que deram origem, em grande parte, ao caráter fantástico de suas execuções. Mas a fervorosa *facilidade* de seus *impromptus* não podia ser assim explicada. Eles devem ter sido – e eram, nas notas bem como nas palavras de suas estranhas fantasias (pois ele frequentemente se acompanhava com improvisações verbais rimadas) – o resultado daquela intensa concentração e recolhimento mental a que eu antes aludi, observados apenas em momentos especiais da mais alta excitação artificial. Guardei facilmente de memória as palavras de uma dessas rapsódias. Talvez me tenha ela impressionado mais fortemente, quando ele ma apresentou, porque, na corrente subterrânea ou mística de seu significado imaginei perceber, pela primeira vez, que Usher tinha pleno conhecimento do vacilar de sua elevada razão sobre seu trono. Os versos, intitulados "O Palácio Assombrado",[23] eram pouco mais ou menos assim:

No vale mais verdejante
que anjos bons têm por morada,
outrora, nobre e radiante
Lá, o rei era o Pensamento,
e jamais um serafim
as asas soltou ao vento
sobre solar belo assim.

Bandeiras de ouro, amarelas,
no seu teto, flamejantes,
ondulavam (foi naquelas...
eras distantes!)

....

23 Este poema apareceu na Brook's Magazine, *publicada em Baltimore. (N.T.)*

e alado odor se evolava,
quando a brisa, em horas cálidas,
por sobre as muralhas pálidas
suavemente perpassava.

Pelas janelas de luz
o viajor a dançar via
espíritos que a harmonia
de um alaúde tinham por lei.
E, sobre o trono, fulgia
(porfirogênito!) o Rei,
com a glória, com a fidalguia,
de quem tal reino conduz.

Pela porta, cintilante
de pérolas e rubis,
ia fluindo a cada instante
multidão de ecos sutis,
vozes de imortal beleza
cujo dever singular
era somente cantar
do Rei a imensa grandeza,

Mas torvos, lutuosos vultos
assaltaram o solar!
(Choremos!, pois nunca o dia
sobre o ermo se há de elevar!)
E, em torno ao palácio, a glória
que fulgente florescia
é apenas obscura história
de velhos tempos sepultos!

Pelas janelas, agora,
em brasa, avista o viajante
estranhas formas, que agita

uma música ululante;
e, qual rio, se precipita
pela pálida muralha
uma turba que apavora,
    que não sorri, mas gargalha
em gargalhada infinita!

Lembro-me bem de que as sugestões surgidas dessa balada conduziram-nos a uma corrente de ideias dentro das quais se manifestou uma opinião de Usher, que menciono não tanto por causa de sua novidade (pois outros homens têm pensado assim),[24] mas por causa da pertinácia com que a mantinha. Essa opinião, na sua forma geral, era a da sensitividade de todos os seres vegetais. Mas na sua fantasia desordenada a ideia havia assumido um caráter mais audacioso e avançava, sob certas condições, no reino do inorgânico. Faltam-me palavras para exprimir toda a extensão ou o grave *abandono* de sua persuasão. Essa crença, todavia, estava ligada (como já dei antes a entender) às cinzentas pedras do lar de seus antepassados. As condições da sensitividade tinham sido aqui, imaginava ele, realizadas pelo método de colocação dessas pedras na ordem do seu arranjo, bem como na dos muitos fungos que as revestiam e das árvores mortas que se erguiam em redor, mas, acima de tudo, na longa e imperturbada duração desse arranjo e em sua reduplicação nas águas dormentes do lago. A prova – a prova de sensitividade – haveria de ver-se, dizia ele (e aqui me sobressaltei ao ouvi-lo falar), na gradual ainda que incerta condensação duma atmosfera que lhes era própria, em torno das águas e dos muros. O resultado era discernível, acrescentava ele, naquela influência silenciosa, embora importuna e terrível, que durante séculos tinha moldado os destinos de sua família, e fizera *dele*, tal como eu agora o via, o que ele era. Tais opiniões não necessitam de comentários e por isso nenhum farei.

....

24 Watson, dr. Percival, Spallanzani e, especialmente, o bispo de Landalff. Ver Chemical Essays, *volume V. (N.T.)*

Nossos livros – os livros que durante anos tinham formado não pequena parte da existência mental do inválido – estavam, como é de supor-se, de perfeito acordo com esse caráter de visionário. Analisávamos juntos obras tais como *Vertvert et Chartreuse*, de Gresset; o *Belphegor*, de Maquiavel; *O céu e o inferno*, de Swedenborg; *A viagem subterrânea de Nicolau Klimm*, de Holberg; a *Quiromancia*, de Robert Flud, de Jean d'Indaginé e de La Chambre; a *Viagem no azul*, de Tieck; e a *Cidade do Sol*, de Campanella. Um volume favorito era uma pequena edição, *in octavo*, do *Directorium Inquisitorium*, do dominicano Eymeric de Gironne; e havia passagens de Pomponius Mela, a respeito dos velhos sátiros africanos e dos egipãs, sobre as quais ficava Usher a sonhar durante horas. Seu principal deleite, porém, consistia na leitura dum livro excessivamente raro e curioso, um *in quarto gótico* – manual duma igreja esquecida –, *Vigiliae Mortuorum Secundum Chorum Eclesiae Maguntinae*.

Não podia deixar de pensar no estranho ritual dessa obra, e na sua provável influência sobre o hipocondríaco, quando, uma noite, tendo me informado bruscamente que Lady Madeline não mais vivia, revelou sua intenção de conservar-lhe o corpo por uma quinzena (antes de seu enterramento definitivo) em uma das numerosas masmorras, dentro das possantes paredes do castelo. A razão profana, porém, que ele dava de tão singular procedimento era dessas que eu não me sentia com liberdade de discutir. Como irmão, tinha sido levado a essa resolução (assim me dizia ele) tendo em conta o caráter insólito da doença da morta, certas perguntas importunas e indiscretas da parte de seus médicos e a localização afastada e muito exposta do cemitério da família. Não negarei que, quando me veio à memória a fisionomia sinistra do indivíduo a quem encontrara na escada no dia de minha chegada a casa, perdi a vontade de opor-me ao que eu encarava, quando muito, como uma preocupação inocente e sem dúvida alguma muito natural.

A pedido de Usher, ajudei-o pessoalmente nos arranjos para o sepultamento temporário. Tendo sido o corpo metido no caixão, nós dois sozinhos levamo-lo para seu lugar de repouso. A adega na qual o colocamos (e que estivera tanto tempo fechada que nossas tochas semiamortecidas na sua atmosfera sufocante não nos permitiam um exame melhor do local) era pequena, úmida e sem nenhuma entrada para luz; achava-se a grande profundidade, logo abaixo daquela parte do edifício em que se encontrava meu próprio quarto de dormir. Tinha sido utilizada, ao que parece, em remotos tempos feudais, para os péssimos fins de calabouço e, em dias recentes, como paiol de pólvora ou de alguma outra substância altamente inflamável, pois uma parte do chão e todo o interior duma longa arcada por onde havíamos passado estavam cuidadosamente revestidos de cobre. A porta de ferro maciço tinha sido também protegida de igual modo. Quando girava nos gonzos, seu enorme peso produzia um som insolitamente agudo e irritante.

Tendo depositado nosso fúnebre fardo, sobre cavaletes, naquele horrendo lugar, desviamos em parte a tampa ainda não pregada do caixão e contemplamos o rosto do cadáver. Uma semelhança chocante entre o irmão e a irmã deteve então, em primeiro lugar, a minha atenção; e Usher, adivinhando, talvez, meus pensamentos, murmurou umas poucas palavras, pelas quais vim a saber que a morta e ele tinham sido gêmeos e que afinidades, duma natureza mal inteligível, sempre haviam existido entre eles. Nossos olhares, porém, não descansaram muito tempo sobre a morta, pois não a podíamos contemplar sem temor. A doença que assim levara ao túmulo a senhora, na plenitude de sua mocidade, havia deixado, como sempre acontece em todas as moléstias de caráter estritamente cataléptico, a ironia duma fraca coloração no seio e na face, e nos lábios aquele sorriso desconfiadamente hesitante, tão terrível na morte. Fechamos e pregamos a tampa e, depois de havermos prendido a porta de ferro, retomamos, com lassidão, o caminho de volta para os aposentos, pouco menos sombrios, da parte superior da casa.

E então, tendo decorrido alguns dias de amargo pesar, uma mudança visível operou-se nos sintomas da desordem mental de meu amigo. Suas maneiras usuais desapareceram. Suas ocupações costumeiras eram negligenciadas ou esquecidas. Vagava de quarto em quarto, a passos precipitados, desiguais e sem objetivo. A palidez de sua fisionomia tomara, se possível, um tom ainda mais espectral, mas a luminosidade de seu olhar havia se extinguido por completo. Não mais escutava aquele tom rouco de voz que ele outrora fazia às vezes ouvir, e sua fala era agora habitualmente caracterizada por gaguejo trêmulo, como de extremo terror. Havia vezes, na verdade, em que eu pensava que seu pensamento, incessantemente agitado, estava sendo trabalhado por algum segredo opressivo, lutando ele para ter a necessária coragem de divulgá-lo. Às vezes, ainda, era eu forçado a considerar tudo inexplicáveis devaneios da loucura, pois via-o contemplar o vácuo durante horas a fio, numa atitude da mais profunda atenção, como se desse ouvidos a algum som imaginário. Não admira que sua situação terrificasse, que me contagiasse. Senti subirem, rastejando em mim, por escalas lentas, embora incertas, as influências estranhas das fantásticas, mas impressionantes, superstições que ele entretinha.

Foi especialmente depois de ir deitar-me, já noite alta, sete ou oito dias após haver sido colocado no túmulo o corpo de Lady Madeline, que experimentei o pleno poder desses sentimentos. O sono não se aproximou de meu leito, e as horas se iam desfazendo, uma a uma. Lutei para dominar com a razão o nervosismo que de mim se apoderava. Tentei levar-me a crer que muito, se não tudo aquilo que sentia, se devia à impressionante influência da sombria decoração do aposento, dos panejamentos negros e em farrapos que, forçados ao movimento pelo sopro de uma tempestade nascente, ondulavam caprichosamente, para lá e para cá, nas paredes, frufrulhando, inquietas, junto aos ornatos da cama. Meus esforços, porém, foram infrutíferos. Irreprimível tremor, pouco a pouco, me invadiu o corpo, e, por fim, sentou-se sobre meu coração o íncubo de uma angústia inteiramente infundada. Sacudindo-o de cima de mim, em luta ofegante, ergui-me sobre os travesseiros e, perscrutando avidamente a intensa escuridão do quarto, escutei – não sei por quê, mas impelido por uma força instintiva – certos sons baixos e indefinidos, que vinham por entre as pausas da tempestade, a longos intervalos, não sabia eu de onde. Dominado por um intenso sentimento de horror, inexplicável embora insuportável, vesti-me às pressas (pois sentia que não poderia dormir mais naquela noite) e tentei arrancar-me da lastimável situação em que caíra, andando rapidamente para lá e para cá pelo aposento.

Havia eu dado apenas poucas voltas dessa maneira, quando um passo leve, numa escada vizinha, deteve minha atenção. Logo o reconheci como o passo de Usher. Um instante depois batia ele levemente na minha porta e entrava trazendo uma lâmpada. Sua fisionomia estava, como sempre, cadavericamente descorada; mas, além disso, havia uma espécie de hilaridade louca nos seus olhos, uma histeria evidentemente contida em toda a sua atitude. Seu ar aterrorizou-me; mas qualquer coisa era preferível à solidão que eu tinha suportado tanto tempo, e mesmo acolhi sua presença como um alívio.

– E você não o viu? – perguntou ele bruscamente, depois de ter olhado em torno de si, por alguns instantes, em silêncio. – Não o viu, então? Mas espere! Você o verá!

Assim falando, e tendo cuidadosamente protegido sua lâmpada, correu para uma das janelas e abriu-a escancaradamente para a tempestade.

A fúria impetuosa da rajada que entrava quase nos elevou do solo. Era, na verdade, uma noite tempestuosa, embora asperamente bela, uma noite estranhamente singular, no seu terror e na sua beleza. Um turbilhão, aparentemente, desencadeara sua força na nossa vizinhança, pois havia frequentes e violentas alterações na direção do vento e a densidade excessiva das nuvens (que pendiam tão baixas como a pesar sobre os torreões da casa) não nos impedia de perceber a velocidade natural com que elas se precipitavam, de todos os pontos, umas contra as outras, sem se dissiparem na distância. Disse que mesmo sua excessiva densidade não nos impedia de perceber isso; contudo, não podíamos ver a lua ou as estrelas, nem havia ali qualquer clarão de relâmpagos. Mas as superfícies inferiores das vastas massas de vapor agitado, bem como todos os objetos terrestres imediatamente em torno de nós, estavam cintilando à luz sobrenatural de uma exalação gasosa, fracamente luminosa e distintamente visível, que pendia em torno da mansão, amortalhando-a.

– Você não deve... você não pode contemplar isso! – disse eu, estremecendo, a Usher, enquanto o levava, com suave energia, da janela para uma cadeira. – Esses espetáculos que o perturbam são simples fenômenos elétricos comuns... ou talvez tenham sua origem fantasmal nos miasmas do pântano. Fechemos esta janela; o ar está frio e é um perigo para sua saúde. Aqui está um de seus romances favoritos. Lê-lo-ei e você escutará. E assim passaremos esta terrível noite juntos.

O velho volume que apanhei era o *Mad Trist* (A assembleia dos loucos), de Sir Launcelot Canning; mas eu o havia chamado favorito de Usher mais por triste brincadeira que a sério, pois, na verdade, pouca coisa havia em sua prolixidade grosseira e sem imaginação que pudesse interessar a idealidade elevada e espiritual de meu amigo. Era, contudo, o único livro imediatamente à mão, e abriguei a vaga esperança de que a excitação que no momento agitava o hipocondríaco pudesse achar alívio (pois a história das desordens mentais está cheia de anomalias semelhantes) mesmo no exagero das loucuras que eu iria ler. A julgar, na verdade, pelo ar estranhamente tenso de vivacidade com que ele escutava ou fingia escutar as palavras da narração, eu poderia congratular-me pelo êxito do meu desígnio.

Havia chegado àquele trecho muito conhecido da história em que Etelredo, o herói do *Trist*, tendo procurado em vão entrar pacificamente na casa do eremita, passa a querer abrir caminho à força. Aí, como hão de recordar-se, as palavras da narrativa dizem o seguinte:

> E Etelredo, que era por natureza de coração valente e que se achava então ainda mais encorajado, por causa da força do vinho que tinha bebido, não esperou mais tempo para travar discussão com o eremita, que, na verdade, tinha um jeito obstinado e malicioso; mas, sentindo a chuva nos ombros e temendo o desencadear-se da tempestade, ergueu sua maça e, com repetidos golpes, abriu rapidamente caminho nos tabuados da porta para sua manopla; e então, empurrando com ela firmemente, tanto arrebentou, e fendeu, e despedaçou tudo, que o barulho da madeira seca e do som oco repercutia alarmando toda a floresta.

Ao termo dessa frase, sobressaltei-me e, durante um momento, me detive, pois me parecia (embora imediatamente concluísse que minha imaginação excitada me havia enganado) que de alguma parte mui distante da casa provinha, indistintamente, aos meus ouvidos o que poderia ser, na exata similaridade de seu caráter, o eco (mas um eco certamente abafado e cavo) do som verdadeiramente estalante e rachante que Sir Launcelot havia tão caracteristicamente descrito. Foi, não resta dúvida, somente a coincidência que havia detido minha atenção, pois, entre o ranger dos caixilhos das janelas e os rumores habituais e misturados da tempestade ainda em aumento, o som em si mesmo nada tinha, decerto, que pudesse ter me interessado ou perturbado. Continuei a história:

> Mas o bom campeão Etelredo, entrando agora pela porta, ficou excessivamente enraivecido e espantado por não encontrar sinal algum do malicioso eremita; mas, em lugar dele, um dragão havia, de aspecto escamoso e monstruoso, e com uma língua chamejante, que estava de guarda diante de um palácio de ouro com chão de prata. E sobre a parede pendia um escudo de bronze cintilante com esta legenda gravada:
>
> Quem aqui penetrar, conquistador será;
> quem matar o dragão, esse, o escudo terá.
>
> E Etelredo ergueu sua clava e descarregou-a sobre a cabeça do dragão, que caiu diante dele e lançou seu pestilento suspiro com um berro tão horrível e rouco e ao mesmo tempo tão agudo que Etelredo foi obrigado a cobrir os ouvidos com as mãos contra o tremendo barulho, que igual jamais ele ouvira.

Aqui de novo eu parei bruscamente e, então, com um sentimento de estranho espanto, pois não poderia haver dúvida alguma de que nesse instante eu tivesse realmente ouvido (embora me fosse impossível distinguir de que direção ele provinha) um som baixo e aparentemente distante, mas áspero, prolongado e bem singularmente penetrante ou rascante, a exata reprodução daquilo que minha fantasia já havia figurado como o berro desnatural do dragão, tal como o descrevera o romancista.

Opresso, como certamente estava, diante daquela segunda e muito extraordinária coincidência, por mil sensações contraditórias, em que predominavam o espanto e o extremo terror, mantive ainda suficiente presença de espírito para impedir-me de excitar, por qualquer observação, a sensibilidade nervosa de meu companheiro. Não tinha certeza alguma de que ele houvesse notado os sons em questão, embora certamente uma estranha alteração, durante os últimos minutos, se houvesse operado na sua atitude. De uma posição fronteira à minha ele havia gradualmente feito girar sua cadeira, de modo a ficar sentado de frente para a porta do quarto; e assim eu podia avistar apenas parcialmente suas feições, embora visse que seus lábios tremiam, como se ele estivesse murmurando sons inaudíveis. A cabeça havia lhe pendido sobre o peito e, no entanto, eu sabia que ele não estava adormecido por ver-lhe os olhos escancarados e vítreos, quando lobriguei avistar-lhe o perfil. O movimento de seu corpo estava também em desacordo com essa ideia, pois ele se balançava de um lado para outro, num ondular vagaroso, embora constante e uniforme. Tendo rapidamente percebido tudo isso, retomei a narrativa de Sir Launcelot, que continuava desta forma:

> E agora o campeão, tendo escapado à terrível fúria do dragão, lembrando-se do escudo de bronze e da quebra do encanto que havia nele, removeu a carcaça de sua frente e aproximou-se corajosamente pelo pavimento de prata do castelo do lugar onde pendia o escudo sobre a parede, o qual, em verdade, não esperou que ele chegasse junto, mas caiu-lhe aos pés sobre o chão argênteo, com um retinir reboante e terrível.

Tão logo essas sílabas me saíram dos lábios, eis que – como um escudo de bronze que houvesse realmente, naquele instante, caído pesadamente sobre um chão de prata – percebi um eco distinto, cavo, metálico e clangoroso, embora aparentemente abafado.

Completamente nervoso, de um salto, pus-me de pé; mas o movimento compassado de balanço de Usher não se modificou. Corri para a cadeira onde ele estava sentado. Seus olhos estavam sempre fixos diante de si e por toda a sua fisionomia imperava uma rigidez de pedra. Mas, quando coloquei minha mão sobre seu ombro, toda a sua pessoa estremeceu fortemente; um sorriso mórbido tremeu-lhe em torno dos lábios e eu vi que ele falava num murmúrio baixo, apressado, inarticulado, como se não notasse minha presença. Curvando-me sobre ele e bem de perto, sorvi, afinal, o medonho sentido de suas palavras.

– Não o ouves? Sim, ouço-o, e *tenho-o* ouvido. Longamente... longamente... muitos minutos, muitas horas, muitos dias, tenho-o ouvido, contudo não ousava... Oh, coitado de mim, miserável, desgraçado que sou! Não ousava... não *ousava falar*! *Nós a pusemos viva na sepultura!* Não disse que meus sentidos eram agudos? *Agora* eu lhe conto que ouvi seu primeiro fraco movimento, no fundo do caixão. Ouvi-o faz muitos, muitos dias, e contudo não ousei... *não ousei* falar! E agora, esta noite... Etelredo... ah, ah, ah!... o arrombamento da porta do eremita, e o estertor de agonia do dragão, e o retinir do escudo!... Diga, antes, o abrir-se do caixão, e o rascar dos gonzos de ferro de sua prisão, e o debater-se dela dentro da arcada de cobre da masmorra! Oh!, para onde fugirei? Não estará ela aqui, dentro em pouco? Não estará correndo a censurar-me por minha pressa? Não ouvi eu o tropel de seus passos na escada? Não distingo aquele pesado e horrível bater de seu coração? Louco! – e aqui saltou ele furiosamente da cadeira e gritou, bem alto, cada sílaba, como se com aquele esforço estivesse exalando a própria alma – *Louco! Digo-lhe que ela está, agora, por trás da porta!*

Como se na sobre-humana energia de sua fala se tivesse encontrado a potência de um encantamento, as enormes e antigas almofadas da porta para as quais Usher apontava escancararam, imediatamente, suas pesadas mandíbulas de ébano. Foi isso obra de furiosa rajada, mas, por trás da porta, estava de pé a figura elevada e amortalhada de Lady Madeline de Usher. Havia sangue sobre suas vestes alvas e sinais de uma luta terrível, em todas as partes de seu corpo emagrecido. Durante um instante, permaneceu ela, tremendo e vacilando, para lá e para cá, no limiar. Depois, com um grito profundo e lamentoso, caiu pesadamente para a frente, sobre seu irmão, e, em seus estertores agônicos, violentos e agora finais, arrastou-o consigo para o chão, um cadáver, uma vítima dos terrores que ele mesmo antecipara.

Fugi espavorido daquele quarto e daquela mansão. Ao atravessar a velha alameda, a tempestade lá fora rugia ainda, em todo o seu furor. De repente, irrompeu ao longo do caminho uma luz estranha e voltei-me para ver donde podia provir um clarão tão insólito, pois o enorme solar e as suas sombras eram tudo que havia atrás de mim. O clarão era o da lua cheia e cor de sangue, que se ia pondo e que agora brilhava vivamente através daquela fenda, outrora mal perceptível, a que me referi antes, partindo do telhado para a base do edifício em zigue-zague. Enquanto eu a olhava, aquela fenda rapidamente se alargou... sobreveio uma violenta rajada do turbilhão... o inteiro orbe do satélite explodiu imediatamente à minha vista... meu cérebro vacilou quando vi as possantes paredes se desmoronarem... houve um longo e tumultuoso estrondar, semelhante à voz de mil torrentes... e o pântano profundo e lamacento, a meus pés, fechou-se, lúgubre e silentemente, sobre os destroços do "Solar de Usher".

WILLIAM WILSON[25]

Que dirá ela?
Que dirá a horrenda Consciência, aquele espectro no meu caminho?
— CHAMBERLAIN, *Pharronida*

Permiti que, por enquanto, me chame William Wilson. A página virgem que agora se estende diante de mim não precisa ser manchada com meu nome verdadeiro. Esse nome já foi por demais objeto de desprezo, de horror, de abominação para minha família. Não terão os ventos indignados divulgado a incomparável infâmia dele até as mais longínquas regiões do globo? Oh, o mais abandonado de todos os proscritos! Não terás morrido para o mundo eternamente? Para suas honras, para suas flores, para suas douradas aspirações? E não está para sempre suspensa, entre tuas esperanças e o céu, uma nuvem espessa, sombria e sem limites?

Não quereria, mesmo que o pudesse, aqui ou hoje, reunir as lembranças de meus últimos anos de indizível miséria e de imperdoável crime. Essa época — esses últimos anos — atingiu súbita

25 Publicado pela primeira vez em The Gift: A Christmas and New Year's Present for 1840. *Filadélfia, 1839. Título original:* William Wilson.

elevação de torpeza, cuja origem única é minha intenção atual expor. Tornam-se os homens usualmente vis, pouco a pouco. Mas de mim, num só instante, a virtude se desprendeu, realmente, como uma capa. Duma perversidade relativamente trivial, passei, a passadas de gigante, para enormidades maiores que as de Heliogábalo. Que oportunidade, que único acontecimento trouxe essa maldição é o que vos peço permissão para narrar. A morte se aproxima e a sombra que a antecede lançou sobre meu espírito sua influência suavizante. Anseio, ao atravessar o lutulento vale, pela simpatia – ia quase dizer pela compaixão – de meus semelhantes. De bom grado fá-los-ia acreditar que tenho sido, de algum modo, escravo de circunstâncias superiores ao controle humano. Desejaria que eles descobrissem para mim, entre os pormenores que estou a ponto de relatar, algum pequeno oásis de fatalidade, *perdido* num deserto de erros. Quereria que eles admitissem – o que não poderiam deixar de admitir – que, embora grandes tentações possam ter outrora existido, homem algum jamais, pelo menos, foi assim tentado antes, e certamente jamais *assim* caiu. E será, pois, por isso que ele jamais assim sofreu? Não teria eu, na verdade, vivido em sonho? E não estarei agora morrendo vítima do horror e do mistério da mais estranha de todas as visões sublunares?

Descendo de uma raça que se assinalou, em todos os tempos, pelo seu temperamento imaginativo e facilmente excitável. E desde a mais tenra infância dei prova de ter plenamente herdado o caráter da família. À medida que me adiantava em anos, mais fortemente se desenvolvia ele, tornando-se, por muitas razões, causa de sérias inquietações para os meus amigos e de positivo dano para mim mesmo. Tornei-me voluntarioso, afeto aos mais extravagantes caprichos e presa das mais indomáveis paixões. Espíritos fracos e afetados de enfermidades constitucionais da mesma natureza da que me atormentava, muito pouco podiam fazer meus pais para deter as tendências más que me distinguiam. Alguns esforços fracos e mal dirigidos resultavam em completo fracasso, da parte deles, e, sem dúvida, em completo triunfo da minha. A partir de então minha voz era lei dentro de casa e, numa idade em que poucas crianças deixaram as suas andadeiras, fui abandonado ao meu próprio arbítrio e tornei-me, em tudo, menos de nome, o senhor de minhas próprias ações.

Minhas mais remotas recordações da vida escolar estão ligadas a uma grande e extravagante casa de estilo isabelino numa nevoenta aldeia da Inglaterra, onde havia grande quantidade de árvores gigantescas e nodosas e onde todas as casas eram extremamente antigas. Na verdade, aquela venerável e vetusta cidade era um lugar de sonho e que excitava a fantasia. Neste instante mesmo, sinto na imaginação o arrepio refrescante de suas avenidas intensamente sombreadas, respiro a fragrância de seus mil bosquetes e estremeço ainda, com indefinível prazer, à lembrança do som cavo e profundo do sino da igreja quebrando a cada hora, com súbito e soturno estrondo, a quietação da atmosfera fusca em que se embebia e adormecia o gótico campanário crenulado.

Retardar-me nas minudentes recordações das coisas escolares é talvez o maior prazer que me é dado agora experimentar, de certo modo. Imerso na desgraça como estou – desgraça, ai de mim!, demasiado real –, merecerei perdão por procurar alívio, por mais ligeiro e temporário que seja, nessas poucas minúcias fracas e erradias. Aliás, embora extremamente vulgares e até mesmo ridículas em si mesmas, assumem na minha imaginação uma importância adventícia, por estarem ligadas a uma época e lugar em que reconheço as primeiras advertências ambíguas do destino que veio depois tão profundamente ensombrecer-me. Deixai-me, pois, recordar.

A casa, como disse, era velha e irregular. Os terrenos eram vastos e um alto e sólido muro de tijolos, encimado por uma camada de argamassa e cacos de vidro, circundava tudo. Aquela muralha, semelhante à de uma prisão, formava o limite de nosso domínio; nossos olhos só iam além dele três vezes por semana: uma, todos os sábados à tarde, quando, acompanhados por dois regentes, tínhamos permissão de dar curtos passeios em comum por alguns dos campos vizinhos; e duas vezes, nos domingos, quando íamos, como em parada, da mesma maneira formalística, ao serviço religioso da manhã e da noite, na única igreja da aldeia. O pastor dessa igreja era o diretor de nossa escola. Com que profundo sentimento de maravilha e perplexidade tinha eu o costume de contemplá-lo de nosso distante banco na tribuna, quando, com passo solene e vagaroso, subia ele ao púlpito! Aquele personagem venerando, com seu rosto tão modestamente benigno, com trajes tão lustrosos e tão clericalmente flutuantes, com sua cabeleira tão cuidadosamente empoada, tão tesa e tão vasta, poderia ser o mesmo que, ainda há pouco, de rosto azedo e roupas manchadas de rapé, fazia executar, de palmatória em punho, as draconianas leis do colégio? Oh, gigantesco paradoxo, por demais monstruoso para ser resolvido!

A uma esquina da muralha maciça erguia-se, sombrio, um portão ainda mais maciço, bem trancado e guarnecido de ferrolhos, e arrematado por denteados espigões de ferro. Que impressões de intenso terror ele inspirava! Nunca se abria senão para as três periódicas saídas e entradas já mencionadas; então, a cada rangido de seus poderosos gonzos, descobríamos uma plenitude de mistério... um mundo de solenes observações ou de meditações ainda mais solenes.

O extenso recinto era de forma irregular, possuindo muitos recantos espaçosos, dos quais três ou quatro dos mais vastos constituíam o campo de recreio. Era plano e recoberto dum cascalho fino e duro. Lembro-me bem de que não havia árvores, nem bancos, nem qualquer coisa semelhante. Ficava, naturalmente, na parte posterior da casa. Na frente, estendia-se um pequeno jardim, plantado de buxo e outros arbustos; mas, por entre aquela sagrada região, só passávamos, realmente, em bem raras ocasiões, tais como a da primeira ida ao colégio ou a da saída definitiva, ou talvez quando com um parente ou amigo, tendo vindo buscar-nos, tomávamos alegremente o caminho da casa paterna, pelas férias do Natal ou do São João.

Mas a casa! Que curioso casarão era aquele! Para mim, um verdadeiro palácio de encantamentos! Não havia realmente fim para suas sinuosidades, era um nunca acabar de subdivisões incompreensíveis. Era difícil, em qualquer ocasião, dizer com certeza se a gente estava em algum dos seus dois andares. De cada sala para outra era certo encontrarem-se três ou quatro degraus a subir ou a descer. Depois as subdivisões laterais eram inúmeras – inconcebíveis – e tão cheias de voltas e reviravoltas que as nossas ideias mais exatas a respeito da casa inteira não eram mui diversas daquelas com que imaginávamos o infinito. Durante os cinco anos de minha estada ali, nunca fui capaz de determinar, com precisão, em que remoto local estava situado o pequeno dormitório que me cabia, bem como a uns dezoito ou vinte outros estudantes.

A sala de aulas era a mais vasta da casa e do mundo, não podia eu deixar de pensar. Era muito comprida, estreita e sombriamente baixa, com janelas em ogiva e o forro de carvalho. A um canto distante, e que inspirava terror, havia um recinto quadrado de dois a três metros, abrangendo o *sanctum* "durante as horas de estudo" do nosso diretor, o reverendo dr. Bransby. Era uma sólida construção, de porta maciça; e, a abri-la na ausência do mestre-escola, teríamos todos preferido morrer de *la peine forte et dure*. Em outros ângulos havia dois outros compartimentos idênticos, bem menos respeitados, é certo, mas mesmo assim motivadores de terror. Um era a cátedra do professor de "letras clássicas" e o outro, a do professor de "inglês e matemática". Espalhados pela sala, cruzando-se e entrecruzando-se, numa irregularidade sem fim, viam-se inúmeros bancos e carteiras, enegrecidos, velhos e gastos pelo tempo, horrivelmente sobrecarregados de montões de livros, manchados de dedos e tão retalhados de iniciais, de nomes por extenso, de grotescas figuras e outros numerosos lavores de faca, que haviam perdido inteiramente o pouco de forma original que lhes poderia ter cabido nos dias mais remotos. Um enorme pote de água erguia-se a uma extremidade da sala e na outra, um relógio de estupendas dimensões.

Encerrado entre as maciças paredes daquele venerável colégio, passei, todavia, sem desgosto ou tédio, os anos do terceiro lustro de minha vida. O cérebro fecundo da infância não exige um mundo exterior de incidentes para com ele ocupar-se ou divertir-se; e a monotonia aparentemente triste de uma escola estava repleta de mais intensa excitação que a que minha mocidade mais madura extraiu da luxúria, ou minha plena maturidade do crime. Todavia, devo crer que meu primeiro desenvolvimento mental tivesse tido muito de extraordinário e mesmo muito de exagerado. Em geral, os acontecimentos da primeira infância raramente deixam uma impressão definida sobre os homens, na idade madura. Tudo são sombras cinzentas, recordações apagadas e imprecisas, indistinto amontoado de débeis prazeres e de fantasmagóricos pesares. Comigo tal não se deu. Devo ter na infância sentido, com a energia de um homem, o que agora encontro estampado na memória em linhas tão vivas, tão fundas, tão duradouras como os exergos das medalhas cartaginesas.

Contudo, de fato – na realidade do mundo em que eu vivia –, quão pouco havia para recordar! O despertar pela manhã, as ordens à noite para dormir, o estudo e recitação das lições, os periódicos semiferiados e passeios, o campo de recreio com seu barulho, seus jogos, suas intrigas – tudo isso, graças a uma feitiçaria mental há muito esquecida, era de molde a envolver uma imensidade de sensações, um mundo de vastos acontecimentos, um universo de emoções variadas, de excitação, o mais apaixonado e impressionante. *Oh, le bon temps, que ce siècle de fer!*[26]

Na verdade, o ardor, o entusiasmo, a imperiosidade de minha natureza depressa tornaram meu caráter assinalado entre meus colegas, e pouco a pouco, por gradações naturais, deram-me um ascendente sobre todos os que não eram muito mais velhos do que eu; sobre todos... com uma única exceção. Essa exceção encontrava-se na pessoa de um aluno que, embora não fosse parente, possuía o mesmo nome de batismo e o mesmo sobrenome que eu. Circunstância, de fato, pouco digna de nota, pois, não obstante uma nobre linhagem, o meu era um desses nomes cotidianos que parecem, por direito obrigatório, ter sido, desde tempos imemoriais, propriedade comum da multidão. Nesta narrativa designei-me, portanto, como William Wilson, título de ficção, não muito diferente do verdadeiro. Só meu xará, de todos os que, na fraseologia da escola, constituíam "nossa turma", atreveu-se a competir comigo nos estudos da classe, nos esportes e jogos do recreio, a recusar implícita crença às minhas afirmativas e submissão à minha vontade, e, realmente, a intrometer-se nos meus ditames arbitrários em todos os casos possíveis. Se há na terra um despotismo supremo e absoluto, é o

26 Oh, que época boa aquela do século de ferro! (N.T.)

despotismo de um poderoso cérebro juvenil sobre o espírito menos enérgico de seus companheiros.

A rebeldia de Wilson era para mim fonte do maior embaraço; e tanto mais o era quanto, a despeito das bravatas com que, em público, eu fazia questão de tratá-lo e às suas pretensões, no íntimo sentia medo dele e não podia deixar de considerar a igualdade que ele mantinha tão facilmente comigo como uma prova de sua verdadeira superioridade, desde que me custava uma perpétua luta não ser sobrepujado. Todavia essa superioridade, ou mesmo essa igualdade, não era na verdade conhecida de ninguém, senão de mim mesmo; nossos companheiros, graças talvez a alguma cegueira inexplicável, nem mesmo pareciam suspeitar disso. Na verdade, sua competição, sua resistência e, especialmente, sua impertinente e obstinada interferência em meus propósitos não se manifestavam exteriormente. Ele parecia ser destituído também da ambição que incita e da apaixonada energia de espírito que me capacitava a superar. Poderia supor-se que, em sua rivalidade, ele atuava somente por um desejo estranho de contradizer-me, espantar-me, mortificar-me, embora ocasiões houvesse em que eu não podia deixar de observar, com uma sensação composta de maravilha, rebaixamento e irritação, que ele misturava a suas injúrias, seus insultos ou suas contradições certa *afetividade* de maneiras muito imprópria e seguramente muito desagradável. Só podia imaginar que essa singular conduta proviesse de uma presunção consumada que assumia os aspectos vulgares de patrocínio e proteção.

Talvez tivesse sido esse último traço do procedimento de Wilson, conjugado com a nossa identidade de nome e o simples acaso de termos entrado na escola no mesmo dia, que trouxe à baila a ideia de que éramos irmãos, entre as classes mais velhas do colégio, pois estas não indagavam usualmente, com bastante precisão, dos negócios das classes menores. Já disse antes, ou deveria ter dito, que Wilson não tinha parentesco com a minha família, nem no mais remoto grau. Mas, seguramente, se tivéssemos sido irmãos, deveríamos ter sido gêmeos, pois, após ter deixado o colégio do dr. Bransby, vim a saber, por acaso, que o meu xará tinha nascido no dia 19 de janeiro de 1913, e isso é uma coincidência um tanto notável por ser precisamente o dia do meu nascimento.

Pode parecer estranho que, a despeito da contínua ansiedade que me causavam a rivalidade de Wilson e seu intolerável espírito de contradição, não pudesse eu ser levado a odiá-lo totalmente. Tínhamos, na verdade, uma briga quase todos os dias, na qual, concedendo-me publicamente a palma da vitória, ele, de certo modo, me obrigava a sentir que não fora eu quem a merecera; contudo, um senso de orgulho de minha parte e uma verdadeira dignidade da dele conservavam-nos sempre no que chamávamos "relações de cortesia", ao mesmo tempo que havia muitos pontos de forte identidade em nossa índole agindo para despertar em mim um sentimento que talvez somente nossa posição impedisse de amadurecer em amizade. É difícil, na verdade, definir, ou mesmo descrever, meus reais sentimentos para com ele. Formavam uma mistura complexa e heterogênea; certa animosidade petulante que não era ainda ódio, alguma estima, ainda mais respeito, muito temor e um mundo de incômoda curiosidade. Para o moralista, será necessário dizer, em acréscimo, que Wilson e eu éramos os mais inseparáveis companheiros.

Foi sem dúvida o estado anômalo das relações existentes entre nós que fez todos os meus ataques contra ele (e muitos eram francos ou encobertos) converterem-se em ironias ou mera brincadeira – ferindo, embora sob o aspecto de simples troça – em vez de hostilidade mais séria e preconcebida. Mas minhas tentativas nesse sentido não eram, de modo algum, uniformemente bem-sucedidas, mesmo quando meus planos fossem os mais espirituosamente ideados, pois meu xará tinha muito, no caráter, daquela austeridade calma e despretensiosa que, embora goze a agudez de suas próprias pilhérias, não tem calcanhar de aquiles e recusa-se absolutamente a ser zombada. Eu podia descobrir, na realidade, apenas um ponto vulnerável e que, consistindo numa peculiaridade pessoal nascida, talvez, de enfermidade orgânica, teria sido poupada por qualquer antagonista menos incapaz de revidar do que eu: meu rival tinha uma deficiência nos órgãos faciais ou guturais que o impedia de elevar a voz, em qualquer ocasião, *acima de um sussurro muito baixo*.

Não deixei de tirar desse defeito todas as pobres vantagens que estavam em meu poder.

As represálias de Wilson eram de muitas espécies, e havia uma forma de sua virtual malícia que me perturbava além dos limites. Como sua sagacidade descobriu logo, de qualquer modo, que coisa tão insignificante me envergonhava é questão que jamais pude resolver; mas, tendo-a descoberto, ele habitualmente me aborrecia com isso. Eu sempre sentira aversão a meu sobrenome vulgar e a meu comuníssimo, senão plebeu, prenome. Tais palavras eram veneno a meus ouvidos; e quando, no dia de minha chegada, um segundo William Wilson chegou também ao colégio, senti raiva dele por usar esse nome e sem dúvida antipatizei com o nome porque o usava um estranho que seria causa de sua dupla repetição, que estaria constantemente na minha presença e cujos atos, na rotina comum das coisas da escola, deviam, inevitavelmente, em virtude da detestável coincidência, confundir-se com os meus.

O sentimento de vexame assim engendrado tornava-se mais forte a cada circunstância que tendesse a mostrar semelhança, moral ou física, entre meu rival e eu mesmo. Não tinha então descoberto o fato notável de sermos da mesma idade, mas via que éramos da mesma altura, e percebi que éramos, mesmo, singularmente semelhantes no contorno geral da figura e nos traços fisionômicos. Exasperava-me, também, o rumor corrente nas classes superiores de nosso parentesco. Numa palavra: nada podia perturbar-me mais seriamente (embora escrupulosamente escondesse tal perturbação) que qualquer alusão a uma similaridade de espírito, pessoa ou posição existente entre nós dois. Mas, na verdade, não tinha eu razão de acreditar que (com exceção da questão de parentesco e no caso do próprio Wilson) essa similaridade tivesse sido, alguma vez, assunto de comentários, ou mesmo fosse observada de algum modo pelos nossos colegas. Que *ele* a observasse em todas as suas faces e com tanta atenção quanto eu era coisa evidente; mas que pudesse descobrir, em semelhantes circunstâncias, um campo tão frutuoso de contrariedades só pode ser atribuído, como disse antes, à sua penetração fora do comum.

Sua réplica, que era perfeita imitação de mim mesmo, consistia em palavras e gestos, e desempenhava admiravelmente seu papel. Minha roupa era coisa fácil de copiar; meu andar e maneiras gerais foram, sem dificuldade, assimilados e, a despeito de seu defeito constitucional, até mesmo minha voz não lhe escapava. Naturalmente, não alcançava ele meus tons mais elevados, mas o timbre era idêntico e *seu sussurro característico tornou-se o verdadeiro eco do meu.*

Não me atreverei agora a descrever até que ponto esse estranhíssimo retrato (pois não o podia com justiça chamar de caricatura) me vexava. Tinha eu apenas um consolo no fato de ser a imitação, ao que parecia, notada somente por mim e ter eu de suportar tão só o conhecimento e os sorrisos estranhamente sarcásticos de meu xará. Satisfeito por ter produzido no meu íntimo o efeito desejado, parecia ele rir em segredo com a picada que me dera, e mostrava-se singularmente desdenhoso dos aplausos públicos que o êxito de seus mordazes esforços pudesse ter tão facilmente conquistado. Que a escola, realmente, não percebesse seu desígnio nem notasse sua realização ou participação de seu sarcasmo foi, durante ansiosos meses, um enigma que eu não podia resolver. Talvez a *gradação* de sua cópia não o tornasse prontamente perceptível, ou, mais provavelmente, devia eu minha segurança ao ar dominador do copista que, desdenhando a letra (coisa que os espíritos obtusos logo percebem numa pintura), dava apenas o espírito completo de seu original para meditação minha, individual, e pesar meu.

Já falei, mais de uma vez, do desagradável ar de proteção que ele assumia para comigo e de sua frequente intromissão oficiosa na minha vontade. Essa interferência tomava, muitas vezes, o caráter desagradável dum conselho; conselho não abertamente dado, mas sugerido ou insinuado. Recebia-o com uma repugnância que ganhava forças à medida que eu ganhava idade. Entretanto, naquela época já tão distante, quero fazer-lhe a simples justiça de reconhecer que não me recordo dum só caso em que as sugestões de meu rival tivessem participado daqueles erros ou loucuras tão comuns na sua idade, ainda carente de maturidade e de experiência; seu senso moral, pelo menos, se não seu talento geral e critério mundano, era bem mais agudo do que o meu, e eu poderia, hoje, ter sido um homem melhor e, portanto, mais feliz, se não tivesse tão frequentemente rejeitado os conselhos inclusos naqueles significativos sussurros, que só me inspiravam, então, ódio cordial e desprezo amargo.

Sendo assim, afinal me tornei rebelde ao extremo à sua desagradável vigilância e cada dia mais e mais abertamente detestei o que considerava sua insuportável arrogância. Já disse que, nos primeiros anos de nossas relações, como colegas, meus sentimentos com referência a ele poderiam ter amadurecido facilmente em amizade; mas, nos últimos meses de minha estada no colégio, embora seus modos habituais de intrusão tivessem diminuído, fora de dúvida, algum tanto, meus sentimentos, em proporção quase semelhante, possuíam muito de positivo ódio. Certa ocasião ele o percebeu, creio, e depois disso evitou-me ou fingiu evitar-me.

Foi mais ou menos na mesma ocasião, se bem me lembro, que, numa violenta altercação com ele, em que se descuidou mais do que de costume e falou e agiu com uma franqueza de maneiras bem estranhas à sua índole, descobri (ou imaginei ter descoberto) em sua pronúncia, na sua atitude, no seu aspecto geral algo que a princípio me chocou e depois me interessou profundamente, por me relembrar sombrias visões de minha primeira infância; tropel confuso e estranho de recordações de um tempo em que a própria memória ainda não nascera. Não posso descrever melhor a sensação que então me oprimiu do que dizendo que com dificuldade me era possível afastar a crença de haver conhecido aquele ser diante de mim em alguma época muito longínqua, em algum ponto do passado, ainda que infinitamente remoto. A ilusão, porém, desvaneceu-se rapidamente como chegara; e a menciono tão só para assinalar o dia da última conversação que ali mantive com meu singular homônimo.

A enorme e velha casa, com suas incontáveis subdivisões, tinha vários e amplos aposentos que se comunicavam uns com os outros e onde dormia o maior número dos estudantes. Havia, também (como necessariamente deve suceder em edifícios tão desastradamente planejados), muitos recantos ou recessos, as pequenas sobras da estrutura; e deles a habilidade econômica do dr. Bransby havia também feito dormitórios; contudo, como não passavam de simples gabinetes, apenas eram capazes de acomodar uma só pessoa. Um desses pequenos apartamentos era ocupado por Wilson.

Uma noite, depois do encerramento de meu quinto ano na escola e imediatamente após a altercação acima mencionada, verificando que todos imergiam no sono, levantei-me da cama e, de lâmpada na mão, deslizei através de uma imensidade de estreitos corredores do meu quarto para o de meu rival. Longamente planejara uma dessas peças de mau gosto, à custa dele, em que até então eu tão constantemente falhara. Era, agora, minha intenção pôr o plano em prática e resolvi fazê-lo sentir toda a extensão da malícia de que eu estava imbuído. Tendo alcançado seu quartinho, entrei silenciosamente, deixando a lâmpada do lado de fora, com um quebra-luz por cima. Avancei um passo e prestei ouvidos ao som de sua respiração tranquila. Certo de que ele estava dormindo, voltei, apanhei a luz e com ela me aproximei da cama. Cortinados fechados a rodeavam; prosseguindo em meu plano, abri-os devagar e quietamente, caindo então sobre o adormecido, em cheio, os raios brilhantes de luz, ao mesmo tempo que meus olhos sobre seu rosto. Olhei, e um calafrio, uma sensação enregelante no mesmo momento me atravessou o corpo. Meu peito ofegou, meus joelhos tremeram, todo o meu espírito se tornou presa de um horror imotivado, embora intolerável. Arquejando, abaixei a lâmpada até quase encostá-la no seu rosto. Eram aquelas... *aquelas* as feições de William Wilson? Vi, de fato, que eram as dele, mas tremi como num acesso de febre, imaginando que não o eram. Que *havia* em torno delas para me perturbarem desse modo? Contemplei, enquanto meu cérebro girava com uma multidão de pensamentos incoerentes. Não era assim que ele aparecia – certamente não era *assim* – na vivacidade de suas horas despertas. O mesmo nome! Os mesmos traços pessoais! O mesmo dia de chegada ao colégio! E, depois, sua obstinada e incompreensível imitação de meu andar, de minha voz, de meus costumes, de meus gestos! Estaria, em verdade, dentro dos limites da possibilidade humana que o *que eu então via* fosse, simplesmente, o resultado da prática habitual dessa imitação sarcástica? Horrorizado, com um tremor crescente, apaguei a lâmpada, saí silenciosamente do quarto e abandonei imediatamente os salões daquele velho colégio, para neles nunca mais voltar a entrar.

Depois de um lapso de alguns meses, passados em casa em mera ociosidade, vi-me como estudante em Eton. Esse curto intervalo fora suficiente para enfraquecer em mim a recordação dos acontecimentos no colégio do dr. Bransby, ou pelo menos para efetuar uma radical mudança na natureza dos sentimentos com que eu os relembrava. A verdade – a tragédia – do drama não existia mais. Eu achava, agora, motivos para duvidar do testemunho de meus sentidos; e muitas vezes recordei o assunto, unicamente e apenas admirando a extensão da credulidade humana e com um sorriso para a viva força de imaginação que eu possuía por herança. Nem era essa espécie de ceticismo capaz de ser diminuído pela natureza da vida que eu levava em Eton. O vórtice de loucura impensada em que ali tão imediata e irrefletidamente mergulhei varreu tudo, exceto a espuma de minhas horas passadas, abismou imediatamente todas as impressões sólidas e sérias e só deixou na memória as leviandades de uma existência anterior.

Não desejo, contudo, traçar o curso de meu miserável desregramento ali, um desregramento que desafiava as leis, ao mesmo tempo que iludia a vigilância do instituto. Três anos de loucura, passados sem proveito, apenas me deram os hábitos arraigados do vício e um acréscimo, em grau algo anormal, à minha estatura física. Foi quando, depois de uma semana de animalesca dissipação, convidei um pequeno grupo dos mais dissolutos estudantes para uma bebedeira secreta em meu quarto. Encontramo-nos a horas tardias da noite, pois nossas orgias deviam prolongar-se, religiosamente, até a manhã. O vinho corria à vontade, e não haviam sido esquecidas outras e talvez mais perigosas seduções; assim, a plúmbea aurora já aparecera debilmente no oriente quando nossa delirante extravagância estava no auge. Loucamente excitado pelo jogo e pela bebida, eu estava a insistir num brinde de profanação mais do que ordinária, quando minha atenção foi subitamente desviada pelo abrir-se da porta do aposento, parcial embora violentamente, e pela voz apressada de um criado lá fora. Disse ele que alguém, aparentemente com grande pressa, queria falar comigo no vestíbulo.

Sob a selvagem excitação do vinho, a inesperada interrupção mais me deleitou do que surpreendeu. Saltei para a frente imediatamente e poucos passos me levaram ao vestíbulo do prédio. Nessa sala pequena e baixa não havia uma lâmpada, e nenhuma luz, de modo algum, ali penetrava, a não ser a excessivamente fraca do alvorecer que se introduzia por uma janela semicircular. Ao transpor os batentes, distingui o vulto de um jovem mais ou menos de minha própria altura, vestido com um quimono matinal de casimira branca, cortado à moda nova do mesmo que eu trajava no momento. A fraca luz habilitou-me a perceber isso, mas não pude distinguir as feições de seu rosto. Depois que entrei, ele precipitou-se para mim e, agarrando-me o braço com um gesto de petulante impaciência, sussurrou ao meu ouvido as palavras: "William Wilson!"

Em um segundo minha embriaguez se desvaneceu.

Havia algo no modo do desconhecido e no gesto trêmulo de seu dedo levantado quando ele o pôs entre meus olhos e a luz que me encheu de indefinível espanto; não foi, porém, isso o que me comoveu tão violentamente. Foi a concentração de solene advertência na pronúncia singular, baixa, silvante; e, acima de tudo, foram o caráter, o tom, a chave daquelas poucas sílabas, simples e familiares, embora *sussurradas*, que vieram com mil atropelantes recordações dos dias idos e me agitaram a alma como o choque de uma bateria elétrica. Logo que pude recuperar o uso de meus sentidos, ele já havia partido.

Embora esse acontecimento não deixasse de ter um vivo efeito sobre minha imaginação desordenada, foi ele, contudo, tão fugaz quanto vivo. Durante algumas semanas, na verdade, eu me entreguei a ansiosas pesquisas, ou me envolvi numa nuvem de mórbidas investigações. Não pretendi disfarçar, em minha percepção, a identidade do singular indivíduo que tão perseverantemente interferia com os meus assuntos e me perseguia com seus conselhos insinuados. Mas quem era esse Wilson? E donde vinha ele? E quais eram suas intenções? Não pude obter satisfatória resposta a qualquer desses pontos, verificando simplesmente, em relação a ele, que um súbito acidente em sua família provocara sua saída do colégio do dr. Bransby na tarde do dia em que eu fugira de lá. Mas em breve tempo deixei de pensar sobre o caso, estando com a atenção completamente absorvida por uma projetada ida para Oxford. Ali logo cheguei – pois a irrefletida vaidade de meus pais me fornecia uma grande pensão anual que me habilitava a entregar-me ao luxo já tão caro a meu coração – rivalizando, em profusão de despesas, com os mais elevados herdeiros dos mais ricos condados da Grã-Bretanha.

Excitado ao vício por tais recursos, meu temperamento natural interrompeu com redobrado ardor e espezinhei mesmo as comuns restrições da decência na louca paixão de minhas orgias. Mas seria absurdo narrar em pormenores as minhas extravagâncias. Bastará dizer que, em dissipações, ultrapassei Herodes e que, dando nome a uma multidão de novas loucuras, acrescentei um apêndice nada curto ao longo catálogo dos vícios então habituais na mais dissoluta universidade da Europa.

Dificilmente pode ser crido, contudo, que eu tivesse, mesmo ali, caído tão completamente da posição de nobreza a ponto de procurar conhecer as artes mais vis dos jogadores profissionais, tornando-me adepto dessa desprezível ciência, a ponto de praticá-la habitualmente como um meio de aumentar minha já enorme renda à custa de meus colegas fracos de espírito. Tal sucedeu, não obstante. E a própria enormidade desse atentado contra todos os sentimentos viris e probos evidenciava, fora de dúvida, a principal, se não a única, razão de ser ele cometido. Quem, na verdade, entre meus mais dissolutos companheiros, não teria antes duvidado do mais claro testemunho de seus sentidos de preferência a ter suspeitado de que agisse assim o alegre, o franco, o generoso William Wilson, o mais nobre e o mais liberal dos camaradas de Oxford, aquele cujas loucuras (diziam seus parasitas) eram apenas as loucuras da imaginação jovem e desenfreada, cujos erros eram apenas caprichos inimitáveis e cujos vícios negros eram apenas uma extravagância descuidada e magnífica?

Fazia dois anos que eu me ocupava desse modo, com amplo sucesso, quando chegou à universidade um jovem, *parvenu* da nobreza, Glendenning, rico, dizia-se, como Herodes Ático, e de riqueza adquirida com igual facilidade. Logo verifiquei que era de intelecto fraco e, naturalmente, marquei-o como um digno objeto para minha astúcia. Frequentemente levei-o a jogar e fiz com que ele ganhasse, de acordo com a arte usual dos jogadores profissionais, somas consideráveis para de modo eficiente prendê-lo em minha teia. Afinal, estando maduros meus planos, encontrei-o (com a plena intenção de que esse encontro seria final e decisivo) no aposento de um colega (sr. Preston), igualmente íntimo de nós ambos, mas que, para fazer justiça, não tinha sequer a mais remota suspeita de meu desígnio. Para dar ao caso melhor colorido, consegui reunir um grupo de oito ou dez e tive o mais estrito cuidado em que o aparecimento de cartas de baralho fosse acidental, originando-se da proposta de minha própria vítima em vista. Para ser breve sobre tão vil tópico, nenhuma das baixas espertezas, tão habituais em ocasiões similares, foi omitida, e é mesmo motivo de admiração haver tantas pessoas ainda tão tolas para cair como suas vítimas.

Prolongamos a vigília pela noite adentro, e afinal efetivei a manobra de deixar Glendenning como meu único antagonista. O jogo, aliás, era o meu favorito, o *écarté*...[27] Os restantes do grupo, interessados na extensão de nossas apostas, abandonaram suas cartas e ficaram em volta, como espectadores. O *parvenu*, que fora induzido, por meus artifícios, no primeiro período da noite, a beber abundantemente, agora baralhava, cortava ou jogava com estranho nervosismo de maneiras, para o qual sua embriaguez, pensava eu, podia parcialmente, mas não inteiramente, servir de explicação. Em período muito curto ele se tornara meu devedor de uma grande soma, e então, tendo tomado um trago avultado de vinho do Porto, fez

---

27 Jogo de cartas entre dois parceiros, cada um dos quais recebe cinco cartas que, de comum acordo, podem ser trocadas por outras. O jogador que, em cada mão, faz mais vazas ganha um ponto; outro ponto vai para aquele que compra um rei do trunfo. Vence o primeiro que somar cinco pontos. (N.T.)

precisamente o que eu estivera friamente prevendo: propôs dobrar nossa já extravagante parada. Com bem fingida mostra de relutância e não sem que minhas repetidas recusas o levassem a amargas palavras, que deram um tom de desafio a meu consentimento, aceitei afinal. O resultado, naturalmente, apenas demonstrou quanto a presa estava em minha teia; em menos de uma hora ele quadruplicara sua dívida.

Desde algum tempo seu rosto perdera a tintura álacre que lhe dava o vinho; agora, porém, para meu espanto, percebi que ele se tornava de um palor verdadeiramente horrível. Para meu espanto, digo. Glendenning fora apresentado, em meus intensos inquéritos, como imensamente rico, e as quantias que ele até então perdera, embora em si mesmas vastas, não podiam, supunha eu, aborrecê-lo muito seriamente e muito menos afligi-lo tão violentamente. A ideia de que ele estava perturbado pelo vinho que acabara de tragar foi a que mais prontamente se me apresentou; e, mais para defender meu próprio caráter aos olhos de meus companheiros do que por qualquer motivo menos interesseiro, eu estava a ponto de insistir, peremptoriamente, para cessarmos o jogo, quando certas expressões saídas dentre o grupo junto de mim e uma exclamação demonstrativa de extremo desespero da parte de Glendenning deram-me a compreender que eu causara sua ruína total sob circunstâncias que, tornando-o um motivo de piedade para todos, deveriam tê-lo protegido dos malefícios mesmo de um demônio.

Qual podia ter sido então minha conduta é difícil dizer. A lastimável situação de minha vítima atirara sobre tudo um ar de embaraçosa tristeza. Durante alguns momentos, foi mantido um profundo silêncio, durante o qual eu não podia deixar de sentir minhas faces formigarem sob os numerosos olhares queimantes de desprezo ou reprovação que me lançavam os menos empedernidos do grupo. Confessarei mesmo que um intolerável peso de angústia foi retirado por breves instantes de meu peito pela súbita e extraordinária interrupção que se seguiu. Os pesados e largos batentes da porta do aposento escancararam-se, duma só vez, com tão vigorosa e impetuosa violência que se apagaram, como por mágica, todas as velas da sala. Ao morrerem as luzes, pudemos ainda perceber que um estranho havia entrado, mais ou menos de minha altura e envolto apertadamente numa capa. A escuridão, porém, não era total, e podíamos apenas sentir que ele estava entre nós. Antes que qualquer de nós pudesse refazer-se do extremo espanto em que aquela violência nos tinha lançado a todos, ouvimos a voz do intruso.

– Cavalheiros – disse ele, num *sussurro* baixo, distinto e inesquecível, que me fez estremecer até a medula dos ossos –, cavalheiros, peço desculpas deste meu modo de proceder, porque, assim agindo, estou cumprindo um dever. Não estais, sem dúvida, informados do verdadeiro caráter da pessoa que esta noite ganhou no *écarté* uma soma enorme de lorde Glendenning. Vou, pois, propor-vos um plano expedito e decisivo de obterdes essa informação, verdadeiramente necessária. Tende a bondade de examinar, à vontade, o forro do punho de sua manga esquerda e os vários pacotinhos que podem ser achados nos bolsos um tanto vastos de seu roupão bordado.

Enquanto ele falava, tão profundo era o silêncio que se poderia ouvir um alfinete cair no soalho. Ao terminar, partiu sem demora, e tão violentamente como havia entrado. Poderei eu descrever minhas sensações? Devo dizer que senti todos os horrores dos danados? Por certo, tinha eu muito pouco tempo para refletir. Muitas mãos me agarraram brutalmente, no mesmo instante, e reacenderam-se logo em seguida as luzes. Seguiu-se uma busca. No forro de minha manga foram encontradas todas as figuras essenciais do *écarté* e, nos bolsos do meu roupão, certo número de baralhos, exatamente iguais aos que utilizávamos em nossas reuniões, com a única exceção de que os meus eram da espécie chamada, tecnicamente, *arredondées*, sendo as cartas de figuras levemente convexas nas pontas e as cartas comuns levemente convexas nos lados. Com essa disposição, o ingênuo que corta, como de costume, ao comprido do baralho invariavelmente é levado a cortar dando uma figura a seu parceiro, ao passo que o jogador profissional, cortando na largura, com toda a certeza nada cortará para sua vítima que possa servir de vantagem no desenrolar do jogo.

Uma explosão de indignação ter-me-ia afetado menos do que o silêncio de desprezo ou a calma sarcástica com que foi recebida a descoberta.

– Sr. Wilson – disse o dono da casa, abaixando-se para apanhar de sob seus pés uma capa extremamente luxuosa de peles raras –, sr. Wilson, isto lhe pertence. (O tempo estava frio e, ao deixar meu quarto, lançara uma capa sobre meu roupão, desfazendo-me dela ao chegar ao teatro do jogo.) Presumo que seja supérfluo (e olhou as dobras da capa com um sorriso amargo) procurar aqui qualquer outra prova a mais de sua habilidade. Na verdade, já chega, e bastante. O senhor reconhecerá a necessidade, assim o espero, de abandonar Oxford, e, de qualquer modo, de abandonar instantaneamente minha casa.

Envilecido, humilhado até o pó, como então estava, é provável que eu devesse ter me vingado daquela mortificante linguagem com uma imediata violência pessoal, não tivesse sido toda a minha atenção no momento detida por um fato do mais impressionante caráter. A capa que eu tinha usado era de uma qualidade rara de pele, quão rara e quão extravagantemente custosa não me aventurarei a dizer. Seu corte, também, era de minha própria e fantástica invenção, pois eu era, em questões dessa frívola natureza, um peralvilho exigente, até o grau mais absurdo. Quando, portanto, o sr. Preston entregou-me aquilo que apanhara do chão, perto dos batentes da porta do aposento, foi com um espanto quase limítrofe do terror que percebi minha capa pendente já de meu braço (onde eu sem dúvida a tinha colocado inadvertidamente) e da qual a outra que me apresentavam era apenas a exata reprodução, em todos e até mesmo nos mínimos particulares possíveis. A singular criatura que tão desastrosamente me havia comprometido estivera envolvida, lembrava-me, em uma capa, e nenhuma fora usada, absolutamente, por qualquer dos membros de nosso grupo, com exceção de mim mesmo. Conservando alguma presença de espírito, tomei a capa que me foi oferecida por Preston, coloquei-a, sem que o percebessem, por cima de minha própria capa, deixei o aposento com uma resoluta carranca de desafio e, na manhã seguinte, antes mesmo do raiar do dia, iniciei precipitada viagem de Oxford para o continente, num estado de perfeita angústia, de horror e de vergonha.

Fugi em vão. Minha má sorte me perseguiu, como se em triunfo, e mostrou realmente que a ação de seu misterioso domínio tinha apenas começado. Mal tinha eu posto o pé em Paris, já possuía prova evidente do detestável interesse tomado por aquele Wilson a meu respeito. Anos passavam sem que eu experimentasse alívio algum. Canalha! Em Roma, com que inoportuna, embora espectral solicitude, intrometeu-se ele entre mim e minha ambição! Em Viena também... em Berlim... e em Moscou! Onde, na verdade, não tinha eu um amargo motivo de amaldiçoá-lo, do íntimo do coração? Da sua inescrutável tirania eu fugia por fim, tomado de pânico, como de uma peste; e até aos confins da terra *fugi em vão.*

E sempre, e sempre mais, em secreta comunhão com meu espírito, perguntava eu: "Quem é ele? Donde vem? E quais são os seus objetivos?" Mas nenhuma resposta ali encontrava. E então eu pesquisava, com minudente sondagem, as formas, os métodos e os traços principais de sua impertinente vigilância. Mas mesmo aí havia muito pouco sobre que basear uma conjetura. Era visível, de fato, que em nenhuma das múltiplas vezes em que tivera recentemente de cruzar meu caminho o fizera sem ser para frustrar aqueles planos ou perturbar ações que, se plenamente realizadas, teriam resultado em acerbo mal. Pobre justificação esta, na verdade, para uma autoridade tão imperiosamente usurpada! Pobre indenização para os direitos naturais de livre-arbítrio, tão pertinaz e tão insultuosamente negados!

Fora também forçado a notar que meu carrasco, durante longo período de tempo (enquanto escrupulosamente e com miraculosa habilidade mantinha seu capricho de uma identidade de traje comigo), tinha se arranjado de tal maneira, em todas as ocasiões em que interferira com a minha vontade, que eu não vira, em momento algum, as feições de seu rosto. Fosse Wilson quem fosse, isso, pelo menos, era apenas o cúmulo da afetação ou da loucura. Podia ele, por um instante, ter suposto que no meu admoestador de Eton, no destruidor de minha honra em Oxford, naquele que frustrou minha ambição em Roma, minha vingança em Paris, meu apaixonado amor em Nápoles, ou aquilo que ele falsamente denominou de minha avareza no Egito, que naquele meu arqui-inimigo e diabólico gênio eu deixaria de reconhecer o William Wilson de meus dias de colégio, o xará, o companheiro, o rival, o odiado e temido rival do colégio do dr. Bransby? Impossível! Mas apressemo-nos a descrever a última e culminante cena do drama.

Até então eu sucumbira passivamente àquele imperioso domínio. O sentimento de profundo temor com que habitualmente encarava o caráter elevado, a sabedoria majestosa, a aparente onipresença e onipotência de Wilson, acrescentado mesmo a uma sensação de terror que certos outros traços de sua natureza e de sua arrogância me inspiravam, tinham conseguido, até então, imprimir em mim uma ideia de minha fraqueza extrema e desamparo e sugerir uma submissão implícita, embora amargamente relutante, à sua vontade arbitrária. Mas, nos últimos dias, entregara-me inteiramente ao vinho; e sua enlouquecedora influência sobre meu temperamento hereditário tornou-me cada vez mais insubmisso ao controle. Comecei a murmurar, a hesitar, a resistir. E seria apenas a imaginação que me induzia a acreditar que, com o aumento de minha firmeza, a do meu carrasco sofria uma diminuição proporcional? Fosse como fosse, comecei então a sentir o bafejo de uma esperança e por fim nutri em meus pensamentos secretos uma resolução desesperada e austera de que não me submeteria por mais tempo à escravidão.

Foi em Roma, durante o carnaval de 18... Assistia eu a um baile de máscaras, no palácio do napolitano duque Di Broglio. Eu me entregara, mais livremente do que de costume, aos excessos do vinho, e agora a sufocante atmosfera das salas apinhadas irritava-me insuportavelmente. A dificuldade, também, em abrir caminho através dos grupos compactos contribuía não pouco para exasperar-me o gênio, pois eu estava ansioso à procura (permiti que não vos diga com que indigna intenção) da jovem, da alegre, da bela mulher do velho e caduco Di Broglio. Com uma confiança igualmente inescrupulosa, ela me havia previamente revelado o segredo da fantasia com que estaria trajada, e agora, tendo-a vislumbrado, apressava-me em abrir caminho até ela. Nesse momento, senti uma mão pousar sobre meu ombro e ouvi aquele sempre lembrado, aquele baixo e maldito *sussurro*, dentro de meu ouvido.

Num total frenesi de cólera, voltei-me imediatamente para quem assim me interrompera e agarrei-o violentamente pelo pescoço. Trajava ele, como eu havia esperado, uma roupa exatamente igual à minha: trazia uma capa espanhola de veludo azul, cingida em torno da cintura por um cinturão escarlate, que sustentava um florete. Uma máscara de seda preta encobria-lhe inteiramente o rosto.

– Canalha! – disse eu, numa voz rouca de raiva, ao passo que cada sílaba que eu pronunciava parecia alimentar cada vez mais minha fúria. – Canalha! Impostor! Maldito vilão! Não mais, não mais você me perseguirá como um cão até a morte! Siga-me, ou eu o atravessarei aqui mesmo com este florete!

E rompi caminho para fora da sala de baile, até uma pequena antecâmara ao lado, arrastando-o irresistivelmente comigo.

Depois de entrar, atirei-o furiosamente para longe. Ele bateu de encontro à parede, enquanto eu fechava a porta com uma praga e lhe ordenava que puxasse a arma. Ele hesitou, mas apenas um instante; depois, com leve suspiro, puxou-a em silêncio e pôs-se em guarda.

A luta foi deveras curta. Eu estava frenético no paroxismo da excitação selvagem e sentia no meu simples braço a energia e a potência de uma multidão. Em poucos segundos obriguei-o, só pela força, a encostar-se ao entablamento da parede e assim, tendo-o à mercê, mergulhei minha espada, com bruta ferocidade e repetidamente, no seu peito.

Naquele instante, alguém tentou abrir a porta. Apressei-me em evitar uma intromissão e, em seguida, voltei imediatamente para meu antagonista moribundo. Mas que língua humana pode adequadamente retratar *aquele* espanto, *aquele* horror, que de mim se apossou diante do espetáculo que então se apresentou à minha vista? O curto instante em que desviei meus olhos tinha sido suficiente para produzir, ao que parecia, uma mudança positiva na disposição, na parte mais alta ou mais distante do quarto. Um grande espelho – assim a princípio me pareceu na confusão em que me achava – erguia-se agora ali, onde nada fora visto antes, e como eu caminhasse para ele, no auge do terror, minha própria imagem, mas com as feições lívidas e manchadas de sangue, adiantava-se ao meu encontro, com um andar fraco e cambaleante.

Assim parecia, digo eu, mas não era. Era meu adversário, era Wilson que então se erguia diante de mim, nos estertores de sua agonia. Sua máscara e sua capa jaziam ali no chão, onde ele as havia lançado. Nem um fio em todo o seu vestuário, nem uma linha em todas as acentuadas e singulares feições de seu rosto que não fossem, mesmo na mais absoluta identidade, *os meus próprios*!

Era Wilson, mas ele falava, não mais num sussurro, e eu podia imaginar que era eu próprio quem estava falando, enquanto ele dizia:

Venceste e eu me rendo. Contudo, de agora por diante, tu também estás morto... morto para o Mundo, para o Céu e para a Esperança! Em mim tu vivias... e, na minha morte, vê por esta imagem, que é a tua própria imagem, quão completamente assassinaste a ti mesmo!

ELEONORA[28]

Sub conservatione formae specificae salva anima.[29]
— RAIMUNDO LULIO

Provenho de uma raça notável pelo vigor da imaginação e pelo ardor da paixão. Chamaram-me de louco; mas a questão ainda não está resolvida: se a loucura é ou não a inteligência sublimada, se muito do que é glorioso, se tudo o que é profundo não brota do pensamento enfermo, de *maneiras* do espírito exaltado, a expensas da inteligência geral. Os que sonham de dia conhecem muitas coisas que escapam aos que sonham somente de noite. Nas suas visões nevoentas, logram vislumbres de eternidade, e sentem viva emoção, ao despertar, por descobrirem que estiveram no limiar do grande segredo. Aos poucos, vão aprendendo algo da sabedoria, o que é bom, e muito mais do simples conhecimento, o que é mau. Penetram, contudo, sem leme e sem bússola, no vasto oceano da "luz inefável", e de novo, como nas

---

28 Publicado pela primeira vez em The Gift: A Christmas and New Year's Present for 1842. *Filadélfia, 1841. Título original:* Eleonora.

29 Sob a conservação da forma específica, salva a alma. (N.T.)

aventuras do geógrafo Núbio, *agressi sunt mare tenebrarum, quid in eo esset exploraturi*.

Digamos, pois, que estou louco. Admito, pelo menos, que há duas distintas condições de minha existência mental: a condição duma razão lúcida, indiscutível, pertencente à memória de acontecimentos que formam a primeira época de minha vida, e uma condição de sombra e dúvida, relativa ao presente e à recordação do que constitui a segunda grande era do meu ser. Portanto, acreditem no que irei contar do primeiro período, e, ao que eu relatar do tempo mais recente, deem-lhe apenas o crédito que lhes merecer, ou ponham tudo em dúvida; ou ainda, se não puderem duvidar, façam-se de Édipo diante do enigma.

Aquela a quem amei na mocidade, e cujas lembranças agora descrevo, calma e nitidamente, era a filha única da única irmã de minha mãe, há muito falecida. Eleonora se chamava minha prima. Sempre vivemos juntos, sob um sol tropical, no vale das Relvas Multicores. Nenhum passo perdido chegou alguma vez àquele vale, porque jazia bem distante e elevado, entre uma fileira de gigantescas colinas que se erguiam em torno dele, impedindo que a luz do sol penetrasse nos seus mais doces recantos. Nenhuma vereda se abria na sua vizinhança, e para chegar ao nosso lar feliz havia necessidade de afastar, com força, a folhagem de muitos milhares de árvores da floresta e de esmagar de morte o esplendor flagrante de milhões de flores. Era assim que vivíamos, sozinhos, nada conhecendo do mundo senão o vale, eu, minha prima e sua mãe.

Das sombrias regiões além das montanhas, no mais alto ponto do nosso limitado domínio, serpeava estreito e profundo rio, mais brilhante do que tudo, exceto os olhos de Eleonora; e, enroscando-se furtivamente em intrincados meandros, passava, finalmente, através de uma garganta trevosa, entre colinas ainda mais sombrias do que aquelas donde havia saído. Nós o chamávamos "rio do Silêncio", porque parecia haver uma influência silenciante na sua torrente. Nenhum murmúrio se erguia de seu leito, e tão mansamente ele deslizava que os seixos semelhantes a pérolas que gostávamos de contemplar bem no fundo de seu seio absolutamente não se moviam, mas jaziam num contentamento imoto, na mesma posição de outrora, esplendendo gloriosamente para sempre.

A margem do rio e dos numerosos riachos refulgentes que resvalavam através de caminhos tortuosos para o seu leito, bem como os espaços que se estendiam das margens para dentro das profundezas das torrentes até alcançarem a camada de seixos do fundo, esses lugares, não menos do que toda a superfície do vale, desde o rio até as montanhas que o rodeavam, estavam atapetados por uma macia relva verde, espessa, curta, perfeitamente igual, cheirando a baunilha, mas tão pintalgada por toda parte de ranúnculos amarelos, brancas margaridas, roxas violetas, e as rúbidas abróteas, que sua excessiva beleza falava a nossos corações, em altas vozes, do amor e da glória de Deus.

E, aqui e ali, em pequenos bosques, em torno dessa relva, como sonhos selváticos, erguiam-se fantásticas árvores cujos caules altos e esbeltos não se verticalizavam, mas curvavam-se graciosamente para a luz que assomava ao meio-dia, no centro do vale. Sua casca era mosqueada pelo vívido e alternado esplendor do ébano e da prata, e era mais macia do que tudo, exceto as faces de Eleonora; de modo que, não fosse o verde brilhante das enormes folhas que brotavam do alto de suas frondes em linhas longas e trêmulas, brincando com os zéfiros, poder-se-ia imaginar que fossem gigantescas serpentes da Síria prestando homenagem a seu soberano, o Sol.

Durante quinze anos, vagueamos, de mãos dadas, pelo vale, eu e Eleonora, antes que o Amor penetrasse em nossos corações. Foi numa tarde, no fim do terceiro lustro de sua vida e do quarto da minha, em que nos achávamos sentados sob as árvores serpentinas, estreitamente abraçados, e contemplávamos nossos rostos dentro da água do rio do Silêncio. Nem uma palavra dissemos durante o resto daquele dia suave, e mesmo no dia seguinte nossas palavras eram poucas e trêmulas. Tínhamos arrancado daquelas águas o deus Eros e agora sentíamos que ele inflamara, dentro de nós, as almas ardentes de nossos antepassados. As paixões que durante séculos haviam distinguido nossa raça vieram em turbilhão com as fantasias pelas quais tinham sido igualmente notáveis e juntas sopraram uma delirante felicidade sobre o vale das Relvas Multicores. Todas as coisas se transformaram. Flores estranhas e brilhantes, em forma de estrelas, brotaram nas árvores onde antes nunca haviam sido vistas. Os matizes do verde tapete ficaram mais intensos, e, quando, uma a uma, as brancas margaridas desapareceram, em lugar delas floriram dezenas e dezenas de rúbidas abróteas. E a vida despertou nas nossas veredas, porque o alto flamingo, até então invisível, com todos os alegres pássaros resplendentes, ostentou para nós a plumagem escarlate. Peixes de ouro e prata encheram o rio, de cujo seio irrompeu, pouco a pouco, um murmúrio que foi crescendo, afinal, para se tornar uma melodia embaladora mais divina que a da harpa de Éolo, mais doce do que tudo, exceto a voz de Eleonora. E então, uma nuvem imensa, que há muito observávamos nas regiões de Vésper, veio flutuando, toda rebrilhante de carmim e ouro, e pairou tranquila sobre nós, descendo, dia a dia, cada vez mais baixo, até que suas extremidades descansaram sobre o cume das montanhas, transformando-lhes o negror em magnificência e encerrando-nos, como que para sempre, dentro de uma mágica prisão de grandeza e de glória.

A beleza de Eleonora era angélica; era uma moça natural e inocente como a breve vida que levara entre as flores. Nenhum artifício disfarçava o férvido amor que lhe animava o coração, e examinava comigo os seus mais remotos recantos quando juntos passeávamos no vale das Relvas Multicores, discorrendo a respeito das grandiosas mudanças que ali haviam recentemente ocorrido.

Afinal, tendo um dia falado, entre lágrimas, da derradeira e triste mudança que deveria sobrevir à Humanidade, daí por diante só tratou desse tristonho tema, entremeando-o em todas as nossas conversas, como as imagens que surgem, sempre as mesmas, a todo instante, a cada variação impressiva da frase, nos poemas do bardo de Schiraz.

Vira que o dedo da Morte lhe calcava o seio e que, como a efêmera, toda aquela beleza perfeita lhe fora dada apenas para morrer; mas, para ela, os terrores do túmulo consistiam somente numa consideração que me revelou certa tarde, ao crepúsculo, junto às margens do rio do Silêncio. Afligia-a o pensar que, tendo-a sepultado no vale das Relvas Multicores, eu abandonasse para sempre aqueles felizes recantos, transferindo o amor que agora tão apaixonadamente lhe dedicava para alguma moça do mundo exterior e cotidiano. Ali, então, lancei-me precipitadamente aos pés de Eleonora e fiz um voto, a ela e ao Céu, de que jamais me casaria com qualquer filha da Terra, de que, de modo algum, seria perjuro à sua querida memória ou à memória do devotado afeto com que ela me tornara feliz. E invoquei o Supremo Senhor do Universo como testemunha da piedosa solenidade de meu voto. E a maldição que para mim pedi a Ele e a ela, santa do Eliseu, se me demonstrasse traidor a essa promessa encerrava um castigo de tão excessivo horror que não me é permitido mencioná-lo aqui. E os brilhantes olhos de Eleonora mais brilhantes se tornaram ao ouvir minhas palavras. Suspirou, como se um peso mortal lhe tivesse sido tirado do peito, e tremeu e chorou amargamente, mas aceitou o voto (que era ela senão uma criança?), e isso lhe tornou mais fácil o leito de morte. E ela me disse, não muitos dias depois, ao morrer tranquilamente, que, pelo que eu fizera para lhe confortar o espírito, velaria por mim em espírito quando morresse e, se lhe fosse permitido, voltaria a mim em forma visível nas vigílias da noite; mas, se isso fosse realmente superior ao poder das almas do Paraíso, ela pelo menos me daria frequentes indicações de sua presença, suspirando ao meu lado no vento da tarde, ou enchendo o ar que eu respirava com o perfume dos turíbulos dos anjos. E, com essas palavras nos lábios, entregou sua vida inocente, pondo um fim ao primeiro período da minha.

Até aqui narrei fielmente. Mas, ao transpor a barreira da vereda do Tempo formada pela morte da minha bem-amada e continuar a segunda era de minha existência, sinto que uma sombra se espalha no meu cérebro e não confio na perfeita sanidade da narrativa. Mas vamos adiante. Os anos passaram lenta e pesadamente e eu morava ainda no vale das Relvas Multicores; porém, uma segunda mudança operou-se em todas as coisas. As flores, em forma de estrela, murcharam nos caules das árvores e não mais apareceram. Desbotaram-se os matizes do verde tapete; e, uma a uma, as rúbidas abróteas feneceram. E em lugar delas ali brotaram, às dezenas, os olhos escuros das violetas, que se retorciam inquietas e estavam sempre pesadas de orvalho. E a Vida fugiu de nossos caminhos, porque o alto flamingo não mais ostentou para nós a escarlate plumagem, mas voou tristemente do vale para as colinas, com todos os resplendentes pássaros que tinham vindo em sua companhia. E os peixes de ouro e prata nadaram através da garganta para a parte mais baixa de nosso domínio e nunca mais encheram de novo o manso rio. E a melodia embaladora que tinha sido mais suave do que a harpa eólia e mais divina do que tudo, exceto a voz de Eleonora, foi pouco a pouco morrendo, em murmúrios cada vez menos audíveis, até que a corrente voltou, afinal, inteiramente, à solenidade de seu silêncio primitivo. E depois, finalmente, a imensa nuvem se ergueu e, abandonando os cumes das montanhas ao seu negror de outrora, voltou às regiões de Vésper, levando consigo todo o seu áureo esplendor magnificente, para longe do vale das Relvas Multicores.

Contudo, as promessas de Eleonora não foram olvidadas, pois eu ouvia o balouçar sonoro dos turíbulos dos anjos e ondas de sagrado perfume não cessavam de flutuar por todo o vale. E nas horas solitárias, quando meu coração batia opresso, os ventos que me banhavam a fronte chegavam até mim carregados de leves suspiros, e indistintos murmúrios enchiam muitas vezes o ar noturno. Certa vez – oh, uma vez somente! –, fui despertado dum sono, semelhante ao sono da morte, pela pressão de lábios espirituais na minha face.

Mas o vácuo em meu coração recusava-se, mesmo assim, a encher-se. Desejava ardentemente o amor que o tinha enchido até as bordas. Por fim, o vale passou a atormentar-me com a lembrança de Eleonora, e eu o deixei para sempre pelas vaidades e pelos turbulentos triunfos do mundo.

Encontrei-me numa estranha cidade, onde todas as coisas podiam ter servido para apagar da memória os doces sonhos que por tanto tempo sonhara no vale das Relvas Multicores. As pompas e faustos de uma corte majestosa, e o louco clangor de armas, e a radiosa formosura das mulheres perturbaram e envenenaram-me o cérebro. Mesmo assim, minha alma continuara fiel a seus votos, e os sinais da presença de Eleonora eram-me ainda mostrados nas horas silentes da noite. De repente, essas manifestações cessaram e o mundo se tornou mais negro diante de meus olhos. Fiquei horrorizado diante dos ardentes pensamentos que me possuíam, das terríveis tentações que me cercavam, porque tinha chegado à alegre corte do rei que eu servia, vinda de longínqua e ignota região, uma donzela a cuja beleza todo o meu perjuro coração imediatamente se rendeu, diante de cujo escabelo eu me curvava sem relutar, no mais ardente e no mais abjeto culto de amor. Que era, na verdade, a minha paixão pela jovem do vale, comparada com o fervor, com o delírio, com o enlevante êxtase de adoração com que eu arrojava toda a minha alma em prantos aos pés da etérea Hermengarda? Oh, a radiosa e seráfica Hermengarda! E nessa crença lugar não havia para nenhuma outra. Oh, a divina e angélica Hermengarda! E, ao baixar o olhar para as profundezas de seus olhos inesquecíveis, somente neles pensava... e "nela".

Casei-me, sem temer a maldição que havia invocado. E seu rigor não se abateu sobre mim. E uma vez, mais uma vez ainda no silêncio da noite, chegaram-me, através das gelosias, os suaves suspiros que me tinham abandonado, modulando-se numa voz familiar e doce, que dizia:

– Dorme em paz! Porque o Espírito do Amor reina e governa, e, afeiçoando-te, com teu apaixonado coração, àquela que é Hermengarda, estás dispensado, em virtude de razões que irás conhecer no Céu, dos votos que fizeste a Eleonora.

O RETRATO OVAL[30]

O castelo cuja entrada meu criado se aventurara a forçar para não deixar que eu passasse a noite ao relento, gravemente ferido como estava, era um desses monumentos ao mesmo tempo grandiosos e sombrios que por tanto tempo se ergueram carrancudos entre os Apeninos, tanto na realidade como na imaginação da sra. Radcliffe.[31] Segundo todas as aparências, tinha sido temporária e muito recentemente abandonado. Aboletamo-nos em uma das salas menores e menos suntuosamente mobiliadas, localizada num afastado torreão do edifício. Eram ricas, embora estragadas e antigas, suas decorações. Tapeçarias pendiam das paredes, adornadas com vários e multiformes troféus de armas, de mistura com

---

30 Publicado pela primeira vez na Graham's Lady's and Gentleman's Magazine, *abril de 1842. Título original:* Life in Death.

31 Anne Ward Radcliffe (1764-1823), romancista inglesa famosa por suas obras de mistério, destacando-se entre elas: O romance do bosque *e* Os mistérios de Udolfo. *(N.T.)*

um número insólito de quadros de estilo bem moderno em molduras de ricos arabescos de ouro. Por esses quadros, que enchiam não só todas as paredes, mas ainda os numerosos ângulos que a esquisita arquitetura do castelo formava, meu delírio incipiente me fizera talvez tomar profundo interesse. Assim é que mandei Pedro fechar os pesados postigos da sala – pois já era noite –, acender as velas de um enorme candelabro que se achava à cabeceira de minha cama e abrir completamente as franjadas cortinas de veludo preto que envolviam o leito. Desejei que tudo isso fosse feito, a fim de que pudesse abandonar-me senão ao sono, pelo menos, alternativamente, à contemplação desses quadros e à leitura de um livrinho que encontrara sobre o travesseiro e que continha a crítica e a descrição das pinturas.

Li, li durante muito tempo e longamente contemplei aqueles quadros. Rápida e esplendidamente as horas se escoaram e a profunda meia-noite chegou. A posição do candelabro me desagradava e, estendendo a mão, com dificuldade, para não perturbar o sono do criado, coloquei-o de modo a lançar seus raios de luz em cheio sobre o livro.

Esse gesto, porém, produziu um efeito totalmente inesperado. Os raios das numerosas velas (pois havia muitas) caíam agora dentro de um nicho da sala que até então estivera mergulhado na intensa sombra lançada por uma das colunas da cama. E assim vi, em plena luz, um retrato até então despercebido. Era o retrato de uma jovem no alvorecer da feminilidade. Olhei rapidamente para o retrato e depois fechei os olhos. Por que fizera isso, eu mesmo não o percebi a princípio. Mas, enquanto minhas pálpebras permaneciam fechadas, revolvi na mente a razão de assim ter feito. Era um movimento impulsivo, para ganhar tempo de pensar, para certificar-me de que minha vista não me iludira, para acalmar e dominar a fantasia, forçando-a a uma contemplação mais serena e mais segura. Logo depois, olhei de novo, fixamente, para o quadro.

Do que então vi claramente não poderia nem deveria duvidar. Porque o primeiro clarão das velas sobre aquele quadro como que dissipou o sonolento torpor que furtivamente se apossava de meus sentidos e sem demora me pôs completamente desperto.

O retrato, como já disse, era o de uma jovem. Apenas a cabeça e os ombros, feitos na maneira tecnicamente chamada *vignette*, e bastante no estilo das cabeças favoritas de Sully.[32] Os braços, o colo e mesmo as pontas do cabelo luminoso perdiam-se imperceptivelmente na vaga, porém profunda sombra, formada pelo fundo do conjunto. A moldura era oval, ricamente dourada e filigranada à mourisca. Como obra de arte, nada podia ser mais admirável do que a própria pintura. Mas aquela comoção tão súbita e tão intensa não me viera nem da execução da obra nem da imortal beleza do semblante. Menos do que tudo poderia ter sido minha imaginação que, despertada de seu semitorpor, teria tomado aquela cabeça pela de uma pessoa viva. Vi imediatamente que as peculiaridades do desenho, do trabalho do vinhetista e da moldura deviam ter de pronto dissipado tal ideia, impedido mesmo seu momentâneo aparecimento. Permaneci quase talvez uma hora semierguido, semi-inclinado, a pensar sobre tais pormenores, com a vista fixada no retrato. Por fim, satisfeito com o verdadeiro segredo de seu efeito, deixei-me cair na cama. Descobrira que o encanto do retrato estava na expressão de uma absoluta *aparência de vida* que a princípio me espantou, para afinal confundir-me, dominar-me e aterrar-me. Com profundo e reverente temor, tornei a pôr o candelabro em sua primitiva posição. Afastada assim de minha vista a causa de minha aguda agitação, busquei avidamente o volume que descrevia as pinturas e sua história. Procurando a página que se referia ao retrato oval, li as imprecisas e fantásticas palavras que se seguem:

> Era uma donzela da mais rara beleza e não só amável, como cheia de alegria. E maldita foi a hora em que ela viu, amou e desposou o pintor. Ele era apaixonado, estudioso, austero e já tinha na Arte a sua desposada. Ela, uma donzela da mais rara beleza e não só amável, como cheia de alegria; toda luz e sorrisos, travessa como uma jovem corça; amando com carinho todas as coisas; odiando somente a Arte, que era sua rival; temendo apenas a paleta, os pincéis e os outros sinistros

32 Thomas Sully (1783-1872), pintor norte-americano de origem inglesa. (N.T.)

instrumentos que a privavam da contemplação do seu amado. Era pois terrível coisa para essa mulher ouvir o pintor exprimir o desejo de pintar o próprio retrato de sua jovem esposa. Ela era, porém, humilde e obediente, e sentava-se submissa durante semanas no escuro e alto quarto do torreão, onde a luz vinha apenas de cima projetar-se, escassa, sobre a alva tela. Mas ele, o pintor, se regozijava com sua obra, que continuava de hora em hora, de dia em dia. E era um homem apaixonado, rude e extravagante, que vivia perdido em devaneios; assim, não percebia que a luz que caía tão lívida naquele torreão solitário ia murchando a saúde e a vivacidade de sua esposa, visivelmente definhando para todos, menos para ele. Contudo, ela continuava ainda e sempre a sorrir, sem se queixar, porque via que o pintor (que tinha alto renome) trabalhava com fervoroso e ardente prazer e porfiava, dia e noite, por pintar quem tanto o amava, mas que, todavia, se tornava cada vez mais triste e fraca. E na verdade alguns que viram o retrato falavam em voz baixa de sua semelhança como de uma extraordinária maravilha, prova não só da mestria do pintor, como de seu intenso amor por aquela a quem pintava de modo tão exímio. Mas afinal, ao chegar o trabalho quase a seu termo, ninguém mais foi admitido no torreão, porque o pintor se tornara rude no ardor de seu trabalho, e raramente desviava os olhos da tela, mesmo para contemplar o semblante de sua esposa. E não percebia que as tintas que espalhava sobre a tela eram tiradas das faces daquela que se sentava a seu lado. E quando já se haviam passado várias semanas e muito pouco restava a fazer, exceto uma pincelada sobre a boca e um colorido nos olhos, a alegria da mulher de novo bruxuleou, como a chama dentro de uma lâmpada. E então foi dada a pincelada e completado o colorido. E durante um instante o pintor ficou extasiado diante da obra que tinha realizado, mas em seguida, enquanto ainda contemplava, pôs-se a tremer e, pálido, horrorizado, exclamou em voz alta: "Isto é na verdade a própria Vida!" Voltou-se, subitamente, para ver a sua bem-amada... Estava morta!

A MÁSCARA DA MORTE RUBRA[33]

Durante muito tempo devastara a Morte Rubra aquele país. Jamais se vira peste tão fatal e tão terrível. O sangue era a sua encarnação e o seu sinete: a vermelhidão e o horror do sangue. Aparecia com agudas dores e súbitas vertigens, seguindo-se profusa sangria pelos poros e a decomposição. Manchas escarlates no corpo e sobretudo no rosto da vítima eram o anátema da peste, que a privava do auxílio e da simpatia de seus semelhantes. E toda a irrupção, progresso e término da doença não duravam mais de meia hora.

Mas o príncipe Próspero era feliz, destemido e sagaz. Quando seus domínios se viram despovoados da metade de seus habitantes mandou chamar à sua presença um milheiro de amigos sadios e joviais dentre os cavalheiros e damas de sua corte, retirando-se com

33 Publicado pela primeira vez na Graham's Lady's and Gentleman's Magazine, *maio de 1842. Título original:* The Mask of the Red Death: A Fantasy.

eles, em total reclusão, para uma de suas abadias fortificadas. Era um edifício vasto e magnífico, criação de príncipes de gosto excêntrico, embora majestoso. Cercava-o forte e elevada muralha, com portas de ferro. Logo que entraram, os cortesãos trouxeram fornos e pesados martelos para rebitar os ferrolhos. Tinham resolvido não proporcionar meios de entrada ou saída aos súbitos impulsos de desespero dos de fora ou ao frenesi dos de dentro. A abadia estava fartamente provida. Com tais precauções, podiam os cortesãos desafiar o contágio. Que o mundo exterior se arranjasse por si. Enquanto isso, de nada valia nele pensar, ou afligir-se por sua causa. Providenciara o príncipe para que não faltassem diversões. Havia jograis, improvisadores, bailarinos, músicos. Havia Beleza e havia vinho. Lá dentro, tudo isso e segurança. Lá fora, a Morte Rubra.

Foi quase ao término do quinto ou sexto mês de sua reclusão, enquanto a peste raivava mais furiosamente lá fora, que o príncipe Próspero ofereceu a seus mil amigos um baile de máscaras da mais extraordinária magnificência.

Que voluptuosa cena a daquela mascarada! Mas antes descrevamos os salões em que ela se desenrolava. Era uma série imperial de sete salões. Em muitos palácios, contudo, tais sucessões de salas formam uma longa e reta perspectiva quando as portas se abrem de par em par, não havendo quase obstáculo à perfeita visão de todo o conjunto. Aqui, o caso era bastante diverso, coisa aliás de esperar do amor do duque pelo *fantástico*. Os aposentos estavam tão irregularmente dispostos que a visão abrangia pouco mais de cada um de uma vez. De vinte ou de trinta em trinta metros havia uma curva aguda e, a cada curva, uma nova impressão.

À direita e à esquerda, no meio de cada parede, uma enorme e estreita janela gótica abria-se para um corredor fechado que acompanhava as voltas do conjunto. Essas janelas eram providas de vitrais, cuja cor variava de acordo com o tom dominante das decorações do aposento para onde se abriam. O da extremidade oriental, por exemplo, era azul, e de azul vivo eram suas janelas. O segundo aposento tinha ornamentos e tapeçarias purpúreos, e purpúreas eram as vidraças. O terceiro era todo verde, e verdes eram também as armações das janelas. O quarto estava mobiliado e iluminado com cor alaranjada. O quinto era branco e o sexto, roxo. O sétimo aposento estava totalmente coberto de tapeçarias de veludo preto, que pendiam do teto e pelas paredes, caindo em pesadas dobras sobre um tapete do mesmo material e da mesma cor. Mas somente nessa sala a cor das janelas não correspondia à das decorações. As vidraças, ali, eram escarlates, da cor de sangue vivo.

Ora, em nenhum daqueles sete salões havia qualquer lâmpada ou candelabro em meio à profusão de ornamentos dourados que se espalhavam por todos os cantos ou pendiam do forro. Luz de espécie alguma emanava de lâmpada ou vela, dentro da série de salas. Mas, nos corredores que acompanhavam a perspectiva, erguia-se, em frente de cada janela, uma pesada trípode com um braseiro que projetava seus raios pelos vitrais coloridos e assim iluminava deslumbrantemente a sala, produzindo numerosos aspectos vistosos e fantásticos. Na sala negra, porém, o efeito do clarão que raiava sobre as negras cortinas, através das vidraças tintas de sangue, era extremamente lívido e dava uma aparência tão estranha às fisionomias dos que entravam que poucos eram os bastante ousados para nela penetrar.

Era também nesse salão que se erguia, encostado à parede que dava para oeste, um gigantesco relógio de ébano. O pêndulo oscilava para lá e para cá, com um tique-taque vagaroso, pesado, monótono. E, quando o ponteiro dos minutos concluía o circuito do mostrador e a hora ia soar, emanava dos pulmões de bronze do relógio um som claro, elevado, agudo e excessivamente musical, mas tão enfático e característico que, de hora em hora, os músicos da orquestra viam-se forçados a parar por instantes a execução da música para ouvir-lhe o som; e dessa forma, obrigatoriamente, cessavam os dançarinos suas evoluções e toda a alegre companhia sentia-se, por instantes, perturbada. E, enquanto os carrilhões do relógio ainda soavam, observava-se que os mais alegres tornavam-se pálidos e os mais idosos e serenos passavam as mãos pela fronte, como se em confuso devaneio ou meditação. Mas, quando os ecos cessavam por completo, leves risadas imediatamente contagiavam a reunião; os músicos olhavam uns para os outros e sorriam do próprio nervoso e loucura, fazendo votos sussurrados, uns aos outros, para que o próximo carrilhonar do relógio não produzisse neles idêntica emoção. E, no entanto, passados os sessenta minutos (que abarcam três mil e seiscentos segundos do Tempo que voa), ouvia-se de novo outro carrilhonar do relógio, e de novo se viam a mesma perturbação, o mesmo tremor, as mesmas atitudes meditativas. A despeito, porém, de tudo isso, que esplêndida e magnífica folia!

O príncipe tinha gostos característicos. Sabia escolher cores e efeitos. Desprezava os ornamentos apenas em moda. Seus desenhos eram muito audazes e vivos e suas concepções esplendiam com um lustre bárbaro. Muita gente o julgava louco. Mas seus cortesãos achavam que não. Era preciso ouvi-lo, vê-lo e tocá-lo, para se estar certo de que ele não o era.

Por ocasião dessa grande festa, dirigira ele próprio, em grande parte, os mutáveis adornos dos sete salões e fora o seu próprio gosto orientador que escolhera as fantasias. Mas não havia dúvida de que eram grotescas. Havia muito brilho, muito esplendor, muita coisa berrante e fantástica – muito disso que depois se viu no *Hermani*. Havia formas arabescas, com membros e adornos desproporcionados.

Havia concepções delirantes, como criações de louco; havia muito de belo e muito de atrevido, de esquisito, algo de terrível e não pouco do que poderia causar aversão. Na realidade, uma multidão de sonhos deslizava para lá e para cá nas sete salas. E esses sonhos giravam de um canto para outro, tomando a cor das salas e fazendo a música extravagante da orquestra parecer o eco de seus passos.

Mas logo soava o relógio de ébano que se erguia na parede de veludo. E então, durante um instante, tudo parava e tudo silenciava, exceto a voz do relógio. Os sonhos paravam, como que gelados. Os ecos do carrilhão morriam – haviam durado apenas um instante –, e uma leve gargalhada, mal contida, acompanhava os ecos que morriam. E logo depois a música explodia, e os sonhos reviviam e rodopiavam mais alegremente do que dantes, tingindo-se da cor das janelas multicoloridas, através das quais se filtravam os luminosos raios das trípodes. Mas então nenhum dos mascarados se aventurava até a sala que, entre as sete, mais a ocidente se encontrava, porque a noite estava declinando e ali dimanava uma luz mais vermelha através das vidraças sanguíneas, e o negror dos panejamentos tenebrosos apavorava. E, para aqueles cujos pés pisavam o tapete negro, do relógio de ébano ali perto provinha um rumor abafado, mais solenemente enfático do que o que alcançava os ouvidos de quem se comprazia nas alegrias dos outros aposentos mais distantes.

Mas esses outros aposentos estavam densamente apinhados e neles palpitava febrilmente o coração da vida. E a folia continuou a rodopiar, até que afinal o relógio começou a soar a meia-noite. E, então, a música parou, como já disse; e aquietaram-se as evoluções dos dançarinos; e, como dantes, houve uma perturbadora paralisação de tudo. Mas agora o carrilhão do relógio teria de bater doze pancadas. E por isso aconteceu talvez que maior número de pensamentos, e mais demoradamente, se inserisse nas meditações daqueles que, entre os que se divertiam, meditavam. E por isso talvez aconteceu também que, antes de silenciarem por completo os derradeiros ecos da última pancada, muitos foram os indivíduos, em meio à multidão, que puderam certificar-se da presença de um vulto mascarado que até então não havia chamado a atenção de ninguém. E, tendo se espalhado, aos cochichos, a notícia dessa nova presença, elevou-se imediatamente dentre a turba um burburinho ou murmúrio que exprimia desaprovação e surpresa a princípio e, finalmente, terror, horror e náusea.

Numa assembleia de fantasmas, tal como a descrevi, bem se pode supor que tal agitação não podia ter sido causada por uma aparência vulgar. Na verdade, a licença carnavalesca da noite era quase ilimitada; mas o vulto em questão excedia o próprio Herodes em extravagância e ia além dos limites indecisos de decência exigidos pelo próprio príncipe. Há no coração dos mais levianos fibras que não podem ser tocadas sem emoção. Mesmo para os mais pervertidos, para quem a vida e a morte são idênticos brinquedos, há assuntos com os quais não se pode brincar. Todos os presentes, de fato, pareciam agora sentir profundamente que nos trajes e atitudes do estranho não havia finura nem conveniência. Era alto e lívido, e envolvia-se, da cabeça aos pés, em mortalhas tumulares. A máscara que ocultava o rosto era tão de modo a quase reproduzir a fisionomia de um cadáver enrijecido que a observação mais acurada teria dificuldade em perceber o engano.

E, contudo, tudo isso poderia tolerar-se, se não mesmo aprovar-se, pelos loucos foliões, não tivesse o mascarado ido a ponto de figurar o tipo da Morte Rubra. Seu traje estava salpicado de *sangue*, e a ampla testa, assim como toda a face, borrifada de horrendas placas escarlates. Quando os olhos do príncipe Próspero caíram sobre aquela imagem espectral (que, em movimentos lentos e solenes, como se quisesse representar mais completamente seu papel, rodopiava aqui e ali entre os dançarinos), viram-no ser tomado de convulsões, a princípio um forte tremor de pânico ou repugnância, para logo depois enrubescer-se de raiva.

– Quem ousa – perguntou ele, roucamente, aos cortesãos que o cercavam –, quem ousa insultar-nos com tão blasfema pilhéria? Agarrem-no e desmascarem-no, para podermos conhecer quem teremos de enforcar, ao amanhecer, no alto das ameias!

Ao pronunciar essas palavras achava-se o príncipe Próspero no salão dourado e azul, do lado do poente. Elas atravessaram todas as sete salas, alta e claramente, pois o príncipe era um homem ousado e robusto, e a música havia silenciado a um gesto de sua mão.

Era no salão azul que se achava o príncipe, tendo ao lado um grupo de cortesãos pálidos. Logo que ele falou, houve um leve movimento de investida por parte daquele grupo na direção do intruso, que, no momento, se encontrava quase ao alcance da mão, e agora, em passadas firmes e decididas, mais se aproximava do príncipe. Mas, em virtude de um indefinível terror que a todos os presentes causara o louco atrevimento do mascarado, não se achou ninguém que ousasse estender a mão para agarrá-lo. De modo que, sem empecilho, passou a um metro do príncipe, e, enquanto toda a numerosa assembleia, como movida por um só impulso, recuava do centro das salas para as paredes, seguiu ele seu caminho sem deter-se, com os mesmos passos solenes e medidos que desde o começo o haviam distinguido, do salão azul ao salão purpúreo, do purpúreo ao verde, do verde ao alaranjado, deste ao branco e até mesmo ao roxo, sem que um movimento de decisão se fizesse para detê-lo. Foi então, porém, que o príncipe Próspero, enlouquecido de raiva e de vergonha de sua momentânea covardia, correu precipitadamente através das seis salas, sem que ninguém o seguisse, pois um terror mortal de todos se apossara. Brandia um punhal desembainhado e se aproximara, com rápida impetuosidade, a poucos passos do vulto que se retirava, quando este último, tendo alcançado a extremidade do salão de veludo, voltou-se subitamente e arrostou seu perseguidor. Ouviu-se um grito agudo e o punhal caiu, cintilante, sobre o negro tapete, onde, logo, instantaneamente, tombou mortalmente abatido o príncipe Próspero. Então, recorrendo à coragem selvagem do desespero, numerosos foliões lançaram-se sem demora no lúgubre aposento, e agarrando o mascarado, cujo alto vulto permanecia ereto e imóvel dentro da sombra do relógio de ébano, pararam, arfantes de indizível pavor, ao sentir que nenhuma forma tangível se encontrava sob a mortalha e por trás da máscara cadavérica, quando as seguraram com violenta rudeza.

E foi então que reconheceram estar ali presente a Morte Rubra. Ali penetrara, como um ladrão noturno. E um a um, foram tombando os foliões, nos salões da orgia, orvalhados de sangue, morrendo na mesma posição desesperada de sua queda. E a vida do relógio de ébano se extinguiu com a do último dos foliões. E as chamas das trípodes expiraram. E o ilimitado poder da Treva, da Ruína e da Morte Rubra dominou tudo.

O CORAÇÃO DENUNCIADOR[34]

É verdade! Tenho sido e sou nervoso, muito nervoso, terrivelmente nervoso! Mas por que *ireis* dizer que sou louco? A enfermidade me aguçou os sentidos, não os destruiu, não os entorpeceu. Era penetrante, acima de tudo, o sentido da audição. Eu ouvia todas as coisas, no céu e na terra. Muitas coisas do inferno ouvia. Como, então, sou louco? Prestai atenção! E observai quão calmamente vos posso contar toda a história.

É impossível dizer como a ideia me penetrou primeiro no cérebro. Uma vez concebida, porém, ela me perseguiu dia e noite. Não havia motivo. Não havia cólera. Eu gostava do velho. Ele nunca me fizera mal. Nunca me insultara. Eu não desejava seu ouro. Penso que era o olhar dele! Sim, era isso! Um de seus olhos se parecia com o de um abutre... um olho de cor azul pálido, que sofria de catarata. Meu sangue se enregelava sempre que ele caía sobre mim; e assim,

34 Publicado pela primeira vez em The Pioneer, *janeiro de 1843. Título original:* The Tell-Tale Heart.

pouco a pouco, bem lentamente, fui-me decidindo a tirar a vida do velho e assim libertar-me daquele olho para sempre.

Ora, aí é que está o problema. Imaginais que sou louco. Os loucos nada sabem. Deveríeis, porém, ter me visto. Deveríeis ter visto como procedi cautelosamente! Com que prudência... com que previsão... com que dissimulação lancei mãos à obra!

Eu nunca fora mais bondoso para com o velho do que durante a semana inteira antes de matá-lo. E todas as noites, por volta da meia-noite, eu girava o trinco da porta de seu quarto e abria-a... oh, bem devagarinho. E depois, quando a abertura era suficiente para conter minha cabeça, eu introduzia uma lanterna com tampa, toda velada, bem velada, de modo que nenhuma luz se projetasse para fora, e em seguida enfiava a cabeça. Oh, teríeis rido ao ver como a enfiava habilmente! Movia-a lentamente... muito, muito lentamente, a fim de não perturbar o sono do velho. Levava uma hora para colocar a cabeça inteira além da abertura, até podê-lo ver deitado na cama. Ah! Um louco seria precavido assim? E depois, quando minha cabeça estava bem dentro do quarto, eu abria a tampa da lanterna cautelosamente... oh, bem cautelosamente! Sim, cautelosamente (porque a dobradiça rangia)... abria-a só até permitir que apenas um débil raio de luz caísse sobre o olho de abutre. E isso eu fiz durante sete longas noites... sempre precisamente à meia-noite... e sempre encontrei o olho fechado. Assim, era impossível fazer a minha tarefa, porque não era o velho que me perturbava, mas seu olho diabólico. E todas as manhãs, quando o dia raiava, eu penetrava atrevidamente no quarto e falava-lhe sem temor, chamando-o pelo nome com ternura e perguntando como havia passado a noite. Por aí vedes que ele precisaria ser um velho muito perspicaz para suspeitar que todas as noites, justamente às doze horas, eu o espreitava, enquanto dormia.

Na oitava noite, fui mais cauteloso do que de hábito ao abrir a porta. O ponteiro dos minutos de um relógio mover-se-ia mais rapidamente do que meus dedos. Jamais, antes daquela noite, *sentira* eu tanto a extensão de meus próprios poderes, de minha sagacidade. Mal conseguia conter meus sentimentos de triunfo. Pensar que ali estava eu, a abrir a porta, pouco a pouco, e que ele nem sequer sonhava com os meus atos ou pensamentos secretos... Ri com gosto, entre os dentes, a essa ideia, e talvez ele me tivesse ouvido, porque se moveu de súbito na cama, como se assustado. Pensais talvez que recuei? Não! O quarto dele estava escuro como piche, espesso de sombra, pois os postigos se achavam hermeticamente fechados, por medo aos ladrões. E eu sabia, assim, que ele não podia ver a abertura da porta: continuei a avançar, cada vez mais, cada vez mais.

Já estava com a cabeça dentro do quarto e a ponto de abrir a lanterna, quando meu polegar deslizou sobre o fecho de lata e o velho saltou na cama, gritando:

– Quem está aí?

Fiquei completamente silencioso e nada disse. Durante uma hora inteira, não movi um músculo e, por todo esse tempo, não o ouvi deitar-se de novo. Ele ainda estava sentado na cama, à escuta; justamente como eu fizera, noite após noite, ouvindo a ronda da morte próxima.

Depois, ouvi um leve gemido e notei que era o gemido do terror mortal. Não era um gemido de dor ou de pesar... oh, não! Era o som grave e sufocado que se ergue do fundo da alma quando sobrecarregada de medo. Bem conhecia esse som. Muitas noites, ao soar a meia-noite, quando o mundo inteiro dormia, ele irrompia de meu peito, aguçando, com seu eco espantoso, os terrores que me aturdiam. Disse que bem o conhecia. Conheci também o que o velho sentia e tive pena dele, embora abafasse um riso no coração. Eu sabia que ele ficara acordado desde o primeiro leve rumor, quando se voltara na cama. Daí por diante, seus temores foram crescendo. Tentara imaginá-los sem motivo, mas não fora possível. Dissera a si mesmo: "É só o vento na chaminé...", ou "é só um rato andando pelo chão", ou "foi apenas um grilo que cantou um instante só". Sim, ele estivera tentando animar-se com essas suposições, mas tudo fora em vão. *Tudo em vão*, porque a Morte, ao aproximar-se dele, projetara sua sombra negra para a frente, envolvendo nela a vítima. E era a influência tétrica dessa sombra não percebida que o levava a sentir – embora não visse nem ouvisse –, a *sentir* a presença de minha cabeça dentro do quarto.

Depois de esperar longo tempo, com muita paciência, sem ouvi-lo deitar-se, resolvi abrir um pouco, muito, muito pouco, a tampa da lanterna. Abri-a – podeis imaginar quão furtivamente – até que, por fim, um raio de luz apenas, tênue como o fio de uma teia de aranha, passou pela fenda e caiu sobre o olho de abutre.

Ele estava aberto... todo, plenamente aberto... e, ao contemplá-lo, minha fúria cresceu. Vi-o, com perfeita clareza, todo de um azul desbotado, com uma horrível película a cobri-lo, o que me enregelava até a medula dos ossos. Mas não podia ver nada mais da face, ou do corpo do velho, pois dirigia a luz, como por instinto, sobre o maldito lugar.

Ora, não vos disse que apenas é superacuidade dos sentidos aquilo que erradamente julgais loucura? Repito, pois, que chegou a meus ouvidos um som baixo, monótono, rápido como o de um relógio quando abafado em algodão. Igualmente eu bem sabia que som era. Era o bater do coração do velho. Ele me aumentava a fúria, como o bater de um tambor estimula a coragem do soldado.

Ainda aí, porém, refreei-me e fiquei quieto. Tentei manter tão fixamente quanto pude a réstia de luz sobre o olho do velho. Entretanto, o infernal tã-tã do coração aumentava. A cada instante ficava mais alto, mais rápido, mais alto, mais rápido! O terror do velho *deve* ter sido extremo! Cada vez mais alto, repito, a cada momento! Prestais-me bem atenção? Disse-vos que sou nervoso: sou. E então, àquela hora morta da noite, tão estranho ruído excitou em mim um terror incontrolável. Contudo, por alguns minutos mais, dominei-me e fiquei quieto. Mas o bater era cada vez mais alto. Julguei que o coração ia rebentar. E, depois, nova angústia me aferrou: o rumor poderia ser ouvido por um vizinho! A hora do velho tinha chegado! Com um alto berro, escancarei a lanterna e pulei para dentro do quarto. Ele guinchou mais uma vez... uma vez só. Num instante, arrastei-o para o soalho e virei a pesada cama sobre ele. Então sorri alegremente por ver a façanha realizada. Mas, durante muitos minutos, o coração continuou a bater, com som surdo. Isso, porém, não me vexava. Não seria ouvido através da parede. Afinal cessou. O velho estava morto. Removi a cama e examinei o cadáver. Sim, era uma pedra, morto como uma pedra. Coloquei minha mão sobre o coração e ali a mantive durante muitos minutos. Não havia pulsação. Estava petrificado. Seu olho não mais me perturbaria.

Se ainda pensais que sou louco, não mais o pensareis, quando eu descrever as sábias precauções que tomei para ocultar o cadáver. A noite avançava e eu trabalhava apressadamente, porém em silêncio. Em primeiro lugar, esquartejei o corpo. Cortei-lhe a cabeça, os braços e as pernas.

Arranquei depois três pranchas do soalho do quarto e coloquei tudo entre os vãos. Depois recoloquei as tábuas, com tamanha habilidade e perfeição que nenhum olhar humano – nem mesmo o *dele* – poderia distinguir qualquer coisa suspeita. Nada havia a lavar... nem mancha de espécie alguma... nem marca de sangue. Fora demasiado prudente no evitá-las. Uma tina tinha recolhido tudo... ah, ah, ah!

Terminadas todas essas tarefas, eram já quatro horas. Mas ainda estava escuro como se fosse meia-noite. Quando o sino soou a hora, bateram na porta da rua. Desci para abri-la, de coração ligeiro, pois que tinha eu *agora* a temer? Entraram três homens, que se apresentaram, com perfeita mansidão, como soldados de polícia. Fora ouvido um grito por um vizinho, durante a noite. Despertara-se a suspeita de um crime. Tinha sido formulada uma denúncia à polícia e eles, soldados, tinham sido mandados para investigar.

Sorri, pois... que tinha eu a temer? Dei as boas-vindas aos cavalheiros. O grito, disse eu, fora meu mesmo, em sonhos. O velho, relatei, estava ausente, no interior. Levei meus visitantes a percorrer toda a casa. Pedi-lhes que dessem busca *completa*. Conduzi-os, afinal, ao quarto *dele*. Mostrei-lhes suas riquezas, em segurança, intatas. No entusiasmo de minha confiança, trouxe cadeiras para o quarto e mostrei desejos de que eles ficassem *ali*, para descansar de suas fadigas, enquanto eu mesmo, na desenfreada audácia de meu perfeito triunfo, colocava minha cadeira precisamente sobre o lugar onde repousava o cadáver da vítima.

Os soldados ficaram satisfeitos. Minhas *maneiras* os haviam convencido. Sentia-me singularmente à vontade. Sentara-se e, enquanto eu respondia cordialmente, conversaram coisas familiares.

Mas, dentro em pouco, senti que ia empalidecendo e desejei que eles se retirassem. Minha cabeça doía e parecia-me ouvir zumbidos nos ouvidos; eles, porém, continuavam sentados e continuavam a conversar. O zumbido tornou-se mais distinto; continuou e tornou-se ainda mais perceptível. Eu falava com mais desenfreio, para dominar a sensação; ela, porém, continuava e aumentava sua perceptibilidade... até que, afinal, descobri que o barulho não era dentro de meus ouvidos.

É claro que então a minha palidez aumentou sobreposse. Mas eu falava ainda mais fluentemente e num tom de voz muito elevado. Não obstante, o som se avolumava... E que podia eu fazer? *Era um som grave, monótono, rápido... muito semelhante ao de um relógio envolto em algodão.* Respirava com dificuldade... e, no entanto, os soldados não o ouviram. Falei mais depressa ainda, com mais veemência. Mas o som aumentava constantemente. Levantei-me e fiz perguntas a respeito de ninharias, num tom bastante elevado e com violenta gesticulação, mas o som constantemente aumentava. Por que não se iam eles embora? Andava pelo quarto acima e abaixo, com largas e pesadas passadas, como se excitado até a fúria pela vigilância dos homens; mas o som aumentava constantemente. Oh, Deus! Que poderia eu fazer? Espumei... enraiveci-me... praguejei! Fiz girar a cadeira sobre a qual estivera sentado e arrastei-a sobre as tábuas, mas o barulho se elevava acima de tudo e continuamente aumentava. Tornou-se mais alto... mais alto... *mais alto*! E os homens continuavam ainda a passear, satisfeitos, e sorriam. Seria possível que eles não ouvissem? Deus Todo-Poderoso! Não, não! Eles suspeitavam! Eles *sabiam*! Estavam *zombando* do meu horror! Isso pensava eu e ainda penso. Outra coisa qualquer, porém, era melhor que aquela agonia! Qualquer coisa era mais tolerável que aquela irrisão! Não podia suportar por mais tempo aqueles sorrisos hipócritas! Sentia que devia gritar ou morrer, e agora... de novo... escutai... mais alto... mais alto... mais alto... *mais alto*!...

– Vilões! – trovejei. – Não finjam mais! Confesso o crime! Arranquem as pranchas! Aqui, aqui! Ouçam o batido do seu horrendo coração!

O GATO PRETO[35]

Para a muito estranha, embora muito familiar, narrativa que estou a escrever, não espero nem solicito crédito. Louco, em verdade, seria eu para esperá-lo, num caso em que meus próprios sentidos rejeitam seu próprio testemunho. Contudo, louco não sou e com toda a certeza não estou sonhando. Mas amanhã morrerei e hoje quero aliviar minha alma. Meu imediato propósito é apresentar ao mundo, plena, sucintamente e sem comentários, uma série de simples acontecimentos domésticos. Pelas suas consequências, estes acontecimentos me aterrorizaram, me torturaram e me aniquilaram. Entretanto, não tentarei explicá-los. Para mim, apenas se apresentam cheios de horror. Para muitos, parecerão menos terríveis do que grotescos. Mais tarde, talvez, alguma inteligência se encontre que reduza meu fantasma a um lugar-comum, alguma inteligência mais calma, mais lógica e bem

35 *Publicado pela primeira vez no* United States Saturday Post (Saturday Evening Post)*, 19 de agosto de 1843. Título original:* The Black Cat.

menos excitável do que a minha e que perceberá nas circunstâncias que pormenorizo com terror apenas a vulgar sucessão de causas e efeitos, bastante naturais.

Salientei-me, desde a infância, pela docilidade e humanidade de meu caráter. Minha ternura de coração era mesmo tão notável que fazia de mim motivo de troça de meus companheiros. Gostava de modo especial de animais e meus pais permitiam que eu possuísse grande variedade de bichos favoritos. Gastava com eles a maior parte de meu tempo e nunca me sentia tão feliz como quando lhes dava comida e os acariciava. Essa particularidade de caráter aumentou com o meu crescimento e, na idade adulta, dela extraía uma de minhas principais fontes de prazer. Àqueles que têm dedicado afeição a um cão fiel e inteligente, pouca dificuldade tenho em explicar a natureza ou a intensidade da recompensa que daí deriva. Há qualquer coisa no amor sem egoísmo e abnegado de um animal que atinge diretamente o coração de quem tem tido frequentes ocasiões de experimentar a amizade mesquinha e a fidelidade frágil do simples *Homem*.

Casei-me ainda moço e tive a felicidade de encontrar em minha mulher um caráter adequado ao meu. Observando minha predileção pelos animais domésticos, não perdia ela oportunidade de procurar os das espécies mais agradáveis. Tínhamos pássaros, peixes dourados, um lindo cão, coelhos, um macaquinho e um *gato*.

Este último era um belo animal, notavelmente grande, todo preto e de uma sagacidade de espantar. Ao falar da inteligência dele, minha mulher, que no íntimo não era supersticiosa, fazia frequentes alusões à antiga crença popular que olhava todos os gatos pretos como feiticeiras disfarçadas. Não que ela se mostrasse jamais *séria* a respeito desse ponto, e eu só menciono isso, afinal, pelo simples fato de, justamente agora, ter me vindo à lembrança.

Plutão – assim se chamava o gato – era o meu preferido e companheiro. Só eu lhe dava de comer e ele me acompanhava por toda parte da casa, por onde eu andasse. Era mesmo com dificuldade que eu conseguia impedi-lo de acompanhar-me pelas ruas.

Nossa amizade durou, desta maneira, muitos anos, nos quais meu temperamento geral e meu caráter – graças à diabólica intemperança – tinham sofrido (coro de confessá-lo) radical alteração para pior. Tornava-me dia a dia mais taciturno, mais irritável, mais descuidoso dos sentimentos alheios. Permiti-me mesmo usar de uma linguagem brutal para com minha mulher. Por fim, cheguei mesmo a usar de violência corporal. Meus bichos, sem dúvida, tiveram que sofrer essa mudança de meu caráter. Não somente descuidei-me deles, como os maltratava. Quanto a Plutão, porém, tinha para com ele, ainda, suficiente consideração que me impedia de maltratá-lo, ao passo que não tinha escrúpulos em maltratar os coelhos, o macaco ou mesmo o cachorro, quando, por acaso ou por afeto, se atravessavam em meu caminho. Meu mal, contudo, aumentava, pois que outro mal se pode comparar ao álcool? E, por fim, até mesmo Plutão, que estava agora ficando velho e, em consequência, um tanto impertinente, até mesmo Plutão começou a experimentar os efeitos do meu mau temperamento.

Certa noite, de volta a casa, bastante embriagado, de uma das tascas dos subúrbios, supus que o gato evitava minha presença. Agarrei-o, mas, nisso, amedrontado com a minha violência, deu-me ele leve dentada na mão. Uma fúria diabólica apossou-se instantaneamente de mim. Cheguei a desconhecer-me. Parecia que minha alma original me havia abandonado de repente o corpo e uma maldade mais do que satânica, saturada de álcool, fazia vibrar todas as fibras de meu corpo. Tirei do bolso do colete um canivete, abri-o, agarrei o pobre animal pela garganta e, deliberadamente, arranquei-lhe um dos olhos da órbita! Coro, abraso-me, estremeço ao narrar a condenável atrocidade.

Quando, com a manhã, me voltou a razão, quando, com o sono, desfiz os fumos da noite de orgia, experimentei uma sensação meio de horror, meio de remorso pelo crime de que me tornara culpado. Mas era, quando muito, uma sensação fraca e equívoca e a alma permanecia insensível. De novo mergulhei em excessos e logo afoguei no vinho toda a lembrança do meu ato.

Enquanto isso o gato, pouco a pouco, foi sarando. A órbita do olho arrancado tinha, é verdade, uma horrível aparência, mas ele parecia não sofrer mais nenhuma dor. Andava pela casa como de costume, mas, como era de esperar, fugia com extremo terror à minha aproximação. Restava-me ainda bastante de meu antigo coração, para que me magoasse, a princípio, aquela evidente aversão por parte de uma criatura que tinha sido outrora tão amada por mim. Mas esse sentimento em breve deu lugar à irritação. E então apareceu, como para minha queda final e irrevogável, o espírito de *perversidade*. Desse espírito não cuida a filosofia. Entretanto, tenho menos certeza da existência de minha alma do que de ser essa perversidade um dos impulsos primitivos do coração humano, uma das indivisíveis faculdades primárias, ou sentimentos, que dão direção ao caráter do *homem*. Quem não se achou centenas de vezes a cometer um ato vil ou estúpido, sem outra razão senão a de saber que *não* devia cometê-lo? Não temos nós uma perpétua inclinação, apesar de nosso melhor bom senso, para violar o que é a *Lei*, pelo simples fato de compreendermos que ela é a Lei? O espírito de perversidade, repito, veio a causar minha derrocada final. Foi esse anelo insondável da alma, *de torturar-se a si próprio*, de violentar sua própria natureza, de praticar o mal pelo mal, que me levou a continuar e, por fim, a consumar a tortura que já havia infligido ao inofensivo animal. Certa manhã, a sangue-frio, enrolei um laço em seu pescoço e enforquei-o no ramo de uma árvore, enforquei-o com as lágrimas jorrando-me dos olhos e com o mais amargo remorso no coração. Enforquei-o *porque* sabia que ele me tinha amado e *porque* sentia que ele não me tinha dado razão para ofendê-lo. Enforquei-o *porque* sabia que, assim fazendo, estava cometendo um pecado, um pecado mortal, que iria pôr em perigo a minha alma imortal, colocando-a – se tal coisa fosse possível – mesmo fora do alcance da infinita misericórdia do mais misericordioso e mais terrível Deus.

Na noite do dia no qual pratiquei essa crudelíssima façanha fui despertado do sono pelos gritos de "Fogo!". As cortinas de minha cama estavam em chamas. A casa inteira ardia. Foi com grande dificuldade que minha mulher, uma criada e eu mesmo conseguimos escapar ao incêndio. A destruição foi completa. Toda a minha fortuna foi tragada, e entreguei-me desde então ao desespero.

Não tenho a fraqueza de buscar estabelecer uma relação de causa e efeito entre o desastre e a atrocidade, mas estou relatando um encadeamento de fatos e não desejo que nem mesmo um possível elo seja negligenciado. Visitei os escombros no dia seguinte ao incêndio. Todas as paredes tinham caído, exceto uma, e esta era a de um aposento interno, não muito grossa, que se situava mais ou menos no meio da casa e contra a qual permanecera a cabeceira de minha cama. O estuque havia, em grande parte, resistido ali à ação do fogo, fato que atribuí a ter sido ele recentemente colocado. Em torno dessa parede reuniu-se compacta multidão e muitas pessoas pareciam estar examinando certa parte especial dela, com uma atenção muito ávida e minuciosa. As palavras "Estranho!", "Singular!" e expressões semelhantes excitaram minha curiosidade. Aproximei-me e vi, como se gravada em baixo-relevo sobre a superfície branca, a figura de um *gato* gigantesco. A imagem fora reproduzida com uma nitidez verdadeiramente maravilhosa. Havia uma corda em redor do pescoço do animal.

Ao dar, a princípio, com essa aparição – pois não podia deixar de considerá-la senão isso –, meu espanto e meu terror foram extremos. Mas, afinal, a reflexão veio em meu auxílio. O gato, lembrava-me, tinha sido enforcado num jardim, junto da casa. Ao alarme de fogo, esse jardim se enchera imediatamente de gente e alguém devia ter cortado a corda que prendia o animal à árvore e o lançara por uma janela aberta dentro de meu quarto. Isso fora provavelmente feito com o propósito de despertar-me. A queda de outras paredes tinha comprimido a vítima de minha crueldade de encontro à massa de estuque, colocado de pouco, cuja cal, com as chamas e o amoníaco do cadáver, traçara então a imagem tal como a vi.

Embora assim prontamente procurasse satisfazer a minha razão, se não de todo a minha consciência, a respeito do surpreendente fato que acabo de narrar, nem por isso deixou ele de causar profunda impressão na minha imaginação. Durante meses, eu não me pude libertar do fantasma do gato e, nesse período, voltava-me ao espírito um vago sentimento que parecia remorso, mas não era. Cheguei a ponto de lamentar a perda do animal e de procurar, entre as tascas ordinárias que eu agora habitualmente frequentava, outro bicho da mesma espécie e de aparência um tanto semelhante com que substituí-lo.

Certa noite, sentado, meio embrutecido, num antro mais que infame, minha atenção foi de súbito atraída para uma coisa preta que repousava em cima de um dos imensos barris de genebra ou de rum que constituíam a principal mobília da sala. Estivera a olhar fixamente para o alto daquele barril, durante alguns minutos, e o que agora me causava surpresa era o fato de que não houvesse percebido mais cedo a tal coisa ali situada. Aproximei-me e toquei-a com a mão. Era um gato preto, um gato bem grande, tão grande como Plutão, e totalmente semelhante a ele, exceto em um ponto. Plutão não tinha pelos brancos em parte alguma do corpo, mas esse gato tinha uma grande, embora imprecisa, mancha branca cobrindo quase toda a região do peito.

Logo que o toquei, ele imediatamente se levantou, ronronou alto, esfregou-se contra minha mão e pareceu satisfeito com o meu carinho. Era, pois, aquela a criatura mesma que eu procurava. Imediatamente, tentei comprá-lo ao taverneiro, mas este disse que não lhe pertencia o animal, nada sabia a seu respeito e nunca o vira antes.

Continuei minhas carícias, e, quando me preparei para voltar para casa, o animal deu mostras de querer acompanhar-me. Deixei que assim o fizesse, curvando-me, às vezes, e dando-lhe palmadinhas, enquanto seguia. Ao chegar em casa, ele imediatamente se familiarizou com ela e se tornou desde logo grande favorito de minha mulher.

De minha parte, depressa comecei a sentir despertar-se em mim antipatia contra ele. Isso era, precisamente, o reverso do que eu tinha previsto, mas – não sei como ou por quê – sua evidente amizade por mim antes me desgostava e aborrecia. Lenta e gradativamente esses sentimentos de desgosto e aborrecimento se transformaram na amargura do ódio. Evitava o animal; certa sensação de vergonha e a lembrança de minha antiga crueldade impediam-me de maltratá-lo fisicamente. Durante algumas semanas abstive-me de bater-lhe ou de usar contra ele de qualquer outra violência; mas gradualmente, bem gradualmente, passei a encará-lo com indizível aversão e a esquivar-me, silenciosamente, à sua odiosa presença como a um hálito pestilento.

O que aumentou sem dúvida meu ódio pelo animal foi a descoberta, na manhã seguinte àquela em que o trouxera para casa, de que, como Plutão, fora também privado de um de seus olhos. Essa circunstância, porém, só fez aumentar o carinho de minha mulher por ele; ela, como já disse, possuía, em alto grau, aquela humanidade de sentimento que fora outrora o traço distintivo e a fonte de muitos dos meus mais simples e mais puros prazeres.

Com a minha aversão àquele gato, porém, sua predileção por mim parecia aumentar. Acompanhava meus passos com uma pertinácia que o leitor dificilmente compreenderá. Em qualquer parte onde me sentasse, enroscava-se ele debaixo de minha cadeira ou pulava sobre meus joelhos, cobrindo-me com suas carícias repugnantes. Se me levantava para andar, metia-se entre meus pés, quase a derrubar-me, ou, cravando suas longas e agudas garras em minha roupa, subia dessa maneira até o meu peito. Nessas ocasiões, embora tivesse o desejo ardente de matá-lo com uma pancada, era impedido de fazê-lo, em parte por me lembrar de meu crime anterior, mas, principalmente – devo confessá-lo sem demora –, por absoluto *pavor* do animal.

Esse pavor não era exatamente um pavor de mal físico e, contudo, não saberia como defini-lo de outra forma. Tenho quase vergonha de confessar – sim, mesmo nesta cela de criminoso, tenho quase vergonha de confessar que o terror e o horror que o animal me inspirava tinham sido aumentados por uma das mais simples quimeras que seria possível conceber. Minha mulher chamara mais de uma vez minha atenção para a natureza da marca de pelo branco de que falei e que constituía a única diferença visível entre o animal estranho e o que eu havia matado. O leitor há de recordar-se que essa mancha, embora grande, fora a princípio de forma bem imprecisa. Mas, por leves gradações, gradações quase imperceptíveis e que, durante muito tempo, a razão forcejou para rejeitar como imaginárias, tinha afinal assumido uma rigorosa precisão de contorno. Era agora a reprodução de um objeto que tremo em nomear, e por isso, acima de tudo, eu detestava e temia o monstro e ter-me-ia livrado dele, se o ousasse. Era agora, digo, a imagem de uma coisa horrenda, de uma coisa apavorante... a imagem de uma *forca*! Oh, lúgubre e terrível máquina de horror e de crime, de agonia e de morte!

E então eu era em verdade um desgraçado, mais desgraçado que a própria desgraça humana. E *um bronco animal*, cujo companheiro eu tinha com desprezo destruído, *um bronco animal* preparava para *mim* – para mim, homem formado à imagem do Deus Altíssimo – tanta angústia intolerável! Ai de mim! Nem de dia nem de noite era-me dado mais gozar a bênção do repouso! Durante o dia, o bicho não me deixava um só momento e, de noite, eu despertava, a cada instante, de sonhos de indizível pavor, para sentir o quente hálito daquela *coisa* no meu rosto e o seu enorme peso, encarnação de pesadelo, que eu não tinha forças para repelir, oprimindo eternamente o meu coração!

Sob a pressão de tormentos tais como esses, os fracos restos de bondade que havia em mim sucumbiram. Meus únicos companheiros eram os maus pensamentos, os mais negros e maléficos pensamentos. O mau humor de meu temperamento habitual aumentou, levando-me a odiar todas as coisas e toda a Humanidade. Minha resignada esposa, porém, era a mais constante e mais paciente vítima das súbitas, frequentes e indomáveis explosões de uma fúria a que eu agora me abandonava cegamente.

Certo dia ela me acompanhou, para alguma tarefa doméstica, até a adega do velho prédio que nossa pobreza nos compelira a ter de habitar. O gato desceu os degraus seguindo-me e quase me lançou ao chão, exasperando-me até a loucura. Erguendo um machado e esquecendo na minha cólera o medo pueril que tinha até ali sustido minha mão, descarreguei um golpe no animal, que teria, sem dúvida, sido instantaneamente fatal se eu o houvesse assestado como desejava. Mas esse golpe foi detido pela mão de minha mulher. Espicaçado por essa intervenção, com uma raiva mais do que demoníaca, arranquei meu braço de sua mão e enterrei o machado no seu crânio. Ela caiu morta imediatamente, sem um gemido.

Executado tão horrendo crime, logo e com inteira decisão entreguei-me à tarefa de ocultar o corpo. Sabia que não podia removê-lo da casa, nem de dia nem de noite, sem correr o risco de ser observado pelos vizinhos. Muitos projetos me atravessavam a mente. Em dado momento pensei em cortar o cadáver em pedaços miúdos e queimá-los. Em outro, resolvi cavar uma cova para ele no chão da adega. De novo, deliberei lançá-lo no poço do pátio, metê-lo num caixote, como uma mercadoria, com os cuidados usuais, e mandar um carregador retirá-lo da casa. Finalmente, detive-me no que considerei um expediente bem melhor que qualquer um desses. Decidi emparedá-lo na adega, como se diz que os monges da Idade Média emparedavam suas vítimas.

Para um objetivo semelhante estava a adega bem adaptada. Suas paredes eram de construção descuidada e tinham sido ultimamente recobertas, por completo, de um reboco grosseiro, cujo endurecimento a umidade da atmosfera impedira. Além disso, em uma das paredes havia uma saliência causada por uma falsa chaminé ou lareira que fora tapada para não se diferençar do resto da adega. Não tive dúvidas de que poderia prontamente retirar os tijolos naquele ponto, introduzir o cadáver e emparedar tudo como antes, de modo que olhar algum pudesse descobrir qualquer coisa suspeita.

E não me enganei nesse cálculo. Por meio de um gancho, desalojei facilmente os tijolos e, tendo cuidadosamente depositado o corpo contra a parede interna, sustentei-o nessa posição, enquanto com pequeno trabalho repus toda a parede no seu estado primitivo. Tendo procurado argamassa, areia e fibra, com todas as precauções possíveis, preparei um estuque que não podia ser distinguido do antigo e com ele, cuidadosamente, recobri o novo entijolamento. Quando terminei, senti-me satisfeito por ver que tudo estava direito. A parede não apresentava a menor aparência de ter sido modificada. Fiz a limpeza do chão, com o mais minucioso cuidado. Olhei em torno com ar triunfal e disse a mim mesmo: "Aqui, pelo menos, pois, meu trabalho não foi em vão!"

Tratei, em seguida, de procurar o animal que fora causa de tamanha desgraça, pois resolvera afinal decididamente matá-lo. Se tivesse podido encontrá-lo naquele instante, não poderia haver dúvida a respeito de sua sorte. Mas parecia que o manhoso animal ficara alarmado com a violência de minha cólera anterior e evitava arrostar a minha raiva do momento. É impossível descrever ou imaginar a profunda e abençoada sensação de alívio que a ausência da detestada criatura causava no meu íntimo. Não me apareceu durante a noite. E assim, por uma noite pelo menos, desde que ele havia entrado pela casa, *dormi* profunda e tranquilamente. Sim, *dormi*, mesmo com o peso de uma morte na alma.

O segundo e o terceiro dia se passaram e, no entanto, o meu carrasco não apareceu. Mais uma vez respirei como um homem livre. Aterrorizado, o monstro abandonara a casa para sempre! Não mais o veria! Minha ventura era suprema! Muito pouco me perturbava a culpa de minha negra ação. Poucos interrogatórios foram feitos e tinham sido prontamente respondidos. Dera-se mesmo uma busca, mas, sem dúvida, nada foi encontrado. Considerava assegurada a minha futura felicidade.

No quarto dia depois do crime, chegou, bastante inesperadamente, a casa um grupo de policiais, que procedeu de novo a rigorosa investigação dos lugares. Confiando, porém, na impenetrabilidade de meu esconderijo, não senti o menor incômodo. Os agentes ordenaram-me que os acompanhasse em sua busca. Nenhum escaninho ou recanto deixaram inexplorado. Por fim, pela terceira ou quarta vez, desceram à adega. Nenhum músculo meu estremeceu. Meu coração batia calmamente, como o de quem dorme o sono da inocência. Caminhava pela adega de ponta a ponta; cruzei os braços no peito e passeava tranquilo para lá e para cá. Os policiais ficaram inteiramente satisfeitos e prepararam-se para partir. O júbilo de meu coração era demasiado forte para ser contido. Ardia por dizer pelo menos uma palavra, a modo de triunfo, e para tornar indubitavelmente segura a certeza neles de minha inculpabilidade.

– Senhores – disse, por fim, quando o grupo subia a escada –, sinto-me encantado por ter desfeito suas suspeitas. Desejo a todos saúde e um pouco mais de cortesia. A propósito, cavalheiros, esta é uma casa muito bem construída... (no meu violento desejo de dizer alguma coisa com desembaraço, eu mal sabia o que ia falando). Posso afirmar que é uma casa *excelentemente* bem construída. Estas paredes... já vão indo, senhores?... estas paredes estão solidamente edificadas.

E aí, por simples frenesi de bravata, bati pesadamente com uma bengala que tinha na mão justamente naquela parte do entijolamento por trás do qual estava o cadáver da mulher de meu coração.

Mas praza a Deus proteger-me e livrar-me das garras do demônio! Apenas mergulhou no silêncio a repercussão de minhas pancadas e logo respondeu-me uma voz do túmulo. Um gemido, a princípio velado e entrecortado como o soluçar de uma criança, que depois rapidamente se avolumou, num grito prolongado, alto e contínuo, extremamente anormal e inumano, um urro, um guincho lamentoso, meio de horror e meio de triunfo, como só do Inferno se pode erguer, a um tempo, das gargantas dos danados na sua agonia e dos demônios que exultam na danação.

Loucura seria falar de meus próprios pensamentos. Desfalecendo, recuei até a parede oposta. Durante um minuto, o grupo que se achava na escada ficou imóvel, no paroxismo do medo e do pavor. Logo depois, uma dúzia de braços robustos se atarefava em desmanchar a parede. Ela caiu inteiriça. O cadáver, já grandemente decomposto e manchado de coágulos de sangue, erguia-se, ereto, aos olhos dos espectadores. Sobre sua cabeça, com a boca vermelha escancarada e o olho solitário chispante, estava assentado o horrendo animal cuja astúcia me induzira ao crime e cuja voz delatora me havia apontado ao carrasco. Eu havia emparedado o monstro no túmulo!

O POÇO E O PÊNDULO[36]

Impia tortorum longas hic turba furores
Sanguinis innocui, non satiata, aluit.
Sospite nunc patria, fracto nunc funeris antro,
Mors ubi dira fuit vita salusque patent.
[Quadra composta para os portões de um mercado a ser levantado no lugar do Clube dos Jacobinos, em Paris.]

Eu estava extenuado, extenuado até a morte, por aquela longa agonia. E, quando eles, afinal, me desacorrentaram e me foi permitido sentar, senti que ia perdendo os sentidos. A sentença, a terrível sentença de morte, foi a última frase distintamente acentuada que me chegou aos ouvidos. Depois disso, o som das vozes dos inquisidores pareceu mergulhar num zumbido fantástico e vago. Trazia-me à alma a ideia de *rotação*, talvez por se associar, na imaginação, com a mó de uma roda de moinho. Mas isso durou apenas pouco tempo, pois logo nada mais ouvi. Contudo, durante algum tempo, eu via... porém com que terrível exagero! Eu via os lábios dos juízes vestidos de preto. Pareciam-me brancos, mais brancos do que as folhas de papel sobre as quais estou traçando estas palavras, e grotescamente delgados; mais adelgaçados ainda pela intensidade de sua

36 *Publicado pela primeira vez em* The Gift: A Christmas and New Year's Present for 1843*. Filadélfia, 1842. Título original:* The Pit and the Pendulum.

expressão de firmeza, de imutável resolução, de rigoroso desprezo pela dor humana. Eu via os decretos do que, para mim, representava o Destino saírem ainda daqueles lábios. Via-os torcerem-se, com uma frase letal. Via-os articularem as sílabas do meu nome, e estremecia por não ouvir nenhum som em seguida.

Via, também, durante alguns minutos de delirante horror, a ondulação leve e quase imperceptível dos panejamentos negros que cobriam as paredes da sala. E, depois, meu olhar caiu sobre as sete grandes tochas em cima da mesa. A princípio, elas tomaram o aspecto da Caridade e pareciam anjos brancos e esbeltos que me deviam salvar; mas depois, repentinamente, inundou-me o espírito uma náusea mais mortal e senti todas as fibras de meu corpo vibrarem como se eu tivesse tocado o fio de uma pilha galvânica, enquanto os vultos angélicos se tornavam espectros insignificantes com cabeças de chama, e via bem que deles não teria socorro. E, então, introduziu-se-me na imaginação, como rica nota musical, a ideia do tranquilo repouso que deveria haver na sepultura. Essa ideia chegou doce e furtivamente, e parece ter se passado muito tempo até que pudesse ser completamente percebida. Mas, no momento mesmo em que o meu espírito começava, enfim, a sentir propriamente e a acarinhar essa ideia, os vultos dos juízes desapareceram, como por mágica, de minha frente; as altas tochas se foram reduzindo a nada; suas chamas se extinguiram por completo; o negror das trevas sobreveio. Todas as sensações pareceram dar um louco e precipitado mergulho, como se a alma se afundasse no Hades. E o universo não foi mais do que noite, silêncio e imobilidade.

Eu tinha desmaiado. No entanto, não direi que havia perdido por completo a consciência. Não tentarei definir o que dela ainda permanecia, nem mesmo procurarei descrevê-lo. Todavia, nem tudo estava perdido. No sono mais profundo... não! No meio do delírio... não! No desmaio... não! Na morte... não! Nem mesmo no túmulo tudo está perdido! De outra forma, não haveria imortalidade para o homem. Ao despertar do mais profundo sono, quebramos a teia delgada de *algum* sonho. Entretanto, um segundo depois, por mais fraca que tenha sido essa teia, não nos lembramos de ter sonhado. No voltar de um desmaio à vida, há duas fases: a primeira é o sentimento da existência mental ou espiritual; a segunda, o sentimento da existência física. Parece provável que, se, ao atingir a segunda fase, pudéssemos evocar as impressões da primeira, poderíamos encontrá-las ricas em recordações do abismo transposto. E esse abismo... que é? Como, pelo menos, distinguiremos suas sombras das sombras do túmulo? Mas se as impressões daquilo que denominei a primeira fase não são reevocadas à vontade, depois de longo intervalo não aparecem elas espontaneamente, enquanto indagamos, maravilhados, donde poderiam ter vindo? Aquele que nunca desmaiou é quem não descobre palácios estranhos e rostos esquisitamente familiares em brasas ardentes; é quem não percebe a flutuar, no meio do espaço, as tristes visões que a maioria não pode distinguir; é quem não medita sobre o perfume de alguma flor desconhecida; é quem não tem o cérebro perturbado pelo mistério de alguma melodia que, até então, jamais lhe detivera a atenção.

Entre as frequentes e intensas tentativas de recordar, entre as lutas encarniçadas para recolher alguns vestígios daquele estado de aparente aniquilamento no qual a minha alma havia mergulhado, momentos houve em que eu sonhava ser bem-sucedido; houve períodos breves, bastante breves, em que evoquei recordações que a lúcida razão de uma época posterior me assegura relacionarem-se, apenas, àquela condição de aparente inconsciência. Essas sombras de memória falam, indistintamente, de altas figuras que arrebatavam e carregavam em silêncio, para baixo... para baixo... cada vez mais baixo... até que uma horrível vertigem me oprimiu à simples ideia daquela descida sem fim. Falam-me, também, de um vago horror no coração, por causa mesmo daquele sossego desnatural do coração. Depois, sobrevém uma sensação de súbita imobilidade em todas as coisas, como se aqueles que me transportavam (cortejo espectral) houvessem ultrapassado, na sua descida, os limites do ilimitado e se houvessem detido, vencidos pelo extremo cansaço da tarefa. Depois disso, reevoco a monotonia e a umidade, e depois tudo é *loucura* – a loucura de uma memória que se agita entre coisas repelentes.

Bem de súbito voltaram à minha alma o movimento e o som: o tumultuoso movimento do coração e, aos meus ouvidos, o rumor de suas pancadas. Depois, uma pausa em que tudo desaparece. Depois, novamente o som, o movimento e o tato – uma sensação formigante invadindo-me o corpo. Depois, a simples consciência da existência, sem pensamento, situação que durou muito tempo. Depois, bem de repente, o *pensamento*, um terror arrepiante, e um esforço ardente de compreender meu verdadeiro estado. Depois, um forte desejo de recair na insensibilidade. Depois, uma precipitada revivescência da alma e um esforço bem-sucedido de mover-me. E, agora, a plena lembrança do processo, dos juízes, dos panos negros, da sentença, do mal-estar, do desmaio. Por fim, inteiro esquecimento de tudo que se seguiu, de tudo que um dia mais tarde e acurados esforços me habilitaram a vagamente recordar.

Até aqui, não tinha aberto os olhos. Sentia que estava deitado de costas, desamarrado. Estendi a mão e ela caiu, pesadamente, sobre algo úmido e duro. Deixei que ela ficasse alguns minutos, enquanto me esforçava por adivinhar onde poderia estar e o *que* me acontecera. Desejava ardentemente, mas não o ousava, servir-me dos olhos. Receava o primeiro olhar para os objetos que me cercavam. Não que eu temesse olhar para coisas horríveis, mas porque ia ficando aterrorizado, temendo que *nada* houvesse para ver. Por fim, com selvagem desespero no coração, abri rapidamente os olhos. Meus piores pensamentos foram, então, confirmados. Cercava-me o negror da noite eterna. Fiz esforço para respirar. A espessa escuridão parecia oprimir-me e sufocar-me. A atmosfera estava intoleravelmente confinada. Conservei-me ainda quietamente deitado, fazendo esforços para exercitar minha razão. Recordei os processos inquisitoriais e tentei, a partir desse ponto, deduzir minha verdadeira posição. A sentença fora pronunciada e me parecia que bem longo intervalo de tempo havia, desde então, decorrido. Contudo, nem por um instante supus que estivesse realmente morto. Tal suposição, a despeito do que lemos em romances, é completamente incompatível com a existência real. Mas onde estava eu e em que situação me encontrava? Sabia que os condenados à morte pereciam, ordinariamente, em autos de fé, e se realizara um desses na mesma noite do dia do meu julgamento. Tinha eu sido reenviado para o meu calabouço à espera da próxima execução, que só se realizaria daí a muitos meses? Vi logo que não podia ser isso. As vítimas haviam sido requisitadas imediatamente. Além disso, meu cárcere, como todas as celas dos condenados em Toledo, tinha soalhos de pedra e a luz não era inteiramente excluída.

Uma terrível ideia lançou-me, de súbito, o sangue em torrentes ao coração e, durante breve tempo, mais uma vez recaí no meu estado de insensibilidade. Voltando a mim, pus-me de pé, dum salto, tremendo convulsivamente em todas as fibras. Estendi desordenadamente os braços acima e em torno de mim, em todas as direções. Não sentia nada. No entanto, temia dar um passo, no receio de embater-me com as paredes de um *túmulo*. Transpirava por todos os poros e o suor se detinha, em grossas e frias bagas, na minha fronte. A agonia da incerteza tornou-se, afinal, intolerável e, com cautela, movi-me para diante, com os braços estendidos. Meus olhos como que saltavam das órbitas, na esperança de apanhar algum débil raio de luz. Dei vários passos, mas tudo era ainda escuridão e vácuo. Respirei mais livremente. Parecia evidente que minha sorte não era, pelo menos, a mais horrenda.

E então, como continuasse ainda a caminhar, cautelosamente, para diante, vieram-me, em tropel, à memória, mil vagos boatos a respeito dos horrores de Toledo. Narravam-se estranhas coisas dos calabouços, que eu sempre considerara fábulas; coisas, no entanto, estranhas e demasiado espantosas para serem repetidas, a não ser num sussurro. Ter-me-iam deixado para morrer de fome no mundo subterrâneo das trevas? Ou que sorte, talvez mesmo mais terrível, me esperava? Conhecia muito bem o caráter de meus juízes para duvidar de que o resultado seria a morte, e morte de insólita acritude. O modo e a hora eram tudo que me ocupava e perturbava.

Minhas mãos estendidas encontraram, afinal, um sólido obstáculo. Era uma parede, que parecia construída de pedras, muito lisa, viscosa e fria. Fui acompanhando-a, caminhando com toda a cuidadosa desconfiança que certas narrativas antigas me haviam inspirado.

Esse processo, porém, não me proporcionava meios de verificar as dimensões de minha prisão, pois eu podia fazer-lhe o percurso e voltar ao ponto donde partira sem dar por isso, tão perfeitamente uniforme parecia a parede. Por isso é que procurei a faca que estava em meu bolso quando me levaram à sala inquisitorial, mas não a encontrei. Haviam trocado minhas roupas por uma camisola de sarja grosseira. Pensara em enfiar a lâmina em alguma pequena fenda da parede, de modo a identificar meu ponto de partida. A dificuldade, não obstante, era apenas trivial, embora na desordem de minha mente parecesse a princípio insuperável. Rasguei uma parte do debrum da roupa e coloquei o fragmento bem estendido em um ângulo reto com a parede. Tateando meu caminho em torno da prisão, não podia deixar de encontrar aquele trapo, ao completar o circuito. Assim, pelo menos, pensava eu, mas não tinha contado com a extensão da masmorra ou com minha própria fraqueza. O chão estava úmido e escorregadio. Caminhava cambaleando para a frente, durante algum tempo, quando tropecei e caí. Minha excessiva fadiga induziu-me a permanecer deitado e logo o sono se apoderou de mim naquele estado.

Ao despertar e estender um braço achei, a meu lado, um pão e uma bilha de água. Estava demasiado exausto para refletir naquela circunstância, mas comi e bebi com avidez. Logo depois recomecei minha volta em torno da prisão e com bastante trabalho cheguei, afinal, ao pedaço de sarja. Até o momento em que caí, havia contado cinquenta e dois passos e, ao retomar meu caminho, contara quarenta e oito mais, até chegar ao trapo. Havia, pois, ao todo, uns cem passos, e admitindo dois passos para um metro, presumi que o calabouço teria quase uns cinquenta metros de circuito. Encontrara, porém, muitos ângulos na parede e, desse modo, não me era possível conjeturar qual fosse a forma do sepulcro, pois sepulcro não podia deixar eu de supor que era.

Não tinha grande interesse – nem certamente esperança – naquelas pesquisas, mas uma vaga curiosidade me impelia a continuá-las. Deixando a parede, resolvi atravessar a área do recinto. A princípio, procedi com extrema cautela, pois o chão, embora parecesse de material sólido, era traiçoeiro e lodoso. Afinal, porém, tomei coragem e não hesitei em caminhar com firmeza, tentando atravessar em linha tão reta quanto possível. Havia avançado uns dez a doze passos dessa maneira, quando o resto do debrum rasgado de minha roupa se enroscou em minhas pernas. Pisei nele e caí violentamente de bruços.

Na confusão que se seguiu à minha queda não apreendi uma circunstância um tanto surpreendente, que, contudo, poucos segundos depois, e enquanto jazia ainda prostrado, reteve minha atenção. Era o seguinte: meu queixo pousava sobre o chão da prisão, mas meus lábios e a parte superior de minha cabeça, embora parecendo em menor elevação que o queixo, nada tocavam. Ao mesmo tempo, minha testa parecia banhada dum vapor viscoso, e o cheiro característico de fungos podres subiu-me às narinas. Estendi o braço e estremeci ao descobrir que havia caído à beira dum poço circular cuja extensão, sem dúvida, não tinha meios de medir no momento. Tateando a alvenaria justamente abaixo da borda, consegui deslocar um pequeno fragmento e deixei-o cair dentro do abismo. Durante muitos segundos prestei ouvidos a suas repercussões ao bater de encontro aos lados da abertura, em sua queda. Por fim, ouvi um lúgubre mergulho na água, seguido de ruidosos ecos. No mesmo instante ouviu-se um som semelhante ao duma porta tão depressa aberta quão rapidamente fechada, acima de minha cabeça, enquanto um fraco clarão luzia, de repente, em meio da escuridão e com a mesma rapidez desaparecia.

Vi claramente o destino que me fora preparado e congratulei-me com o acidente oportuno que me salvara. Um passo a mais antes de minha queda e o mundo não mais me veria. E a morte, justamente evitada, era daquela mesma natureza que olhara como fabulosa e absurda nas histórias a respeito da Inquisição. Para as vítimas de sua tirania havia a escolha da morte: com suas mais cruéis agonias físicas, ou da morte com suas mais abomináveis torturas morais. Tinham reservado para mim esta última. O longo sofrimento havia relaxado meus nervos, a ponto de fazer-me tremer ao som de minha própria voz, e me tornara, a todos os aspectos, material excelente para as espécies de tortura que me aguardavam.

Com os membros todos a tremer, tateei o caminho de volta até a parede, resolvido a perecer antes que arriscar-me aos terrores dos poços, que minha imaginação agora admitia que fossem muitos, espalhados em todas as direções, no calabouço. Em outras condições de pensamento, poderia ter tido a coragem de dar fim imediato às minhas desgraças deixando-me cair dentro de um daqueles abismos. Mas, então, era eu o mais completo dos covardes. Nem podia, tampouco, esquecer o que lera a respeito daqueles poços: que a *súbita* extinção da vida não estava incluída nos mais horrendos planos dos inquisidores.

A agitação do espírito conservou-me desperto por muitas horas, mas, afinal, mergulhei de novo no sono. Ao despertar, encontrei a meu lado, como antes, um pão e uma bilha de água. Sede ardente me devorava e esvaziei a vasilha dum trago. Deveria estar com alguma droga, porque, logo depois de beber, fui tomado dum torpor irresistível. Um sono profundo se apoderou de mim – sono semelhante ao da morte. Quanto tempo durou isso, não me é possível dizê-lo, mas, quando, mais uma vez, descerrei os olhos, os objetos que me cercavam estavam visíveis. Graças a uma luz viva e sulfúrea, cuja origem não pude a princípio determinar, consegui verificar a extensão e o aspecto da prisão.

Tinha me enganado grandemente a respeito de seu tamanho. Todo o circuito de suas paredes não excedia de vinte e três metros. Durante alguns minutos, esse fato causou-me um mundo de inútil perturbação, inútil, de fato, porquanto que coisas havia de menor importância, nas terríveis circunstâncias que me cercavam, que as simples dimensões de minha masmorra? Mas minha alma interessava-se, com ardor, por bagatelas, e ocupei-me em tentar explicar o erro que havia cometido nas minhas medidas. A verdade, afinal, jorrou luminosa. Na minha primeira tentativa de exploração havia eu contado cinquenta e dois passos até o momento em que caí. Deveria achar-me, então, à distância dum passo ou dois do pedaço de sarja. De fato, havia quase realizado o circuito da cava. Foi então que adormeci e, ao acordar, devo ter refeito o mesmo caminho, supondo, assim, que a volta da prisão era quase o dobro do que é na realidade. Minha confusão de espírito impediu-me de observar que começara minha volta com a parede à esquerda e a acabara com a parede à direita.

Enganara-me, também, a respeito da forma do recinto. Ao tatear meu caminho descobrira muitos ângulos e daí deduzi a ideia de grande irregularidade. Tão poderoso é o efeito da escuridão absoluta sobre alguém que desperta do letargo ou do sono! Os ângulos eram apenas os de umas poucas e ligeiras depressões ou nichos a intervalos desiguais. A prisão era, em geral, quadrada. O que eu tinha tomado por alvenaria parecia, agora, ser ferro ou algum outro metal, em imensas chapas, cujas suturas ou juntas causavam aquelas depressões.

Toda a superfície daquele recinto metálico estava grosseiramente brochada com os horríveis e repulsivos emblemas a que a superstição sepulcral dos monges tem dado origem. Figuras de demônios, em atitudes ameaçadoras, com formas de esqueletos e outras imagens mais realisticamente apavorantes, se espalhavam por todas as paredes, manchando-as. Observei que os contornos daqueles monstros eram bem recortados, mas que as cores pareciam desbotadas e borradas por efeito, talvez, da atmosfera úmida. Notei, então, o chão, que era de pedra. No centro, escancarava-se o poço circular de cujas fauces havia eu escapado; mas era o único que se achava no calabouço.

Vi tudo isso indistintamente e com bastante esforço, pois minha condição física tinha grandemente mudado durante meu sono. Encontrava-me agora de costas e bem espichado, numa espécie de armação de madeira muito baixa. Estava firmemente amarrado a ela por uma comprida correia semelhante a um loro. Enrolava-se em várias voltas em torno de meus membros e de meu corpo, deixando livres apenas a cabeça e o braço esquerdo, até o ponto apenas de poder, com excessivo esforço, suprir-me de comida em um prato de barro que jazia a meu lado no chão. Vi, com grande horror, que a bilha de água tinha sido retirada. Digo com grande horror porque intolerável sede me abrasava. Parecia ser intenção de meus perseguidores exacerbar essa sede, pois a comida do prato era uma carne picantemente temperada.

Olhando para cima examinei o forro de minha prisão. Tinha uns nove ou doze metros de altura e era do mesmo material das paredes laterais. Em um de seus painéis uma figura bastante estranha absorveu-me toda a atenção. Era um retrato do Tempo, tal como é comumente representado, exceto que, em lugar duma foice, segurava ele aquilo que, ao primeiro olhar, supus ser o desenho dum imenso pêndulo, dos que vemos nos relógios antigos. Havia algo, porém, na aparência daquela máquina que me fez olhá-la mais atentamente. Enquanto olhava diretamente para ela, lá em cima (pois se achava bem por cima de mim), pareceu-me que se movia. Um instante depois vi isso confirmado. Seu balanço era curto e sem dúvida vagaroso. Estive a observá-lo alguns minutos, mais maravilhado que mesmo amedrontado. Cansado, afinal, de examinar-lhe o monótono movimento, voltei os olhos para os outros objetos que se achavam na cela.

Leve rumor atraiu-me a atenção e, olhando para o chão, vi vários ratos enormes que por ali andavam. Haviam saído do poço que se achava bem à vista à minha direita. No mesmo instante, enquanto os observava, subiram aos bandos, apressados, com olhos vorazes, atraídos pelo cheiro da carne. Era-me preciso muito esforço e atenção para afugentá-los.

Talvez se houvesse passado uma meia hora, ou mesmo uma hora – pois só podia medir o tempo imperfeitamente –, quando ergui de novo os olhos para o forro. O que vi, então, encheu-me de confusão e de espanto. O balanço do pêndulo tinha aumentado de quase um metro de extensão. Como consequência natural, sua velocidade era, também, muito maior. Mas o que sobretudo me perturbou foi a ideia de que ele havia perceptivelmente descido. Observava agora – com que horror é desnecessário dizer – que sua extremidade inferior era formada por um crescente de aço cintilante, tendo cerca de trinta centímetros de comprimento, de ponta a ponta; as pontas voltavam-se para cima e a borda de baixo era evidentemente afiada como a folha de uma navalha. Como uma navalha, também, parecia pesado e maciço, estendendo-se para cima, a partir do corte, numa sólida e larga configuração. Estava ajustado a uma pesada haste de bronze e o conjunto *assobiava* ao balançar-se no ar.

Não pude duvidar, por mais tempo, da sorte para mim preparada pela engenhosidade monacal em torturas. Minha descoberta do poço fora conhecida dos agentes da Inquisição – o *poço* cujos horrores tinham sido destinados para um rebelde tão audacioso como eu; o *poço*, figura do inferno, e considerado, pela opinião pública, como a última Thule de todos os seus castigos! Pelo mais fortuito dos incidentes, tinha eu evitado a queda dentro do poço e sabia que a surpresa ou armadilha da tortura formava parte importante de todo o fantástico daquelas mortes em masmorras. Não tendo caído, deixava de fazer parte do plano demoníaco atirar-me no abismo e dessa forma, não havendo alternativa, uma execução mais benigna e diferente me aguardava. Mais benigna! Quase sorri na minha angústia, quando pensei no uso de tal termo.

De que serve falar das longas, das infindáveis horas de horror mais que mortal, durante as quais contei as precipitadas oscilações da lâmina? Centímetro a centímetro, linha a linha, com uma descida somente apreciável a intervalos que pareciam séculos... descia sempre, cada vez mais baixo, cada vez mais baixo!

Dias se passaram – pode ser que se tenham passado muitos dias – até que ele se balançasse tão perto de mim que me abanasse com seu sopro acre. O odor da lâmina afiada entrava-me pelas narinas. Roguei aos céus, fatiguei-os com as minhas preces, para que mais rápida a lâmina descesse. Tornei-me freneticamente louco e forcejei por erguer-me contra o balanço da terrível cimitarra. Mas depois acalmei-me de repente e fiquei a sorrir para aquela morte cintilante como uma criança diante de algum brinquedo raro.

Houve outro intervalo de completa insensibilidade. Foi curto, pois, voltando de novo à vida, não notei descida perceptível no pêndulo. Mas pode ter sido longo, pois eu sabia que havia demônios que tomavam nota de meu desmaio e que podiam, à vontade, ter detido a oscilação.

Voltando a mim, sentia-me também bastante doente e fraco – oh!, de maneira inexprimível – como em consequência de longa inanição. Mesmo em meio das angústias daquele período a natureza humana implorava alimento. Com penoso esforço, estendi o braço esquerdo o mais longe que os laços permitiam, e apoderei-me do pequeno resto que me tinha sido deixado pelos ratos. Ao colocar um pedaço de alimento na boca, atravessou-me o espírito uma imprecisa ideia de alegria... de esperança. Todavia, que havia de comum entre mim e a esperança? Era, como eu disse, uma ideia imprecisa, dessas muitas que todos têm e que nunca se completam. Senti que era de alegria... de esperança, essa ideia; mas também senti que perecera ao formar-se. Em vão eu lutava para aperfeiçoá-la, para recuperá-la. O prolongado sofrimento quase aniquilara todas as minhas faculdades comuns de pensamento. Eu era um imbecil, um idiota.

A oscilação do pêndulo fazia-se em ângulos retos com meu comprimento. Vi que o crescente estava disposto para cruzar a região de meu coração. Desgastaria a sarja de minha roupa... voltaria e repetiria suas operações... de novo... ainda outra vez. Não obstante sua oscilação, terrivelmente larga (de nove metros ou mais), e a força sibilante de sua descida, suficiente para cortar até mesmo aquelas paredes de ferro, o corte de minha roupa seria tudo quanto durante alguns minutos ele faria.

Ao pensar nisso, fiz uma pausa. Não ousava passar além dessa reflexão. Demorei-me nela com uma atenção pertinaz como se assim fazendo pudesse deter ali a descida da lâmina. Obriguei-me a meditar sobre o som que o crescente produziria ao passar através de minha roupa e na característica e arrepiante sensação que a fricção do pano produz sobre os nervos. Meditava em todas essas bagatelas, até me doerem os dentes.

Mais baixo... cada vez mais baixo ele descia. Senti um frenético prazer em comparar sua velocidade de alto a baixo com sua velocidade lateral. Para a direita... para a esquerda... para lá e para cá, com o guincho de um espírito danado... para o meu coração, com o passo furtivo do tigre! Eu ora ria, ora urrava, à medida que uma ou outra ideia se tornava predominante.

Para baixo... seguramente, inexoravelmente para baixo! Oscilava a menos de dez centímetros de meu peito! Debatia-me violentamente, furiosamente, para libertar meu braço esquerdo, que só estava livre do cotovelo até a mão. Podia apenas levar a mão à boca, desde o prato que estava ao meu lado, com grande esforço, e nada mais. Se tivesse podido quebrar os liames acima do cotovelo, teria agarrado e tentado deter o pêndulo. Seria o mesmo que tentar deter uma avalanche!

Para baixo... incessantemente para baixo, inevitavelmente para baixo! Eu ofegava e debatia-me a cada oscilação. Encolhia-me convulsivamente a cada balanço. Meus olhos acompanhavam seus vaivéns, para cima e para baixo, com a avidez do mais insensato desespero; fechavam-se-me os olhos espasmodicamente, no momento da descida, embora a morte viesse a ser para mim um alívio, e, oh, que inexprimível alívio! Entretanto, todos os meus nervos tremiam ao pensar que bastava uma simples descaída da máquina para precipitar aquele machado agudo e cintilante sobre meu peito. Era a *esperança*, que fazia assim tremerem os meus nervos, que assim me calafriava o corpo. Era a *esperança*, a esperança que triunfa, mesmo sobre o cavalete de tortura, a esperança que sussurra aos ouvidos do condenado à morte, até mesmo nas masmorras da Inquisição!

Vi que cerca de dez ou doze oscilações poriam a lâmina em contato com minhas roupas, e a essa observação, subitamente, me veio ao espírito toda a aguda e condensada calma do desespero. Pela primeira vez, durante muitas horas – ou mesmo dias –, *pensei*. Ocorreu-me então que a correia ou loro que me cingia era *uma só*. Não estava amarrado por cordas separadas. O primeiro atrito do crescente navalhante, com qualquer porção da correia, a cortaria, de modo que eu poderia depois desamarrar-me com a mão esquerda. Mas quão terrível era, nesse caso, a proximidade da lâmina. Quão mortal seria o resultado do mais leve movimento! Seria verossímil, aliás, que os esbirros do inquisidor não tivessem previsto e prevenido essa possibilidade? Seria provável que a correia cruzasse o meu peito no percurso do pêndulo? Receando ver frustrada minha fraca e, ao que parecia, última esperança, elevei a cabeça o bastante para conseguir ver distintamente o meu peito. O loro cingia meus membros e meu corpo em todas as direções, *exceto no caminho do crescente assassino.*

Mal deixara cair a cabeça na sua posição primitiva, reluziu em meu espírito algo que eu não saberia melhor definir senão como a metade informe daquela ideia de libertação, a que já aludi, anteriormente, e da qual apenas uma metade flutuava, de modo vago, em meu cérebro, ao levar a comida aos meus lábios abrasados. A ideia inteira estava agora presente – fraca, apenas razoável, apenas definida, mas mesmo assim inteira. Pus-me imediatamente a tentar executá-la, com a nervosa energia do desespero.

Durante muitas horas, a vizinhança imediata da baixa armação de madeira sobre a qual eu jazia estivera literalmente fervilhando de ratos. Eram ferozes, audaciosos, vorazes. Seus olhos vermelhos chispavam sobre mim como se esperassem apenas uma parada de movimentos de minha parte para fazer de mim sua presa. "A que espécie de alimento", pensei eu, "estão eles acostumados neste poço?"

A despeito de todos os meus esforços para impedi-los, tinham devorado tudo, exceto um restinho do conteúdo do prato. Minha mão contraíra um hábito de vaivém ou de balanço, em torno do prato, e, afinal, a uniformidade inconsciente do movimento privou-o de seu efeito. Na sua voracidade, a bicharia frequentemente ferrava as agudas presas nos meus dedos. Com as migalhas de carne gordurosa e temperada que ainda restavam, esfreguei toda a correia, até onde podia alcançar. Depois, erguendo a mão do chão, fiquei imóvel, sem respirar.

A princípio, os vorazes animais se espantaram, terrificados com a mudança... com a cessação do movimento. Fugiram, alarmados, e muitos regressaram ao poço. Mas isso foi só por um momento. Eu não contara em vão com sua voracidade. Observando que eu ficava sem mover-me, um ou dois dos mais audazes pularam sobre o cavalete e farejaram o loro. Parece que isso foi o sinal para uma corrida geral. Do poço precipitaram-se tropas frescas. Subiram pela madeira, correram sobre ela e saltaram, às centenas, por cima de meu corpo. Absolutamente não os perturbou o movimento cronométrico do pêndulo. Evitando-lhe a passagem, trabalhavam sobre a correia besuntada de gordura. Precipitavam-se, formigavam sobre mim, em pilhas sempre crescentes. Torciam-se sobre minha garganta; seus lábios frios tocavam os meus.

Eu estava semissufocado pelo peso daquela multidão. Um nojo para que o mundo não tem nome arfava-me o peito e me enregelava o coração com pesada viscosidade. Mais um minuto, porém, e compreendi que estaria terminada a operação. Claramente percebi o afrouxamento da correia. Sabia que em mais de um lugar ela já deveria estar cortada. Com resolução sobre-humana, permaneci imóvel.

Nem errara em meus cálculos nem havia suportado tudo aquilo em vão. Afinal, senti que estava *livre.* O loro pendia de meu corpo, em pedaços. Mas o movimento do pêndulo já me comprimia o peito. Dividira a sarja de minha roupa. Cortara a camisa por baixo. Duas vezes, de novo, oscilou e uma aguda sensação de dor atravessou todos os meus nervos. Mas chegara o momento de escapar-lhe. A um gesto de minha mão, meus libertadores precipitaram-se, tumultuosamente, em fuga. Com um movimento firme – prudente, oblíquo, encolhendo-me, abaixando-me – deslizei para fora dos laços da correia e do alcance da cimitarra. Pelo momento, ao menos eu *estava livre.*

Livre... e nas garras da Inquisição! Mal descera de meu cavalete de horror para o chão de pedra da prisão, o movimento da máquina infernal cessou e vi que alguma força invisível a puxava, suspendendo-a através do forro. O conhecimento desse fato me abateu desesperadamente. Cada movimento meu era sem dúvida vigiado. Livre! Eu apenas escapara de morrer numa forma de agonia para ser entregue a qualquer outra forma pior do que a morte. Com tal pensamento, girei os olhos nervosamente, em volta, sobre as paredes de aço que me circundavam. Qualquer coisa incomum, certa mudança que, a princípio, não pude perceber distintamente, era óbvio, produzira-se no aposento. Durante vários minutos de sonhadora e tremente abstração, entreguei-me a vãs e desconexas conjeturas. Nesse período, certifiquei-me, pela primeira vez, da origem da luz sulfurosa que iluminava a cela. Procedia de uma fenda, de cerca de um centímetro de largura, que se estendia completamente em volta da prisão, na base das paredes, as quais assim pareciam que, de fato, eram inteiramente afastadas do solo. Tentei, mas sem dúvida inutilmente, olhar por essa abertura.

Ao erguer-me da tentativa, o mistério da alteração do aposento revelou-se logo à minha inteligência. Eu observava que, embora os contornos das figuras nas paredes fossem suficientemente distintos, suas cores pareciam manchadas e indecisas. Tais cores passaram a tomar, e a cada momento tomavam, um brilho apavorante e mais intenso, que dava às espectrais e diabólicas imagens um aspecto capaz de fazer tremerem nervos, mesmo mais firmes que os meus. Olhos de demônio, de vivacidade selvagem e sinistra, contemplavam-me, vindos de mil direções, onde antes nada fora visível, e cintilavam com o lívido clarão de um fogo que eu não podia forçar a imaginação a considerar irreal.

Irreal! Mesmo quando respirei, veio-me às narinas o bafo do vapor de ferro aquecido! Um odor sufocante espalhou-se pela prisão! Um fulgor mais profundo se fixava a cada instante nos olhos que contemplavam minhas agonias! Uma coloração, sempre mais intensamente carmesim, difundia-se sobre as horrendas pinturas de sangue! Ofeguei! Esforcei-me para respirar! Não podia haver dúvidas sobre os desígnios de meus atormentadores, oh, os mais implacáveis, os mais demoníacos dos homens! Fugi do metal ardente para o centro da cela. Entre as ideias da destruição pelo fogo que impendia sobre mim, o pensamento do frescor do poço caiu em minha alma como um bálsamo. Atirei-me para suas bordas mortais. Lancei para o fundo os olhares ansiosos. O brilho do teto inflamado iluminava seus mais recônditos recessos. Contudo, por um momento desordenado, o espírito recusou-se a compreender a significação do que eu via. Afinal, obriguei-o a compreender – lutei para que aquilo penetrasse em minha alma – e aquilo se gravou em brasa na minha mente trêmula. Oh, uma voz para falar! Oh, horror! Oh, qualquer horror, menos aquele! Com um grito, fugi da borda e sepultei a face nas mãos, chorando amargamente.

O calor aumentava com rapidez e ainda uma vez olhei para cima, a tiritar, como num acesso de febre. Segunda alteração se verificara na cela... e agora a mudança era, evidentemente, na *forma*. Como antes, foi em vão que tentei, a princípio, perceber ou compreender o que ocorria. Mas não fui deixado em dúvida muito tempo. A vingança inquisitorial fora apressada pela minha dupla fuga a ela, e não havia mais meio de perder tempo com o Rei dos Terrores.

O quarto fora quadrado. Eu notava que dois de seus ângulos de ferro eram agora agudos e dois, em consequência, obtusos. A terrível diferença velozmente aumentava, com um grave rugido, ou um gemido surdo. Em um instante o aposento trocara sua forma pela de um losango. Mas a alteração não parou aí, nem eu esperei ou desejei que ela parasse. Eu poderia ter aplicado as paredes rubras ao meu peito como um vestuário de eterna paz. "A morte!", disse eu. "Qualquer morte, porém não a do poço!" Louco! Não havia compreendido que o objetivo dos ferros ardentes era impelir-me *para dentro do poço*? Poderia eu resistir a seu fulgor? Ou, mesmo que o conseguisse, poderia suportar sua pressão? E então, mais e mais se achatou o losango, com uma rapidez que não me dava tempo para refletir. Seu centro e, naturalmente, sua maior largura ficaram mesmo sobre o abismo escancarado. Fugi... mas as paredes, a apertar-se, impeliam-me irresistivelmente para diante. Afinal, para meu corpo queimado e torcido, não havia mais de três centímetros de solo firme no soalho da prisão. Não lutei mais, a agonia de minha alma, porém, se exalou num grito alto, longo e final de desespero. Senti que oscilava sobre a borda... Desviei os olhos...

Houve um ruído discordante de vozes humanas! Houve um elevado toque, como o de muitas trombetas! Houve um rugido áspero, como o de mil trovões! Precipitadamente, recuaram as paredes em brasa! Um braço estendido agarrou o meu, quando eu caía, desfalecido, no abismo. Era o do general Lasalle. O Exército francês entrara em Toledo. A Inquisição caíra nas mãos de seus inimigos.

UMA HISTÓRIA DAS RAGGED MOUNTAINS[37]

Durante os fins do ano de 1827, quando residia nas proximidades de Charlottesville (Virgínia), conheci casualmente o sr. Augusto Bedloe. Esse jovem cavalheiro era notável, a todos os respeitos, e provocava-me profundo interesse e curiosidade. Achei impossível compreender-lhe os modos, tanto físicos como morais. Sobre sua família não pude obter informação satisfatória. Donde vinha ele, nunca pude verificar. Mesmo acerca de sua idade — embora o considere um jovem cavalheiro — havia algo que me deixava perplexo, em não pequeno

37 *Publicado pela primeira vez no* Godey's Lady's Book, *abril de 1844, este conto é conhecido também sob o título de "Reminiscências do sr. Augusto Bedloe". Título original:* A Tale of the Ragged Mountains.

Ragged Mountains *(Montanhas Fragosas). Como o próprio nome indica, trata-se duma cadeia de montanhas de difícil acesso e formando parte das Montanhas Azuis (*Blue Ridge*), localizadas na parte oriental dos Alegânis, estados de Virgínia e Carolina do Norte, Estados Unidos. (N.T.)*

grau. Ele, certamente, *parecia* jovem e fazia questão de falar sobre sua juventude; mas havia momentos em que pouco me custaria imaginar que ele tinha um século de idade. De modo algum, porém, era ele mais singular do que na aparência pessoal. Era estranhamente alto e magro. Muito curvado. Tinha os membros excessivamente longos e descarnados. A testa era ampla e baixa. A tez inteiramente exangue. A boca era grande e flexível e seus dentes, embora sãos, mais amplamente irregulares do que eu já vira em qualquer dentadura humana. A expressão de seu sorriso, contudo, de modo algum desagradava, como se poderia supor; mas não tinha qualquer variação. Era sempre de profunda melancolia, de uma tristeza incessante e sem fases. Seus olhos eram anormalmente grandes e redondos como os de um gato. As pupilas, além disso, depois de qualquer acréscimo ou diminuição da luz, contraíam-se ou dilatavam-se, tal como se observa na raça felina. Em momentos de excitação, tornavam-se elas brilhantes, em um grau quase inconcebível; pareciam emitir raios luminosos, não de um clarão refletido, mas próprio, como o de uma vela ou o do sol; e, entretanto, sua aparência comum era tão inteiramente abúlica, velada e nebulosa, que dava a ideia dos olhos de um cadáver há muito enterrado.

Tais particularidades pessoais pareciam causar-lhe muito aborrecimento e ele continuamente aludia a elas, numa espécie de estilo, entre a explicação e a desculpa, o qual, quando o ouvi pela primeira vez, me impressionou muito dolorosamente. Logo, contudo, acostumei-me a ele e meu constrangimento desapareceu. Parecia ser sua intenção insinuar, mais do que afirmar de modo direto, que, fisicamente, ele nem sempre fora o que era então, que uma longa série de ataques nevrálgicos tinham-no reduzido de uma condição de beleza pessoal, mais do que comum, àquela que eu via. Há muitos anos vinha sendo ele tratado por um médico chamado Templeton, um velho de talvez setenta anos de idade, a quem ele encontrara pela primeira vez em Saratoga e de cujos cuidados, enquanto ali estivera, havia recebido, ou imaginava que havia recebido, grande benefício. O resultado foi que Bedloe, que era rico, fizera um contrato com o dr. Templeton, por meio do qual este último, em virtude de fartos honorários anuais, tinha consentido em dedicar seu tempo e sua experiência médica exclusivamente ao cuidado do inválido.

Na sua mocidade, o dr. Templeton viajara bastante e em Paris se havia convertido num grande seguidor das doutrinas de Mesmer. Foi inteiramente graças a remédios magnéticos que conseguira aliviar as agudas dores de seu paciente e esse êxito tinha, mui naturalmente, inspirado a Bedloe certo grau de confiança nas opiniões que preconizavam esses remédios. O doutor, porém, como todos os entusiastas, se esforçara fortemente para converter por completo o seu paciente. E afinal teve tanto êxito que induziu o doente a submeter-se a numerosas experiências. Em consequência de uma frequente repetição destas sobrevieram resultados que nos últimos dias se tornaram tão comuns a ponto de atrair pouca ou nenhuma atenção, mas que, no período a respeito do qual escrevo, eram raramente conhecidos na América. Quero dizer que entre o dr. Templeton e Bedloe tinha se gerado, pouco a pouco, uma afinidade ou relação magnética bastante distinta e fortemente acentuada. Não estou, porém, preparado para asseverar que essa afinidade se estendesse além dos limites do simples poder de produzir o sono, mas esse mesmo poder havia atingido grande intensidade. À primeira tentativa de provocar a sonolência magnética, o magnetizador fora inteiramente malsucedido. Na quinta ou sexta, conseguiu-o diminutamente e depois de demoradíssimo esforço. Somente na décima segunda o êxito foi completo. Depois disso, a vontade do paciente submeteu-se rapidamente à do médico. De modo que, quando conheci os dois, pela primeira vez, o sono era provocado quase que instantaneamente pela simples vontade do operador, mesmo quando o inválido não estava cônscio da presença daquele. E somente agora, no ano de 1845, quando milagres semelhantes são testemunhados por milhares de pessoas, é que ouso aventurar-me a lembrar essa aparente impossibilidade como uma questão de fato séria.

O temperamento de Bedloe era, no mais alto grau, sensível, excitável, entusiástico. Sua imaginação era singularmente vigorosa e criadora, e sem dúvida recolhia força adicional do uso habitual da morfina, que ele bebia em grande quantidade e sem a qual teria achado impossível viver. Era seu hábito tomar uma enorme dose dela, imediatamente depois do desjejum, de cada manhã, ou antes, imediatamente depois de uma xícara de café forte, pois ele não comia nada antes do meio-dia, e depois saía sozinho, ou acompanhado simplesmente por um cachorro, para dar um longo giro entre a cadeia de colinas ásperas e sombrias que se estendem a oeste e a sul de Charlottesville e são ali honradas com o título de Ragged Mountains.

Num dia tristonho, quente e nevoento dos fins de novembro, e durante o estranho interregno das estações que na América se denomina o "verão indiano", o sr. Bedloe partiu, como de costume, para as colinas. Passou o dia e ele ainda não voltara.

Cerca das oito horas da noite, tendo ficado seriamente alarmados com essa ausência prolongada, estávamos prestes a sair em busca dele, quando inesperadamente apareceu, num estado de saúde não pior do que o de costume, e um tanto mais animado do que comumente. O relato que nos fez de sua expedição e dos acontecimentos que o haviam retido foi de fato singular.

– Vocês hão de lembrar-se – disse ele – que eram quase nove horas da manhã quando deixei Charlottesville. Dirigi meus passos imediatamente para as montanhas e, cerca das dez horas, penetrei numa garganta que era inteiramente nova para mim. Acompanhei os meandros dessa passagem com bastante interesse. O cenário que se apresentava por todos os lados, embora mal se pudesse denominá-lo de grandioso, caracterizava-se por um indescritível e para mim delicioso aspecto de lúgubre desolação. A solidão parecia absolutamente virgem. Não podia deixar de acreditar que a verde relva e as rochas cinzentas sobre as quais eu caminhava jamais tinham sido antes pisadas por algum pé humano. Tão inteiramente fechada e de fato inacessível, exceto através de uma série de obstáculos, é a entrada da ravina que não é de modo algum impossível tivesse eu sido, de fato, o primeiro aventureiro, o verdadeiramente primeiro e único aventureiro que jamais penetrara em seu recesso.

"O espesso e característico nevoeiro ou fumaça que distingue o verão indiano, e que agora pendia pesadamente sobre todas as coisas, servia, sem dúvida, para aprofundar as vagas impressões que essas coisas criavam. Tão denso era esse agradável nevoeiro que eu não podia ver ou enxergar senão a menos de dez metros do caminho que se abria à minha frente. Essa vereda era extremamente sinuosa e, como o sol não podia ser visto, bem cedo perdi toda a ideia da direção em que caminhava. Entrementes, a morfina produzia seu costumeiro efeito: o de dotar todo o mundo exterior de intenso interesse. No tremer de uma folha, na tonalidade de uma lâmina de relva, na forma de um trevo, no bezoar de uma abelha, no cintilar de uma gota de orvalho, no bafejo do vento, nos fracos odores que vinham da floresta, havia todo um mundo de sugestão, uma alegre e matizada sucessão de pensamentos rapsódicos e desordenados.

"Assim ocupado, caminhei algumas horas, durante as quais o nevoeiro se adensou em torno de mim com tal intensidade que, afinal, me vi obrigado a andar às apalpadelas. E, então, uma indescritível inquietação apoderou-se de mim, uma espécie de hesitação nervosa e de tremor. Receava caminhar, com medo de ser precipitado em algum abismo. Recordava-me também de estranhas histórias contadas a respeito daquelas Ragged Mountains e de singulares e selvagens raças de homens que habitavam seus bosques e cavernas. Mil vagas fantasias me oprimiam e desconcertavam, fantasias mais aflitivas porque vagas. Mui subitamente, minha atenção foi detida pelo bater rumoroso de um tambor.

"Meu espanto foi deveras extremo. Um tambor naquelas colinas era uma coisa inaudita. Maior surpresa não me causaria o toque da trombeta do Arcanjo. Porém nova e ainda mais espantosa fonte de interesse e de perplexidade surgiu. Soou um insólito chocalhar ou tintinar, semelhante ao de um molho de grandes chaves, e no mesmo instante um homem de rosto escuro e seminu passou correndo por trás de mim, dando um berro. Chegou tão perto de mim que senti seu quente hálito no meu rosto. Levava numa das mãos um instrumento formado de um conjunto de anéis de aço, que ele agitava violentamente ao correr. Mal havia desaparecido no nevoeiro à minha frente, ofegando atrás dele, de boca aberta e olhos chispantes, saltou um enorme animal. Não podia enganar-me a seu respeito. Era uma hiena.

"À vista daquele monstro, mais abrandou que aumentou meu terror, pois estava agora certo de que sonhava e procurei despertar a consciência adormecida. Caminhei audaciosa e vivamente para diante, esfreguei os olhos, gritei alto, belisquei meus braços. Avistei um pequeno lacrimal e, ali parando, banhei minhas mãos, a cabeça e o pescoço. Isso pareceu dissipar as equívocas sensações que me tinham até ali incomodado. Ergui-me, como pensava, um novo homem, e continuei rápida e complacentemente meu caminho desconhecido.

"Afinal, completamente acabrunhado pelo esforço e por certa opressão da atmosfera, sentei-me debaixo de uma árvore. Logo luziu um fraco clarão do sol e a sombra das folhas da árvore se projetou, leve, mas nitidamente, sobre a relva. Contemplei maravilhado essa sombra por muitos minutos. Sua forma me petrificava de espanto. Olhei para cima. A árvore era uma palmeira. Ergui-me então, às carreiras, e num estado de terrível agitação, pois a ideia de que estivesse sonhando já não me servia. Eu vi, eu senti que estava completamente senhor de meus sentidos. E esses sentidos traziam agora à minha alma um mundo de sensações novas e singulares. O calor tornou-se imediatamente intolerável. Estranho odor saturava a brisa. Um murmúrio contínuo e grave, como o que se desprende de um rio cheio, mas que flui suavemente, chegou aos meus ouvidos, entremeado do característico zumbido de numerosas vozes humanas.

"Enquanto eu o escutava, num paroxismo de espanto que não preciso tentar descrever, forte e breve rajada de vento varreu o pesado nevoeiro como por artes de magia.

"Achei-me ao pé de uma alta montanha, contemplando lá embaixo vasta planície rasgada por majestoso rio. À margem daquele rio erguia-se uma cidade de aspecto oriental, semelhante às descritas nas *Mil e uma noites*, mas de caráter muito mais singular do que qualquer das ali narradas. Da posição em que me achava, bem acima do nível da cidade, podia eu avistar todos os seus cantos e esquinas como se estivessem traçados em um mapa. As ruas pareciam inumeráveis e se cruzavam irregularmente em todas as direções, mas pareciam antes longas avenidas sinuosas do que ruas, e totalmente apinhadas de habitantes. As casas eram insolitamente pitorescas. De cada lado havia uma verdadeira profusão de balcões, varandas, minaretes, nichos e sacadas fantasticamente esculpidos. Abundavam os bazares, onde se ostentavam ricas mercadorias, em infinita variedade e cópia: sedas, musselinas, as mais ofuscantes cutelarias, as mais magnificentes joias e gemas. Além dessas coisas viam-se por todos os lados bandeiras e palanquins, liteiras com soberbas mulheres completamente veladas, elefantes pomposamente ajaezados, ídolos grotescamente talhados, tambores, estandartes, gongos, lanças, maças de ouro e de prata. E em meio à multidão e ao clamor e ao geral emaranhamento e confusão, em meio ao milhão de homens negros e amarelos, de turbante e de túnica, e de barbas flutuantes, vagueava uma incontável multidão de touros sagrados, cheios de fitas, enquanto vastas legiões de macacos, sujos, mas sagrados, trepavam, tagarelavam e guinchavam, em torno das cornijas das mesquitas, ou penduravam-se dos minaretes e sacadas. Das ruas regurgitantes até as margens do rio desciam inúmeras séries de degraus conduzindo aos lugares de banho, enquanto o próprio rio parecia forçar passagem com dificuldade através das inúmeras esquadras de navios pesadamente carregados que, por toda parte, lhe cobriam a superfície. Fora dos limites da cidade erguiam-se, em numerosos e majestosos grupos, palmeiras e coqueiros, com outras árvores gigantescas e fantásticas, seculares. E aqui e ali podiam-se ver uma plantação de arroz, a cabana de palha de um camponês, uma cisterna, um templo isolado, um acampamento de ciganos, ou uma solitária e graciosa rapariga caminhando, com uma bilha à cabeça, para as margens do rio magnífico.

"Vocês dirão agora, sem dúvida, que eu sonhava. Mas não é verdade. O que eu via, o que eu ouvia, o que eu sentia, o que eu pensava nada tinham da sensação inconfundível do sonho. Tudo era rigorosamente real. A princípio, duvidando de que estivesse realmente acordado, iniciei uma série de experiências que logo me convenceram de que estava efetivamente desperto. Ora, quando alguém sonha e no sonho suspeita de que está sonhando, a suspeita *nunca deixa de confirmar-se* e o dormente é quase imediatamente despertado. De modo que Novalis não erra em dizer que 'nós estamos quase despertando, quando sonhamos que estamos sonhando'. Tivesse me ocorrido a visão, como a descrevo, sem que a suspeitasse de ser sonho, então um sonho ela poderia verdadeiramente ter sido, mas, ocorrendo como ocorreu, e suspeitada como era, sou forçado a classificá-la entre outros fenômenos."

– Nisto, não digo que o senhor não tenha razão – observou o dr. Templeton –, mas prossiga. O senhor levantou-se e desceu para a cidade...

– Levantei-me – continuou Bedloe, encarando o médico, com um ar de profundo espanto –, levantei-me, como o senhor diz, e desci para a cidade. Em meu caminho deparei com uma multidão imensa apinhando todas as avenidas, andando sempre na mesma direção e demonstrando, em todas as ações, a agitação mais selvagem. De súbito, e obedecendo a algum impulso inconcebível, fiquei intensamente tomado de interesse pessoal pelo que estava sucedendo. Pareceu-me sentir que tinha importante papel a representar, sem exatamente compreender o que fosse. Contra a multidão que me rodeava, contudo, experimentei profundo sentimento de animosidade. Arranquei-me do meio dela e, velozmente, alcancei a cidade por um atalho e nela penetrei. Tudo ali dava mostras do mais selvagem tumulto e desordem. Reduzido grupo de homens, trajados com vestes semi-indianas, semieuropeias, e dirigidos por oficiais de uniforme parcialmente britânico, lutava, com grande disparidade, contra a população que formigava nas avenidas. Juntei-me a esse grupo mais fraco, apossando-me das armas de um oficial caído, e pelejei, sem saber contra quem, com a nervosa ferocidade do desespero. Breve fomos sobrepujados pelo número dos adversários e forçados a buscar refúgio numa espécie de quiosque. Ali fizemos barricadas e, pelo momento, ficamos a salvo. Por uma claraboia, próxima ao cimo do quiosque, notei vasta multidão, furiosamente agitada, que rodeava e assaltava um belo palácio, a cavaleiro do rio. Logo, de uma janela superior desse edifício, desceu uma pessoa de aparência efeminada, por meio de uma corda feita com os turbantes de seus serviçais. Um bote estava a seu alcance e nele o indivíduo escapou para a margem oposta do rio.

"E então novo intento se apossou de minha alma. Dirigi umas poucas palavras precipitadas, porém enérgicas, a meus companheiros e, tendo conseguido atrair alguns deles para o meu desígnio, fiz uma sortida desesperada do quiosque. Corremos por entre a multidão que o rodeava. A princípio, eles bateram em retirada. Tornaram a unir-se, houve uma luta louca, e retiraram-se de novo. Entretanto, tínhamos sido afastados do quiosque e nos perdemos e emaranhamos pelas ruas estreitas, de altos e imponentes edifícios, em cujos recessos o sol nunca fora capaz de brilhar. A canalha precipitou-se impetuosamente sobre nós, hostilizando-nos com suas lanças e oprimindo-nos com nuvens de flechas. Estas eram muito dignas de nota e se pareciam, em alguns pontos, com o cris dos malaios. Eram feitas à imitação do corpo de uma serpente rastejante e longas e negras, com uma ponta envenenada. Uma delas feriu-me na têmpora direita. Girei e caí. Um mal-estar instantâneo e terrível se apoderou de mim. Lutei... ofeguei... morri..."

– O senhor *agora* – disse eu sorrindo – dificilmente persistirá em afirmar que toda a sua aventura não foi um sonho. Certamente não está habilitado a assegurar que está morto?

Quando eu disse essas palavras esperei, naturalmente, alguma saída brilhante de Bedloe, em resposta; mas, para espanto meu, ele hesitou, tremeu, tornou-se terrivelmente pálido e permaneceu silencioso. Olhei para Templeton. Este sentara-se, hirto, na cadeira. Seus dentes matraqueavam e seus olhos como que saltavam das órbitas.

– Continue! – disse ele, afinal, roucamente, a Bedloe.

– Durante muitos minutos – continuou este último – meu único sentimento, minha única sensação, era a da treva e do aniquilamento, com a consciência da morte. Afinal, um violento e súbito choque, como de eletricidade, pareceu atravessar-me a alma. Veio com ele a sensação da elasticidade e da luz. Esta última, senti-a, não a vi. Num instante, como que me levantei do solo. Mas não possuía uma presença corpórea, visível, audível ou palpável. A multidão se fora. O tumulto cessara. A cidade estava em relativo repouso. Abaixo de mim jazia meu cadáver com a seta em minha têmpora e toda a cabeça grandemente intumescida e desfigurada. Mas todas essas coisas eu sentia, não via. Nada me despertava interesse. Mesmo o cadáver parecia uma coisa que não me dizia respeito. Não tinha vontade, mas parecia estar sendo forçado ao movimento e a voejar levemente para fora da cidade, refazendo o atalho pelo qual entrara nela. Quando atingi aquele ponto da ravina da montanha em que encontrara a hiena, de novo experimentei um choque como de bateria galvânica; a sensação do peso, a da volição, a da substância voltaram. Tornei a ser meu eu primitivo e apressei ansiosamente os passos, de regresso; mas o passado não perdeu a vividez da realidade, e, ainda agora, nem por um instante posso forçar a mente a considerar isso como um sonho.

– Nem foi sonho – disse Templeton, com solenidade –, embora seja difícil dizer como o poderíamos denominar de outra forma. Suponhamos somente que a alma do homem de hoje está à beira de alguma estupenda descoberta psíquica. Contentemo-nos com essa suposição. Quanto ao resto, tenho alguma explicação a dar. Aqui está um desenho a aquarela que eu deveria ter lhe mostrado antes, mas que um inexplicável sentimento de horror até agora me impedira de mostrar.

Olhamos para o quadro que ele apresentava. Nada vi nele de extraordinário, mas seu efeito sobre Bedloe foi prodigioso. Quase desmaiou ao contemplá-lo. E contudo era apenas um retrato em miniatura – sem dúvida, um retrato maravilhosamente pormenorizado – de sua própria fisionomia, tão notável. Pelo menos fora isso o que eu pensara ao olhá-lo.

– O senhor notará – disse Templeton – a data desse quadro. Cá está, mal visível, neste canto: 1780. O retrato foi tirado nesse ano. É a fisionomia de um amigo morto, um sr. Oldeb, com quem me tornei muito ligado em Calcutá, durante a administração de Warren Hastings. Então tinha eu somente vinte anos. Quando pela primeira vez o vi, sr. Bedloe, em Saratoga, foi a maravilhosa semelhança que existia entre o senhor e esta pintura que me induziu a procurá-lo, buscar sua amizade e chegar a essas combinações que resultaram em tornar-me eu o seu constante companheiro. Ao realizar isso era eu impelido em parte, e talvez principalmente, pela recordação saudosa do morto, mas também, em parte, por uma inquietante curiosidade, não de todo destituída de terror, com relação à sua pessoa.

"Em sua narrativa da visão que se lhe apresentou entre as colinas o senhor descreveu, com pormenorizada precisão, a cidade hindu de Benares, sobre o rio Sagrado. Os tumultos, o combate, o massacre foram os acontecimentos reais da insurreição de Cheyte Sing que ocorreu em 1870, quando Hastings correu iminente perigo de vida. O homem que fugiu pela corda de turbantes era o próprio Cheyte Sing. O grupo do quiosque era formado de cipaios e de oficiais britânicos que Hastings chefiava. Eu fazia parte desse grupo e fiz tudo o que pude para impedir a imprudente e fatal sortida do oficial que caiu, nas avenidas apinhadas, vitimado pela flecha envenenada de um bengali. Esse oficial era o meu amigo mais caro. Era o sr. Oldeb. O senhor notará por estes escritos que (e aí o dr. Templeton puxou um caderno de bolso no qual várias páginas pareciam estar escritas de fresco) no próprio período em que o senhor imaginava essas coisas, entre as colinas, eu me dedicava a pormenorizá-las no papel, aqui em casa."

Cerca de uma semana depois dessa conversação, os parágrafos seguintes apareceram num jornal de Charlottesville:

> Cumprimos o doloroso dever de anunciar o falecimento do sr. Augusto Bedlo, cavalheiro cujas maneiras amáveis e numerosas virtudes o haviam de há muito tornado caro aos cidadãos de Charlottesville.
>
> O sr. Bedlo, desde há alguns anos, sofria de nevralgia que várias vezes ameaçou ter um desfecho fatal; mas isso só pode ser considerado a causa mediata de sua morte. A causa imediata foi de particular singularidade. Numa excursão às Ragged Mountains, faz poucos dias, contraiu ele um leve resfriado, com febre, seguido de acúmulo de sangue na cabeça. Para aliviá-lo, o dr. Templeton recorreu à sangria tópica. Foram-lhe aplicadas bichas às têmporas. Num período terrivelmente breve o paciente faleceu, verificando-se que no vaso que continha as bichas fora introduzida, por acidente, uma das sanguessugas vermiculares venenosas que são de vez em quando encontradas nos pântanos vizinhos. Esse animal introduziu-se numa

pequena artéria, na têmpora direita. Sua enorme semelhança com a sanguessuga medicinal fez com que o engano só fosse percebido tarde demais.

N.B. – A sanguessuga venenosa de Charlottesville pode ser sempre distinguida da sanguessuga medicinal por sua cor negra e especialmente por seus movimentos ondulatórios ou vermiculares, que muito se assemelham aos de uma cobra.

Eu conversava com o editor do jornal em apreço sobre o assunto desse notável acidente, quando me ocorreu perguntar como acontecera que o nome do defunto fora grafado *Bedlo*.

– Presumo – disse eu – que o senhor tem alguma autoridade para escrevê-lo assim, mas sempre supus que o nome fosse escrito com um *e* no fim.

– Autoridade? Não! – replicou ele. – Foi um simples erro tipográfico. O nome é *Bedloe*, com *e*, no mundo inteiro, e nunca em minha vida soube que fosse escrito diferentemente.

– Então – murmurei, ao girar sobre os calcanhares –, então, na realidade, bem pode ser que uma verdade seja mais estranha do que qualquer ficção, porque Bedloe, sem *e*, é apenas Oldeb de trás para diante. E esse homem vem me dizer que é um erro tipográfico!

O ENTERRAMENTO PREMATURO[38]

Há certos temas de interesse totalmente absorventes, mas por demais horríveis, para os fins da legítima ficção. O simples romancista deve evitá-los se não deseja ofender ou desgostar. Só devem ser convenientemente utilizados quando a severidade e a imponência da verdade os santificam e sustentam. Estremecemos, por exemplo, com o mais intenso "pesar agradável", diante das narrativas da Passagem do Beresina, do Terremoto de Lisboa, da Peste em Londres, do Massacre de São Bartolomeu, ou do asfixiamento dos cento e vinte e três prisioneiros da Caverna Negra em Calcutá. Mas nessas narrativas é o fato, é a realidade, é a história o que excita. Como invenções, olhá-las-íamos com simples aversão.

Mencionei algumas, apenas, das mais proeminentes e augustas calamidades que a história registra. Mas nelas existe a extensão,

38 Publicado pela primeira vez no Dollar Newspaper, *31 de julho de 1844. Título original:* The Premature Burial.

bem como o caráter, de calamidade, que tão vivamente impressiona a fantasia. Não é necessário lembrar ao leitor que, do longo e pavoroso catálogo das misérias humanas, poderia eu ter selecionado numerosos exemplos individuais mais repletos de sofrimento essencial que qualquer daqueles vastos desastres generalizados. A verdadeira desgraça, na verdade, o derradeiro infortúnio, é particular e não difuso. Demos graças a um Deus misericordioso pelo fato de serem os espantosos extremos da agonia suportados pelo homem-unidade e nunca pelo homem-massa!

Ser enterrado vivo é, fora de qualquer dúvida, o mais terrífico daqueles extremos que já couberam por sorte aos simples mortais. Que isso haja acontecido frequentemente, e bem frequentemente, mal pode ser negado por aqueles que pensam. Os limites que separam a Vida da Morte são, quando muito, sombrios e vagos. Quem poderá dizer onde uma acaba e a outra começa? Sabemos que há doenças em que ocorre total cessação de todas as aparentes funções de vitalidade, mas, de fato, essas cessações são meras suspensões, propriamente ditas. Não passam de pausas temporárias no incompreensível mecanismo. Certo período decorre e alguns princípios misteriosos e invisíveis põem de novo em movimento os mágicos parafusos e as encantadas rodas. A corda de prata não estava solta para sempre nem o globo de ouro irreparavelmente quebrado. Mas, entrementes, onde se achava a alma?

De parte, porém, a inevitável conclusão, *a priori*, de que causas tais devem produzir tais efeitos, de que a bem conhecida ocorrência de tais casos de interrompida animação deve, naturalmente, dar azo, de vez em quando, a enterros prematuros, de parte essa consideração temos o testemunho direto da experiência médica e da experiência comum a provar que grande número de semelhantes enterros se tem realmente realizado. Se fosse necessário, poderia referir-me imediatamente a uma centena de casos bem autenticados. Um dos mais famosos, e cujas circunstâncias podem estar ainda frescas na memória de alguns de meus leitores, ocorreu, não faz muito, na vizinha cidade de Baltimore, onde causou uma excitação penosa, intensa e de vasto alcance. A esposa de um dos mais respeitáveis cidadãos, advogado eminente e membro do Congresso, foi atacada de súbita e estranha moléstia que zombou completamente do saber de seus médicos. Depois de muitos sofrimentos veio a falecer, ou supôs-se que houvesse falecido. Ninguém suspeitava, na verdade, nem tinha razão de suspeitar, que ela não estivesse realmente morta. Apresentava todos os sinais habituais de morte. O rosto tomara o usual contorno cadavérico. Os lábios tinham a habitual palidez marmórea. Os olhos estavam sem brilho. Não havia calor. A pulsação cessara. Durante três dias o corpo foi conservado insepulto, adquirindo então uma rigidez de pedra. Afinal, o enterro foi apressado, por causa do rápido avanço do que se supunha ser a decomposição.

A mulher fora depositada no jazigo da família, que não foi aberto nos três anos subsequentes. Ao expirar esse prazo, abriram-no para receber um ataúde; mas, ai!, que pavoroso choque esperava o marido que abrira em pessoa a porta. Ao se escancararem os portais, certo objeto branco caiu-lhe ruidosamente nos braços. Era o esqueleto de sua mulher, ainda com a mortalha intata.

Cuidadosa investigação tornou evidente que ela recuperara a vida dois dias depois de seu enterramento; que sua luta dentro do ataúde fizera-o cair de uma saliência ou prateleira, no chão, onde se quebrara, permitindo-lhe escapar. Uma lâmpada que fora, por acaso, deixada cheia de óleo dentro do jazigo foi encontrada vazia; contudo, poderia ter sido esgotada pela evaporação. No alto dos degraus que levavam à câmara mortuária, havia um grande fragmento do caixão, com o qual, parecia, tinha ela tentado chamar a atenção batendo na porta de ferro. Enquanto assim fazia, provavelmente desfaleceu ou possivelmente morreu tomada de terror completo e, ao cair, sua mortalha ficou presa a algum pedaço de ferro saliente no interior. E assim ela permaneceu e assim apodreceu, ereta.

No ano de 1810, um caso de inumação viva aconteceu na França, cercado de circunstâncias que provam plenamente a afirmativa de que a verdade é, de fato, mais estranha do que a ficção. A heroína da história era Mademoiselle Vitorina Lafourcade, moça de ilustre família, rica e de grande beleza pessoal. Entre seus numerosos pretendentes havia um tal Julien Bossuet, pobre literato ou jornalista de Paris. Seu talento e sua amabilidade tinham atraído a atenção da herdeira, por quem parecia ter sido verdadeiramente amado; mas o orgulho de seu nascimento decidiu-a, por fim, a repeli-lo e a casar-se com um certo Monsieur Renelle, banqueiro e diplomata de certa importância. Depois do casamento, porém, esse cavalheiro a desprezou e, talvez mesmo mais positivamente, maltratou-a. Tendo passado a seu lado alguns anos infelizes, ela morreu; pelo menos, seu aspecto se assemelhava tão de perto à morte que enganava a qualquer que a visse. Foi enterrada, não num jazigo, mas num sepulcro comum, na vila onde nascera. Cheio de desespero e ainda inflamado pela lembrança de sua profunda afeição, o apaixonado viajou da capital para a longínqua província em que se achava a aldeia, no romântico propósito de desenterrar o cadáver e apossar-se de suas fartas madeixas. Chegou ao túmulo. À meia-noite desenterrou o caixão, abriu-o e, ao cortar-lhe o cabelo, foi detido pelos olhos abertos de sua amada. De fato, a mulher tinha sido enterrada viva. A vitalidade ainda não desaparecera de todo e ela foi despertada pelas carícias de seu amado do letargo que fora tomado como morte. Ele a levou, nervosamente, para seus aposentos na aldeia. Empregou certos poderosos analépticos sugeridos por seus não pequenos conhecimentos médicos. Por fim, ela reviveu. Reconheceu seu salvador. Permaneceu com ele até que, gradativamente, recobrou por completo a primitiva saúde. Seu coração de mulher não tinha a dureza dos diamantes e essa última lição de amor bastou para abrandá-lo. Concedeu-o a Bossuet. Não voltou à companhia do marido; mas, ocultando dele a sua ressurreição, fugiu com seu amante para a América. Vinte anos depois, ambos voltaram à França, persuadidos de que o tempo tinha alterado tão grandemente o aspecto da mulher que seus amigos seriam incapazes de reconhecê-la. Enganaram-se, porém, porque, ao primeiro encontro Monsieur Renelle reconheceu logo e reclamou sua mulher. Ela se opôs a essa reclamação e um tribunal de justiça apoiou-a, decidindo que as circunstâncias peculiares e o longo lapso de anos haviam extinguido, não só equitativa, mas legalmente, a autoridade do marido.

O *Jornal de Cirurgia* de Lipsia, periódico de alta autoridade e mérito, que livreiros americanos fariam bem em traduzir e republicar, relembra num dos últimos números um acontecimento bem penoso dessa mesma espécie.

Um oficial de artilharia, homem de gigantesca estatura e vigorosa saúde, tendo sido atirado de um cavalo indomável, recebeu fortíssima contusão na cabeça que o tornou imediatamente insensível. O crânio ficou levemente fraturado, mas não se temia imediato perigo. A trepanação foi executada com pleno êxito. Sangraram-no e puseram-se em execução vários outros meios comuns de alívio. Gradualmente, porém, foi ele mergulhando, cada vez mais, num estado de desesperado torpor e, finalmente, pensou-se que havia morrido.

O tempo era de calor, e enterraram-no, com pressa censurável, num dos cemitérios públicos. Seu enterro realizou-se na quinta-feira. No domingo seguinte o cemitério, como de costume, encheu-se de visitantes e, ao meio-dia, produziu-se intensa excitação quando um camponês declarou que, tendo se sentado sobre o túmulo do oficial, sentira distintamente um movimento da terra, como se ocasionado por alguém que lutasse ali embaixo. A princípio, pouca atenção foi dada à afirmativa do homem, mas seu evidente terror e a teimosia obstinada com que persistia em sua história produziram, afinal, natural efeito sobre a multidão. Procuraram-se, às pressas, pás e o túmulo, que era vergonhosamente pouco profundo, foi em poucos minutos tão depressa escavado que a cabeça do seu ocupante apareceu; ele estava, então, aparentemente morto, mas sentara-se quase ereto dentro do caixão cuja tampa, na sua luta furiosa, havia parcialmente soerguido.

Foi imediatamente transportado ao mais próximo hospital e ali declarou-se que ele estava ainda vivo, embora em estado de asfixia. Depois de algumas horas, reviveu, reconheceu pessoas de sua amizade e, em frases entrecortadas, narrou as agonias que sofrera na sepultura.

Pelo que ele relatou ficou patente que devera ter estado consciente de perder os sentidos. A sepultura fora descuidada e frouxamente cheia de uma terra excessivamente porosa, e assim algum ar podia, necessariamente, penetrar. Ele ouviu o tropel de passos da multidão por cima de sua cabeça e procurou fazer-se ouvir, por sua vez. Foi o barulho dentro do cemitério, disse ele, que pareceu despertá-lo de um profundo sono, mas logo que despertou sentiu-se plenamente cônscio do horror pavoroso de sua situação.

Esse paciente, conta-se, estava indo bem e parecia achar-se em franco caminho de completo restabelecimento, mas foi vítima do charlatanismo das experiências médicas. Aplicaram-lhe uma bateria elétrica e ele, de repente, expirou num daqueles extáticos paroxismos que ela ocasionalmente provoca.

A menção da bateria elétrica, aliás, traz-me à memória um caso bem conhecido e extraordinário, em que sua ação provou-se eficaz em fazer voltar à vida um jovem procurador londrino que estivera enterrado durante oito dias. Isso ocorreu em 1831, e causou, em seu tempo, profundíssima sensação em toda parte em que se tomasse o assunto da conversa.

O paciente, sr. Eduardo Stapleton, tinha morrido, parece, de tifo, com certos sintomas anômalos que haviam excitado a curiosidade de seus médicos assistentes. A respeito dessa morte aparente, solicitou-se de seus amigos que permitissem um exame *post-mortem*, mas eles se negaram a consentir nisso. Como acontece muitas vezes quando se fazem tais recusas, os profissionais resolveram desenterrar o corpo e dissecá-lo, com vagar, por sua conta. Realizaram-se facilmente os preparativos, com os numerosos grupos de desenterradores de cadáveres, então muito encontradiços em Londres, e, na terceira noite depois do funeral, o suposto cadáver foi desenterrado duma cova de dois metros e quarenta de profundidade e depositado na sala de operações de um dos hospitais particulares.

Uma incisão de certo tamanho fora já feita no abdômen, quando a aparência fresca e incorrupta do paciente sugeriu que se fizesse aplicação duma bateria. As experiências se sucederam e sobrevieram os efeitos costumeiros, sem nada que, de algum modo, os caracterizasse, exceto, numa ou duas ocasiões, certo grau um pouco incomum de vivacidade na ação convulsiva.

Fazia-se tarde. O dia estava prestes a raiar e achou-se, afinal, que era conveniente proceder, sem demora, à dissecação. Um estudante, porém, estava especialmente desejoso de provar certa teoria sua e insistiu em que se aplicasse a bateria num dos músculos peitorais.

Deu-se um grosseiro talho e aplicou-se apressadamente um fio; então o paciente, num movimento ligeiro, mas não convulsivo, ergueu-se da mesa, andou até o meio do soalho, olhou inquieto por instantes em redor de si e depois... falou. Não se podia entender o que dizia, mas as palavras eram ditas e a formação das sílabas distinta. Depois de falar, caiu pesadamente no soalho.

Por alguns instantes todos ficaram paralisados de terror, mas a urgência do caso em breve os fez recuperar a presença de espírito. Via-se que o sr. Stapleton estava vivo, embora desmaiado. Com aplicações de éter reviveu e, sem demora, recuperou a saúde, voltando ao convívio de seus amigos, dos quais, porém, todo conhecimento de sua ressurreição fora oculto, até passar o perigo de uma recaída. Podem imaginar-se sua admiração e seu arrebatador espanto.

A mais emocionante particularidade desse incidente, contudo, consiste no que o próprio sr. Stapleton afirma. Declara ele que em nenhuma ocasião esteve totalmente insensível; que vaga e confusamente tinha consciência de tudo quanto lhe acontecia, desde o momento em que foi declarado *morto* pelos médicos até aquele em que desmaiou no soalho do hospital. "Eu estou vivo" foram as palavras incompreendidas que, ao reconhecer que se achava numa sala de dissecação, tinha tentado pronunciar, naquela hora extrema.

Seria coisa fácil multiplicar histórias como essa, mas abstenho-me disso porque, na verdade, não temos necessidade de tal coisa para demonstrar que, efetivamente, ocorrem enterramentos prematuros. Quando refletimos, dada a natureza do caso, quão raramente nos é possível descobri-los, devemos admitir que eles possam ocorrer *frequentemente* sem que o saibamos. É raro, na verdade, que um cemitério seja revolvido, alguma vez, com qualquer propósito e em grande extensão, e não se encontrem esqueletos em posições que sugerem as mais terríveis suspeitas.

Terrível, na verdade, a suspeita, porém mais terrível é tal destino! Podemos asseverar, sem hesitação, que *nenhum* acontecimento é tão horrivelmente capaz de inspirar o supremo desespero do corpo e do espírito como ser enterrado vivo. A insuportável opressão dos pulmões, os vapores sufocantes da terra úmida, o contato dos ornamentos fúnebres, o rígido aperto das tábuas do caixão, o negror da noite absoluta, o silêncio como um ar que nos afoga, a invisível, porém sensível, presença do Verme Conquistador, tudo isso, com a ideia do ar e da relva lá em cima, a lembrança dos queridos amigos que voariam a salvar-nos se informados de nosso destino, e a consciência de que eles *jamais* poderão ser informados desse destino, e de que nossa desesperada sorte é a do realmente morto, essas considerações, digo, acarretam ao coração que ainda palpita um grau tal de horror espantoso e intolerável que a mais ousada imaginação recua diante dele. Nada conhecemos de mais agoniante sobre a terra. Não podemos imaginar nem a metade de coisa tão horrível nas regiões do mais profundo inferno. E, por isso, qualquer narrativa a respeito tem interesse profundo; interesse, porém, que, através do sagrado terror do próprio assunto, bem própria e caracteristicamente depende de nossa convicção da *verdade* do caso narrado. O que tenho agora a contar é do meu real conhecimento, da minha própria, positiva e pessoal experiência.

Durante vários anos estive sujeito a ataques da estranha moléstia que os médicos acordaram em chamar catalepsia, na falta de denominação mais definida. Embora tanto as causas imediatas e predisponentes como o verdadeiro diagnóstico dessa doença ainda sejam misteriosos, seu caráter claro e evidente já está bastante compreendido. Suas variações parecem ser, principalmente, de grau. Às vezes, o paciente jaz, durante um dia só, ou mesmo durante curto período, numa espécie de exagerada letargia. Perde a sensibilidade e os movimentos, mas a pulsação do coração é ainda fracamente perceptível; alguns restos de calor permanecem; ligeiro colorido se mantém no centro da face; e, aplicando um espelho à boca, pode-se descobrir uma lenta, desigual e vacilante ação dos pulmões. Outras vezes, a duração do transe é de semanas ou mesmo de meses, e a mais severa investigação, as mais rigorosas experiências médicas não conseguem estabelecer qualquer distinção material entre o estado do paciente e o que concebemos como morte absoluta.

Frequentes vezes é ele salvo do enterramento prematuro apenas por saberem seus amigos que fora anteriormente sujeito a ataques catalépticos, pela consequente suspeita suscitada e, acima de tudo, pela aparência de incorrupção. Os progressos da doença são, felizmente, gradativos. As primeiras manifestações, além de típicas, são inequívocas. Os acessos se tornam, sucessivamente, cada vez mais distintos, prolongando-se cada um mais do que o anterior. Nisto jaz a principal garantia contra a inumação. O infeliz cujo *primeiro* ataque for de caráter extremo, como ocasionalmente se vê, estará quase sem remédio condenado a ser enterrado vivo.

Meu próprio caso não diferia, em pormenores importantes, dos mencionados nos livros médicos. Às vezes, sem nenhuma causa aparente, eu mergulhava, pouco a pouco, num estado de semissíncope ou semidesmaio; e nesse estado, sem dor, sem possibilidade de mover-me ou, estritamente falando, de pensar, mas com uma nevoenta e letárgica consciência da vida e da presença dos que cercavam minha cama, eu permanecia até que a crise da doença me fizesse recuperar, de súbito, a completa sensação. Outras vezes, era rápida e impetuosamente surpreendido pelo ataque. Sentia-me doente, entorpecido, frio, aturdido e caía logo prostrado. Depois, durante semanas, tudo era vácuo, negror, silêncio, e num nada se transformava o universo. Não poderia haver mais total aniquilação. Destes últimos ataques eu despertava, porém, com lentidão gradativa na proporção da subitaneidade do acesso. Da mesma forma por que o dia alvorece para o mendigo, sem lar e sem amigos, que vaga pelas ruas, através da longa e desolada noite de inverno, assim também tardia, assim também cansada, assim também alegre, voltava a luz à minha alma.

Exceto aquela predisposição para o ataque, meu estado geral de saúde apresentava-se bom; nem eu podia perceber que todo ele se achava afetado por uma doença predominante, a menos que, realmente, certa reação em meu *sono* comum pudesse ser olhada como mais um sintoma. Logo ao despertar, nunca podia de imediato assenhorear-me de meus sentidos e sempre permanecia, durante muitos minutos, em grande confusão e perplexidade, com as faculdades mentais em geral, e especialmente a memória, num estado de absoluta vaguidão.

Em tudo isso que eu experimentava não havia sofrimento físico, mas infinita angústia moral. Minha imaginação se tornava macabra. Falava de "vermes, de covas e epitáfios". Perdia-me em devaneios de morte e a ideia do enterramento prematuro se apossava de contínuo de meu cérebro. O horrendo Perigo a que estava sujeito assombrava-me dia e noite. De dia, a tortura da meditação era excessiva; de noite, suprema. Quando a disforme Escuridão inundava a terra, com todo o horror do pensamento eu tremia, tremia como as plumas palpitantes que adornam os carros fúnebres. Quando a natureza não podia mais suportar a insônia, era com relutância que eu consentia em dormir, pois me abalava o pensar que, ao despertar, poderia achar-me como habitante de um túmulo. E, quando, finalmente, mergulhava no sono, era apenas para precipitar-me imediatamente num mundo de fantasmas acima do qual, com asas enormes, lúridas, tenebrosas, pairava, dominadora, a fixa Ideia sepulcral.

Das inúmeras imagens de tristeza que assim me oprimiam em sonhos escolho, para ilustrar, apenas uma visão solitária. Creio que estava imerso num transe cataléptico de duração e intensidade maiores que as habituais. De repente, senti uma mão gelada pousar-se na minha fronte e uma voz, impaciente e inarticulada, sussurrou-me ao ouvido a palavra: "Levanta-te!"

Sentei-me. A escuridão era total. Não podia distinguir o vulto de quem me havia despertado. Não podia recordar-me do momento em que caíra em transe nem do lugar em que então jazia; enquanto permanecia parado, ocupado em procurar coordenar o pensamento, a fria mão agarrou-me, feroz, pelo punho, sacudindo-o com aspereza, ao mesmo tempo que a voz inarticulada dizia novamente:

– Levanta-te! Não te ordenei que te levantasses?

– Quem és tu? – perguntei.

– Não tenho nome nas regiões onde habito – respondeu a voz, funebremente. – Eu era mortal, mas sou agora demônio. Eu era implacável, mas agora sou compassivo. Deves sentir que estou tremendo. Meus dentes matraqueiam enquanto falo, embora não seja por causa da frialdade da noite, da noite sem fim. Essa hediondez, porém, é insuportável. Como podes *tu* dormir tranquilo? Não posso repousar por causa do clamor dessas grandes agonias. Esse espetáculo é superior às minhas forças. Põe-te de pé! Sai comigo para a noite e deixa que eu te escancare os túmulos. Não é esta uma visão de horror? Contempla!

Olhei, e o vulto invisível que ainda me agarrava pelo punho fez com que se abrissem todos os túmulos da humanidade, e de cada um saiu o fraco palor fosfórico da podridão; e então eu pude ver, dentro dos mais absconsos recessos, pude ver os corpos amortalhados nos seus tristes e solenes sonos com o verme. Mas, ai!, os que dormiam verdadeiramente eram muitos milhões menos do que aqueles que não dormiam absolutamente; e debatiam-se, sem força; havia uma agitação geral e confrangedora; e das profundezas das covas incontáveis se elevava o ruído roçagante e melancólico das mortalhas dos sepultos. E entre aqueles que pareciam tranquilamente repousar vi que grande número havia mudado, em maior ou menor proporção, a rígida e incômoda posição em que tinham sido primitivamente enterrados. E a voz de novo me disse, enquanto eu contemplava:

– Não é isto, oh!, não é isto uma visão lastimável?

Mas antes que eu pudesse encontrar palavras para replicar, o vulto largou-me o punho, as luzes fosfóricas se extinguiram e as tumbas se fecharam com súbita violência, enquanto delas se erguia um tumulto de clamores desesperados; e ele disse de novo: "Não é isto, meu Deus!, não é isto uma visão lastimável?"

Fantasias como estas que se apresentavam à noite estendiam sua terrífica influência muito além de minhas horas de vigília. Meus nervos se relaxaram inteiramente e me tornei presa de perpétuo horror. Hesitava em cavalgar, em passear ou em praticar qualquer exercício que me afastasse de casa. Na realidade, não ousava mais afastar-me da imediata presença daqueles que sabiam de minha propensão à catalepsia, temendo que, ao cair num de meus costumeiros ataques, viesse a ser enterrado antes de que minha verdadeira condição fosse certificada. Duvidava do cuidado, da fidelidade de meus mais queridos amigos. Receava que, em algum transe de maior duração que o habitual, fossem eles induzidos a considerá-lo definitivo. Eu mesmo cheguei a ponto de temer que, por causar muito incômodo, ficassem eles satisfeitos em considerar qualquer ataque muito demorado como suficiente escusa para se verem livres de mim de uma vez por todas. Era em vão que eles procuravam tranquilizar-me com as mais solenes promessas. Exigi os mais sagrados juramentos de que em nenhuma circunstância eles me enterrariam sem que a decomposição estivesse materialmente adiantada, que se tornasse impossível qualquer ulterior preservação. E mesmo assim meus terrores mortais não queriam dar ouvidos à razão, não queriam aceitar consolo. Iniciei uma série de cuidadosas precauções. Entre outras coisas, mandei remodelar o jazigo da família, de modo a facilitar o ser prontamente aberto de dentro. A mais leve pressão sobre uma comprida manivela, que avançava bem dentro do túmulo, causaria a abertura dos portais de ferro. Havia também dispositivos para a livre admissão do ar e da luz e adequados recipientes para comida e água, dentro do imediato alcance do caixão preparado para receber-me. O caixão estava quente e maciamente acolchoado e provido de uma tampa construída de acordo com o sistema da porta do jazigo, com o acréscimo de molas tão engenhosas que o mais fraco movimento do corpo seria suficiente para abri-lo. Além de tudo isso, havia, suspenso do teto do túmulo, um grande sino, cuja corda, como determinei, deveria ser enfiada por um buraco do caixão e amarrada a uma das mãos do cadáver. Mas, ah!, de que vale a vigilância contra o Destino do homem? Nem mesmo aquelas tão engenhosas seguranças bastaram para salvar das extremas agonias de ser enterrado vivo um desgraçado condenado de antemão a essas mesmas agonias!

Chegou uma época – como muitas vezes havia chegado antes – em que me achei emergindo de total inconsciência para o início de um fraco e indefinido senso da existência. Vagarosamente, numa gradação tardígrada, aproximou-se a nevoenta madrugada do dia psicológico. Um torpor incômodo. Um sofrimento apático de obscura dor. Nenhuma atenção, nenhuma esperança, nenhum esforço. Em seguida, após longo intervalo, um zumbido nos ouvidos; depois disso, após um lapso de tempo ainda mais longo, uma comichão ou sensação de formigueiro nas extremidades; depois, um período aparentemente eterno de aprazível quietude, durante o qual os sentimentos despertos lutam dentro do pensamento; depois, um breve e novo mergulho no nada; depois, uma súbita revivescência. Afinal, o rápido tremer de uma pálpebra, e, imediatamente após, um choque elétrico de terror, mortal e indefinido, que arroja o sangue em torrentes das têmporas para o coração. E, agora, o primeiro positivo esforço para pensar. E, agora, a primeira tentativa de recordar. E, agora, um êxito parcial e evanescente. E, agora, a memória já recuperou de tal modo seu domínio que, até certa medida, estou consciente de meu estado. Sinto que não estou despertando de um sono comum. Lembro-me de que estive sujeito à catalepsia. E agora, afinal, como que inundado por um oceano, meu espírito trêmulo é dominado pelo Perigo horrendo, por aquela espectral e tirânica ideia fixa.

Permaneci imóvel alguns minutos, depois que essa imagem se apoderou de mim. E por quê? Eu não podia armar-me de coragem para mover-me. Não ousava fazer o esforço necessário para certificar-me de minha sorte, e, contudo, havia algo no meu coração que me sussurrava que ela era fatal. O desespero – como o de nenhuma outra desgraça que jamais salteou o ser humano –, só o desespero me impeliu, após longa irresolução, a erguer as pesadas pálpebras de meus olhos. Ergui-as. Estava escuro, totalmente escuro. Senti que o ataque tinha passado. Senti que a crise de minha doença há muito desaparecera. Senti que me achava agora, completamente, em pleno uso de minhas faculdades visuais. E, contudo, estava escuro, totalmente escuro, daquela escuridão intensa e extrema da Noite que dura para sempre.

Tentei gritar, e meus lábios e minha língua seca moveram-se convulsivamente, em comum tentativa, mas nenhuma voz saiu dos cavernosos pulmões, que, como oprimidos sob o peso de alguma esmagadora montanha, arfavam e palpitavam com o coração a cada trabalhosa e penosa respiração.

O movimento das mandíbulas, no esforço de gritar bem alto, mostrava-me que elas estavam amarradas, como se faz usualmente com os mortos. Senti também que jazia sobre alguma coisa sólida e que a mesma coisa também me comprimia estreitamente ambos os lados. Até então eu não me atrevera a mover qualquer dos membros; mas agora, violentamente, levantei os braços que tinham estado até então sobre o peito, com as mãos cruzadas. Eles bateram de encontro a uma madeira sólida, que se estendia sobre mim, a uma altura de não mais do que quinze centímetros de meu rosto. Não podia mais duvidar de que repousava dentro de um caixão.

E então, entre todas as minhas infinitas aflições, senti aproximar-se suavemente o anjo da Esperança, pois pensei nas precauções que havia tomado. Retorci-me e fiz esforços espasmódicos para abrir a tampa: não se movia. Tateei os punhos à procura da corda do sino: não foi encontrada. E então o anjo confortador voou para sempre e um desespero ainda mais agudo reinou triunfante, porque clara se tornava a ausência das almofadas que eu tinha tão cuidadosamente preparado, e depois, também, chegou-me subitamente às narinas o forte e característico odor da terra úmida. A conclusão era irresistível. Eu *não* estava dentro do jazigo. Fora vítima dum de meus ataques enquanto me achava fora de casa e então alguns estranhos, quando ou como não me podia recordar, me enterraram como a um cachorro, trancado dentro dum caixão comum e lançado no fundo, bem no fundo e para sempre, de alguma *cova* ordinária e sem nome.

Quando essa terrível convicção se fixou à força nos recessos mais íntimos de minha alma, esforcei-me mais uma vez por gritar bem alto. E essa segunda tentativa deu resultado. Um longo, selvagem e contínuo grito, ou bramido de agonia, ressoou através dos domínios da Noite subterrânea.

– Ei! Ei! Olha aqui! – respondeu uma voz grosseira.

– Que diabo é isso agora? – disse um segundo.

– Acabe com isso! – gritou um terceiro.

– Que pretende você berrando desse jeito, como um danado? – disse um quarto.

E nisto fui agarrado e sacudido sem cerimônia durante muitos minutos por uma turma de sujeitos mal-encarados. Não me despertaram de meu sono, porque eu estava bem desperto quando gritei, mas me fizeram recobrar a plena posse de minha memória.

Esta aventura ocorreu perto de Richmond, na Virgínia. Acompanhado por um amigo eu tinha avançado, seguindo uma expedição de caça, algumas milhas ao longo das margens do rio Jaime. A noite se aproximou e fomos surpreendidos por uma tempestade. O camarote duma pequena chalupa, ancorada no rio e carregada de terra pastosa para jardim, oferecia-se como o único abrigo disponível. Arranjamo--nos o melhor que pudemos para passar a noite a bordo. Adormeci em um dos dois únicos beliches da embarcação. Os beliches duma chalupa de sessenta ou setenta toneladas quase não precisam ser descritos. Aquele que eu ocupava não tinha colchão de espécie alguma. Sua largura extrema era de quarenta e cinco centímetros. A distância até o tombadilho, por cima da cabeça, era precisamente a mesma. Fora com excessiva dificuldade que me apertara dentro dele. Apesar de tudo, adormeci profundamente, e toda aquela minha visão, porque não era sonho, nem pesadelo, surgiu naturalmente das circunstâncias de minha posição, do meu habitual pensamento impressionado e da dificuldade, a que já aludi, de recuperar os sentidos e especialmente a memória durante muito tempo depois de despertar de um sono. Os homens que me sacudiram eram da tripulação da chalupa e alguns trabalhadores contratados para descarregá-la. Da própria carga é que provinha aquele cheiro de terra. A ligadura em torno de meus queixos era um lenço de seda em que havia enrolado minha cabeça, na falta de meu costumeiro barrete de dormir.

As torturas experimentadas, porém, eram, sem dúvida, completamente idênticas, no momento, às duma verdadeira sepultura. Eram pavorosas, eram inconcebivelmente hediondas. Mas do Mal se origina o Bem, porque aqueles paroxismos operaram inevitável revulsão no meu espírito. Minha alma adquiriu tonalidade, adquiriu têmpera. Viajei para o estrangeiro. Fiz vigorosos exercícios. Aspirei o ar livre do Céu. Pensei em outras coisas que não na Morte. Descartei-me de meus livros de medicina. Queimei Buchan.[39] Não li mais os *Pensamentos noturnos*, nem aranzéis a respeito de cemitérios, nem histórias de fantasmas *como esta*. Em resumo, tornei-me

39 Guilherme Buchan (1729-1805), médico escocês, autor duma muito conhecida e difundida Medicina doméstica *e de* Conservador das mães e das crianças. *(N.T.)*

um novo homem e vivi vida de homem. Desde aquela memorável noite afugentei para sempre minhas apreensões sepulcrais e com elas esvaneceu-se a doença cataléptica, da qual, talvez, tivessem sido menos a consequência que a causa.

Há momentos em que, mesmo aos olhos serenos da Razão, o mundo de nossa triste Humanidade pode assumir o aspecto de um inferno, mas a imaginação do homem não é Carathis para explorar impunemente todas as suas cavernas. Ah! A horrenda legião dos terrores sepulcrais não pode ser olhada de modo tão completamente fantástico, mas, como os Demônios em cuja companhia Afrasiab fez sua viagem até o Oxus, eles devem dormir ou nos devorarão, devem ser mergulhados no sono ou nós pereceremos.

O CAIXÃO QUADRANGULAR[40]

Há alguns anos, segui viagem de Charleston (Carolina do Sul) para a cidade de Nova York, no belo navio *Independência*, do capitão Hardy. Devíamos viajar no dia 15 do mês de junho, se o tempo permitisse; e, no dia 14, fui a bordo para arranjar algumas coisas em meu camarote.

Achei que íamos ter muitos passageiros, inclusive um número maior de senhoras do que o habitual. Da lista constavam muitos conhecidos meus, e, entre outros nomes, alegrei-me por ver o do sr. Cornélio Wyatt, jovem artista a quem dedicava eu cordial amizade. Fora meu companheiro de estudos na Universidade de C***, onde andávamos sempre juntos. Tinha ele o temperamento comum dos gênios, formando um conjunto de misantropia, sensibilidade e entusiasmo. A essas qualidades unia ele o coração mais ardente e mais franco que jamais bateu em peito humano.

---

40 *Publicado pela primeira vez no* Godey's Lady's Book, *setembro de 1844. Título original:* The Oblong Box.

Observei que seu nome estava afixado em *três* camarotes e, tendo novamente consultado a lista de passageiros, descobri que ele tinha tomado passagem para si mesmo, sua mulher e duas irmãs dele. Os camarotes eram suficientemente espaçosos, tendo cada um dois beliches, um por cima do outro. Esses beliches, para falar a verdade, eram tão excessivamente estreitos que neles não cabia mais de uma pessoa; contudo, eu não podia compreender por que havia *três* camarotes para aquelas quatro pessoas. Encontrava-me justamente naquela época em um daqueles fantásticos estados de espírito que tornam um homem anormalmente curioso em questão de ninharias; e confesso, envergonhado, que me preocupei com uma variedade de conjeturas indelicadas e absurdas a respeito dessa história de camarotes excedentes. Decerto, não era da minha conta; mas com pertinácia não pequena esforcei-me pela solução do enigma. Afinal cheguei a uma conclusão que me provocou grande espanto, por não tê-la descoberto antes: "É uma criada, sem dúvida. Que tolo fui, por não ter mais cedo pensado em tão evidente solução!" E novamente reparei na lista; mas ali vi distintamente que *nenhuma* criada acompanhava o grupo, embora, de fato, tivesse sido intenção original trazer uma, pois as palavras "e criada" tinham sido escritas a princípio e depois riscadas. "Oh! Muita bagagem, decerto", disse então para mim mesmo. "Algo que ele não deseja pôr no porão, algo que deve ficar sob suas vistas... Ah, achei! Uma pintura ou coisa semelhante... Deve ser isso o que ele andou trocando com o Nicolino, um judeu italiano." Essa ideia me satisfez e pus de parte minha curiosidade por essa vez.

Conhecia muito bem as duas irmãs de Wyatt, e que moças amáveis e inteligentes eram elas! Ele havia se casado recentemente, de modo que eu nunca vira sua mulher. Muitas vezes me falara a respeito dela, porém no seu habitual estilo entusiasmado. Descrevia-a como de uma beleza surpreendente, muito inteligente e prendada. Sentia-me, por isso, grandemente ansioso por conhecê-la.

No dia em que visitei o navio (dia 14), Wyatt e família ali estavam também para visitá-lo, assim me informou o capitão, e fiquei esperando a bordo, uma hora mais do que tinha pretendido, na expectativa de ser apresentado à jovem esposa, mas então recebi uma desculpa. "A sra. Wyatt estava um pouco indisposta e desistira de vir a bordo, o que só faria no dia seguinte, à hora da partida."

No dia seguinte, seguia eu do meu hotel para o cais, quando o capitão Hardy me encontrou e me disse que "devido às circunstâncias (frase estúpida, porém conveniente) achava ele que o *Independência* não viajaria antes de um dia ou dois e que, quando tudo estivesse pronto, ele me mandaria dizer". Achei aquilo estranho, porque soprava uma constante brisa do sul; mas como as "circunstâncias" não estivessem à vista, embora eu as sondasse com a maior perseverança, nada tinha a fazer senão voltar para casa e digerir minha impaciência à vontade.

Esperei quase uma semana pelo recado do capitão. Chegou porém, afinal, e segui imediatamente para bordo. O navio estava repleto de passageiros e tudo se achava em alvoroço à espera da partida. A família de Wyatt chegou quase dez minutos depois de mim. Eram as duas irmãs, a esposa e o artista – este, em um de seus habituais acessos de melancólica misantropia. Eu, porém, estava por demais habituado a eles para dar-lhes qualquer atenção especial. Ele nem mesmo me apresentou a sua mulher, cortesia deixada, por força, a cargo de sua irmã Mariana, moça muito delicada e inteligente, que em algumas palavras apressadas nos tornou conhecidos.

A sra. Wyatt usava um véu cerrado e, quando o ergueu para responder ao meu cumprimento, confesso que fiquei profundamente atônito. E muito mais teria eu ficado se uma longa experiência não me houvesse advertido a não acreditar, com confiança demasiado implícita, nas entusiásticas descrições de meu amigo artista, quando se comprazia em comentários a respeito da formosura das mulheres. Quando o tema era a beleza, bem sabia eu a facilidade com que ele remontava às regiões do puro ideal.

A verdade é que eu não podia deixar de olhar a sra. Wyatt como uma mulher decididamente nada bonita. Se não era positivamente feia, penso eu que não estava muito longe disso. Trajava, porém, com gosto esquisito, e então não tive dúvida de que ela dominara o coração de meu amigo pelas mais duradouras graças da inteligência da alma. Ela disse muito poucas palavras e dirigiu-se imediatamente para o seu camarote com o sr. Wyatt.

Minha velha curiosidade então voltou. Não havia criada, este era um ponto assente. Procurei, em consequência, a bagagem extraordinária. Depois de alguma demora, chegou uma carroça ao cais com um caixão quadrangular de pinho, que parecia ser a última coisa que se esperava. Imediatamente após sua chegada, partimos e dentro em pouco havíamos saído livremente da barra rumando para o mar.

O caixão em questão era, como eu disse, quadrangular. Tinha quase um metro e oitenta centímetros de comprimento por noventa de largura. Observei-o atentamente de modo a poder ser exato. Ora, aquele formato era *característico* e, logo que o vi, louvei-me pela precisão de minhas suposições. Eu chegara à conclusão, como se hão de lembrar, de que a bagagem excedente de meu amigo o artista deveria constar de pinturas, ou pelo menos de uma pintura, pois eu sabia que ele estivera durante várias semanas conferenciando com Nicolino. E agora ali estava um caixão que, dada sua forma, nada mais no mundo *podia* conter possivelmente senão uma cópia da *Última ceia* de Leonardo, e uma cópia dessa mesma *Última ceia* que Rubini, o moço, fizera em Florença e que desde algum tempo eu sabia estar em poder de Nicolino. Considerado, portanto, esse ponto como suficientemente assente, vangloriei-me bastante ao pensar em minha acuidade. Que eu soubesse, era a primeira vez que Wyatt me escondia algum de seus segredos artísticos; mas aí ele evidentemente pretendia lavrar um tento sobre mim e contrabandear para Nova York um belo quadro, sob meu nariz, esperando que eu nada soubesse a respeito. Resolvi lográ-lo *bem*, então, e para o futuro.

Uma coisa, contudo, me aborreceu bastante. O caixote não foi levado para o camarote excedente. Foi depositado no próprio camarote de Wyatt, e ali ficou, aliás, ocupando quase todo o soalho, sem dúvida com enorme desconforto para o artista e sua mulher; e isso mais especialmente porque o piche ou a tinta com que fora endereçado, em maiúsculas deitadas, emitia um odor forte, desagradável e, para minha imaginação, caracteristicamente repugnante. Na tampa estavam pintadas as palavras:

Senhora Adelaide Curtis, Albany, Nova York.
Aos cuidados do senhor Cornélio Wyatt.
Este lado para cima. Carregue-se com cuidado.

Agora sei que a sra. Adelaide Curtis era a mãe da mulher do artista, mas então tomei todo o endereço como uma mistificação preparada especialmente para mim. Convenci-me, sem dúvida, de que o caixão e seu conteúdo não iriam mais além do estúdio de meu misantrópico amigo, em Chambers Street, Nova York.

Durante os primeiros três ou quatro dias, tivemos bom tempo, embora o vento estivesse em calmaria pela frente – tendo mudado de direção para o norte logo depois que perdemos a costa de vista. Os passageiros se achavam, por consequência, em excelente disposição de espírito e de sociabilidade. Devo fazer exceção, porém, de Wyatt e de suas irmãs, que se conduziam secamente e, não podia eu deixar de pensar, descortesmente, para com os demais. Eu não me importava muito com a conduta de Wyatt. Estava sombrio, além do costume – de fato, estava taciturno –, mas eu já contava com a excentricidade dele. Quanto às irmãs, porém, não havia desculpa. Conservaram-se reclusas nos seus camarotes durante a maior parte da travessia e recusaram-se absolutamente, embora eu repetidas vezes instasse com elas, a manter comunicação com qualquer pessoa de bordo.

A própria sra. Wyatt era muito mais agradável. Isto é, era loquaz, e ser loquaz não é pequena recomendação para quem viaja. Tornou-se excessivamente íntima da maior parte das senhoras e, para intenso espanto meu, revelou inequívoca disposição de namorar os homens. Divertiu-nos bastante, a todos. Eu digo "divertiu-nos" e dificilmente sei como explicar-me. A verdade é que logo descobri que muito mais vezes riam *da* sra. Wyatt do que *com* ela. Os cavalheiros pouco falavam a seu respeito, mas as senhoras, em pouco tempo, acharam que ela era "uma criatura cordial, de aparência um tanto comum, totalmente ineducada e decididamente vulgar".

O que causava espanto era ter Wyatt caído em tal casamento. A solução geral era o dinheiro, mas isso sabia eu que não resolvia absolutamente nada, pois Wyatt me dissera que ela não lhe trouxera nem um dólar, nem esperava ele nenhum dinheiro de sua parte. Casara-se, falou-me, por amor e por amor somente; e sua esposa era mais do que digna de seu amor.

Quando pensava nessas expressões de parte de meu amigo confesso que me sentia indescritivelmente confuso. Seria possível que ele tivesse perdido o juízo? Que outra coisa poderia eu pensar? "Ele", tão refinado, tão intelectual, tão exigente, com tão rara percepção das coisas imperfeitas e tão profundo na apreciação da beleza! Para falar a verdade, a mulher parecia especialmente apaixonada por ele – isso, de modo particular, na sua ausência –, tornando-se ridícula pelas frequentes citações do que fora dito pelo seu "amado esposo, sr. Wyatt". A palavra "marido" parecia estar sempre – para usar uma de suas delicadas expressões – "na ponta de sua língua". Entrementes, todos a bordo observavam que ele a evitava da maneira mais saliente e na maior parte do tempo fechava-se sozinho no seu camarote, onde, de fato, podia dizer-se que vivia, deixando sua mulher em plena liberdade de divertir-se como achasse melhor na sociedade dos passageiros do salão principal.

Minha conclusão do que via e ouvia era que o artista, por algum imprevisto capricho da sorte ou talvez num arroubo de entusiástica e fantástica paixão, fora induzido a unir-se a uma pessoa inteiramente inferior a ele e que, como resultado natural, não tardara em sobrevir-lhe um desgosto completo. Eu o lamentava do íntimo do coração, mas não podia, por essa razão, perdoar-lhe inteiramente o sigilo a respeito da *Última ceia*. Por isso resolvi desforrar-me.

Um dia subiu ele ao tombadilho e, pegando-o pelo braço como fora sempre meu costume, fiquei a passear com ele para lá e para cá. Seu ar melancólico (que considerei perfeitamente natural nas circunstâncias do momento) parecia conservar-se sem diminuição. Falou pouco e, assim mesmo, tristemente e com evidente esforço. Aventurei um ou dois gracejos e ele esboçou uma amarela tentativa de sorriso. Pobre rapaz!... Quando pensava em "sua mulher", imaginava se ele teria coragem para até mesmo simular um pouco de contentamento. Por fim, aventurei uma investida direta. Decidi começar uma série de insinuações ocultas ou indiretas a respeito do caixão quadrangular, justamente para deixá-lo perceber, gradativamente, que eu não era totalmente o alvo ou a vítima de sua pontinha de divertida mistificação. Minha primeira observação foi como a exibição duma bateria mascarada. Disse alguma coisa a respeito da "forma característica *daquele* caixão" e, enquanto pronunciava as palavras, sorria intencionalmente, piscando os olhos e tocando-lhe de leve nas costelas com o indicador.

A maneira pela qual Wyatt recebeu minha inocente brincadeira convenceu-me imediatamente de que ele estava louco. A princípio olhou para mim como se achasse impossível compreender o chiste de minha observação; mas, à medida que sua intencionalidade parecia abrir lentamente caminho no seu cérebro, seus olhos pareciam querer saltar fora das órbitas. Depois ficou vermelhíssimo e horrivelmente pálido e, em seguida, como se intensamente divertido com o que eu tinha insinuado, desatou numa gargalhada enorme e desgovernada que, com grande espanto meu, ele manteve, com gradual e crescente vigor, durante dez minutos ou mais. Em conclusão, caiu pesadamente sobre o tombadilho. Quando corri para levantá-lo, tinha ele toda a aparência de estar *morto*.

Pedi socorro e, com bastante dificuldade, conseguimos fazê-lo voltar a si. Ao recobrar os sentidos pôs-se a falar incoerentemente durante algum tempo. Por fim, o sangramos e levamos para a cama. No dia seguinte estava completamente são no que se referia apenas à sua saúde física. Do espírito, porém, não digo nada, sem dúvida. Evitei-o durante o resto da travessia, a conselho do capitão, que parecia concordar totalmente comigo a respeito da insanidade de Wyatt, mas preveniu-me que não tocasse nesse assunto com pessoa alguma de bordo.

Circunstâncias várias ocorreram logo após aquele ataque de Wyatt, as quais contribuíram para aumentar a curiosidade de que já estava eu possuído. Entre outras coisas a seguinte: eu tinha estado nervoso, bebi muito chá-verde, forte, e à noite dormi mal; de fato, durante duas noites, não podia dizer propriamente que havia dormido. Ora, meu camarote abria-se para o salão principal ou sala de jantar, como todos os camarotes de solteiro. Os três cômodos de Wyatt achavam-se no compartimento de trás, que se separava do principal por uma pequena porta corrediça, jamais fechada, mesmo à noite. Como quase constantemente estivéssemos a favor do vento e a brisa não chegasse a ser violenta, o navio inclinava-se para sota-vento, mui consideravelmente; e quando seu lado de estibordo estava para sota--vento, a porta corrediça, entre os camarotes, abria-se e assim ficava, não se dando ninguém ao cuidado de levantar-se para fechá-la. Mas meu beliche se achava em tal posição que, quando a porta de meu camarote estava aberta ao mesmo tempo que a porta corrediça em questão (e minha porta ficava sempre aberta por causa do calor), podia eu avistar distintamente o interior do compartimento de trás, e justamente a parte dele onde se achavam situados os camarotes do sr. Wyatt. Pois bem, durante duas noites (não consecutivas), enquanto eu jazia acordado, claramente vi a sra. Wyatt, cerca das onze horas de cada noite, sair furtivamente do camarote do sr. Wyatt e entrar no camarote extra, onde permanecia até a madrugada, quando era chamada pelo marido e regressava. Era claro que eles estavam virtualmente separados. Tinham aposentos separados, sem dúvida na perspectiva de um divórcio mais permanente; e ali, afinal de contas, pensava eu, estava o mistério do camarote extra.

Havia outra circunstância também que me interessou bastante. Durante as duas noites de vigília em questão e imediatamente após o desaparecimento da sra. Wyatt no interior do camarote extra, fui atraído por certos rumores estranhos, cautelosos e sumidos, no de seu marido. Depois de ter ficado à escuta por algum tempo, com ansiosa atenção, consegui por fim apreender perfeitamente sua significação. Eram sons causados pelo artista, ao levantar a tampa do caixão quadrangular, por meio de um formão e macete, este último com a ponta aparentemente envolta ou amortecida por alguma substância de algodão ou de lã macia.

Dessa forma, imaginei que podia distinguir o momento preciso em que ele despregasse a tampa, bem como que podia determinar quando ele a abrisse completamente e quando a depositasse sobre o beliche inferior do seu camarote. Descobri este último ponto, por exemplo, por causa de certas pancadas leves que a tampa deu ao bater contra as extremidades de madeira do beliche, quando ele tentou depositá-la bem devagar, pois não havia lugar para ela no soalho. Depois disso, houve um silêncio mortal e nada mais eu ouvi, em qualquer outra ocasião, até quase o raiar do dia, a menos que deva talvez fazer menção de um leve soluço ou murmúrio, tão contido que quase se tornava inaudível, se é que na realidade esse último ruído não se tinha produzido apenas na minha imaginação. Digo que parecia ele *assemelhar-se* a um soluço ou suspiro, mas sem dúvida podia não ser uma coisa nem outra. Acho antes que foi um estalido nas minhas orelhas. O sr. Wyatt, sem dúvida, de acordo com o costume, estava simplesmente dando rédeas a uma de suas manias, comprazendo-se num de seus arroubos de entusiasmo artístico. Abrira o caixão quadrangular a fim de pastar os olhos no tesouro pictórico que ali se achava. Nada havia nisso, porém, que o fizesse *soluçar.* Repito, pois, que deve ter sido simplesmente um capricho de minha fantasia, destemperada pelo chá-verde do bom capitão Hardy. Precisamente antes do alvorecer, em cada uma das duas noites de que falo, ouvi de modo distinto o sr. Wyatt tornar a colocar a tampa sobre o caixão quadrangular e recolocar os pregos nos lugares por meio do macete empanado. Tendo feito isso, ele saiu de seu camarote, completamente vestido, e começou a chamar a sra. Wyatt no dela.

Havia sete dias que navegávamos e havíamos passado o cabo Hatteras, quando sobreveio um vendaval, tremendamente pesado, do sudoeste. Estávamos, de certo modo, preparados para ele, pois o tempo já se tinha mostrado ameaçador algumas vezes. Tudo tinha sido posto em ordem, em cima e embaixo, e quando o vento rapidamente refrescou colhemos as velas, afinal, ficando apenas com a mezena e a gávea do traquete, ambas em duplos rizes.

Nessa aparelhagem navegamos bem a salvo durante quarenta e oito horas, demonstrando o navio ser um excelente barco, a muitos respeitos, não fazendo água de modo sensível. Ao fim desse período, porém, as rajadas se tinham transformado em furacão e a nossa vela de popa foi rasgada, levando-nos tanto na cava da vaga que engolimos muitas ondas prodigiosas, uma imediatamente após outra. Com esse acidente perdemos três homens, arrebatados pela água, com a cozinha e quase todas as amuradas de bombordo. Mal tínhamos recuperado a calma, antes que a gávea do traquete se tivesse estraçalhado, quando içamos uma vela de estai, adequada ao tempo, e com isso conseguimos manter-nos muito bem, durante algumas horas, afrontando o mar muito mais depressa do que antes.

O temporal, contudo, ainda continuava e não víamos sinais de que amainasse. Verificou-se que o velame estava mal mareado e grandemente esticado; e no terceiro dia do vendaval, cerca das cinco horas da tarde, nosso mastro de mezena, numa pesada guinada para barlavento, caiu. Durante uma hora ou mais, tentamos, em vão, desembaraçar-nos dele, por causa do fantástico jogo do navio; e, antes de o havermos conseguido, o carpinteiro veio acima e anunciou que havia mais de um metro de água no porão. Para aumento de nosso problema, verificamos que as bombas estavam entupidas e quase imprestáveis.

Tudo agora era confusão e desespero, mas um esforço foi feito para aliviar o navio, lançando ao mar tudo quanto se pôde encontrar de sua carga e cortando os dois mastros restantes. Conseguimos afinal fazer tudo isso, mas achávamo-nos ainda impossibilitados de utilizar as bombas e entrementes a entrada de água aumentava muito depressa.

Ao pôr do sol a tempestade tinha sensivelmente diminuído de violência e, como o mar foi serenando, nós ainda entretivemos fracas esperanças de salvar-nos nos escaleres. Às oito da noite as nuvens se abriram a barlavento e tivemos a vantagem de uma lua cheia, dom da fortuna, que serviu maravilhosamente para soerguer o nosso espírito abatido.

Depois de incrível trabalho conseguimos por fim lançar o escaler, sem acidente material, e dentro dele se amontoaram toda a tripulação e a maior parte dos passageiros. Esse grupo afastou-se imediatamente e, depois de suportar muitos sofrimentos, chegou afinal, a salvo, à baía de Ocracocke, no terceiro dia após o desastre.

Catorze passageiros, com o capitão, ficaram a bordo, resolvendo confiar sua sorte ao escaler da popa. Nós o arriamos sem dificuldade, embora só por milagre evitássemos que mergulhasse ao tocar a água. Levava, quando posto a flutuar, o capitão e sua mulher, o sr. Wyatt e família, um oficial mexicano com mulher e quatro filhos, e eu mesmo com um criado negro.

Não tínhamos lugar, sem dúvida, para qualquer outra coisa, à exceção de poucos instrumentos, positivamente necessários, algumas provisões e as roupas que usávamos. Ninguém tivera a ideia de nem mesmo tentar salvar alguma outra coisa mais. Qual não foi, porém, o espanto de todos, quando, tendo-nos afastado alguns metros do navio, o sr. Wyatt, de pé na escota de popa, friamente pediu ao capitão Hardy que fizesse voltar o escaler para ir buscar seu caixão quadrangular.

– Sente-se, sr. Wyatt – replicou o capitão, um tanto severamente. – O senhor nos fará ir ao fundo se não se conservar completamente quieto. Nossa amurada está quase dentro da água agora.

– O caixão! – vociferou o sr. Wyatt, ainda de pé. – O caixão, digo eu! Capitão Hardy, o senhor não pode, o senhor não poderá recusar-se. Seu peso será uma ninharia... É nada, simplesmente nada. Pela mãe que o deu à luz, pelo amor de Deus, pela esperança de sua salvação... imploro-lhe que volte para buscar o caixão!

O capitão, por um instante, pareceu comovido pelo fervoroso apelo do artista, mas recuperou sua atitude grave e disse simplesmente:

– Sr. Wyatt, o senhor está louco. Não posso dar-lhe ouvidos. Sente-se, digo-lhe, ou fará virar o bote! Fique aí... Agarrem-no! Segurem-no! Ele vai cair ao mar... Pronto! Já sabia... caiu!

Enquanto o capitão dizia isso, o sr. Wyatt, efetivamente, pulou fora do bote e, como estivéssemos ainda a sota-vento do navio naufragado, conseguiu, quase que graças a um esforço sobre-humano, agarrar uma corda que pendia das correntes da proa. No instante imediato achava-se ele a bordo correndo freneticamente para o camarote.

Entrementes tínhamos sido arrastados para a popa do navio e, estando completamente fora de seu sota-vento, ficamos à mercê das tremendas ondas que ainda rolavam. Fizemos decidido esforço para voltar, mas nosso pequeno barco era como uma pena ao sopro da tempestade. Vimos, num relance, que a sentença do desventurado artista fora lavrada.

À medida que nossa distância do navio naufragado aumentava, o louco (pois como tal somente o poderíamos olhar) era visto saindo da escada do tombadilho, arrastando, à custa de um esforço que parecia verdadeiramente gigantesco, o caixão quadrangular. Enquanto olhávamos no auge do espanto, ele passou rapidamente várias voltas de uma corda de sete centímetros, primeiro em torno do caixão e depois em torno de seu corpo. Logo depois, corpo e caixão caíram ao mar, desaparecendo subitamente, imediatamente e para sempre.

Retardamos por um momento, com tristeza, nossas remadas, com os olhos fixos naquele ponto. Afinal, afastamo-nos. Mantivemo-nos em silêncio, durante uma hora. Por fim, aventurei uma observação.

– Reparou, capitão, como eles afundaram repentinamente? Não foi isso uma coisa muito singular? Confesso que entretive certa fraca esperança de sua salvação final, quando o vi amarrar-se ao caixão e lançar-se ao mar.

– Era natural que afundassem – replicou o capitão –, e sem demora. Em breve, porém, subirão à tona de novo, *quando o sal se derreter.*

– O sal! – exclamei.

– Psiu! – disse o capitão, apontando para a mulher e as irmãs do morto. – Falaremos a esse respeito em ocasião mais oportuna.

Sofremos muito e escapamos por um triz, mas a sorte protegeu-nos bem como aos nossos companheiros do outro escaler. Chegamos a terra, afinal, mais mortos do que vivos, depois de quatro dias de intensa angústia, na praia fronteira à ilha de Roanoke. Permanecemos ali uma semana, não fomos maltratados pelos aproveitadores de naufrágios e, por fim, obtivemos passagem para Nova York.

Cerca de um mês depois da perda do *Independência*, encontrei o capitão Hardy na Broadway. Nossa conversa dirigiu-se naturalmente para o desastre e, de modo especial, para a triste sorte do pobre Wyatt. Foi assim que vim a conhecer os seguintes pormenores:

O artista havia comprado passagem para si mesmo, sua mulher, duas irmãs e uma criada. Sua esposa era, realmente, como ele a descrevera, a mais amável e mais perfeita mulher. Na manhã do dia 14 de junho (dia em que visitei pela primeira vez o navio), a mulher subitamente adoeceu e morreu. O jovem marido ficou louco de dor, mas circunstâncias imperiosas o impediam de adiar sua viagem para Nova York. Era preciso levar para sua sogra o cadáver de sua adorada esposa, e, por outro lado, o universal preconceito que o proibia de fazê-lo tão abertamente era bem conhecido. Nove décimos dos passageiros teriam abandonado o navio, de preferência a seguir viagem com um cadáver.

Nesse dilema, o capitão Hardy resolveu que o corpo, depois de parcialmente embalsamado e coberto de grande quantidade de sal, fosse colocado num caixão de dimensões adequadas e transportado para bordo como mercadoria. Nada deveria ser dito a respeito da morte da senhora; e, como era bem sabido que o sr. Wyatt tinha tomado passagem para sua mulher, tornou-se necessário que alguém a substituísse durante a viagem. A criada da morta prestou-se facilmente a fazê-lo. O camarote extra, primitivamente tomado para essa moça, enquanto vivia sua patroa, foi então simplesmente conservado. Naquele camarote, dormia todas as noites, é evidente, a pseudoesposa. Durante o dia representava ela, o melhor que podia, o papel de sua patroa, que – como fora cuidadosamente apurado – era desconhecida de qualquer dos passageiros de bordo.

Meu próprio engano surgiu, bastante naturalmente, do meu temperamento por demais leviano, demasiado curioso e demasiado impulsivo. Mas, nestes últimos tempos, é raro que eu durma profundamente à noite. Há um rosto que me assombra, por mais que me vire na cama. Há uma risada histérica que para sempre ecoará nos meus ouvidos.

O DEMÔNIO DA PERVERSIDADE[41]

Ao examinar as faculdades e os impulsos dos móveis primordiais da alma humana, deixaram os frenólogos de mencionar uma tendência que, embora claramente existente como um sentimento radical, primitivo, irredutível, tem sido igualmente desdenhada por todos os moralistas que os precederam. Por pura arrogância da razão, todos nós a temos desdenhado. Temos tolerado que sua existência escape aos nossos sentidos unicamente por falta de crença, de fé, quer seja fé na Revelação, quer seja fé na Cabala. A ideia dessa tendência nunca nos ocorreu simplesmente por causa de sua superfluidade. Não víamos *necessidade* do impulso nem da propensão. Não podíamos perceber-lhe a necessidade. Não podíamos compreender, isto é, não podíamos ter compreendido, dado o caso de ter-se este *primum mobile* introduzido à força, não podíamos ter compreendido

41 *Publicado pela primeira vez na* Graham's Lady's and Gentleman's Magazine, *julho de 1845. Título original:* The Imp of the Perverse.

de que maneira poderia ele promover os objetivos da humanidade, quer temporais, quer eternos.

Não se pode negar que a frenologia e boa parte de todas as ciências metafísicas tenham sido planejadas *a priori*. O intelectual ou homem lógico, ainda mais que o homem compreensivo ou observador, se põe a imaginar projetos, a ditar objetivos a Deus. Tendo assim sondado, a seu bel-prazer, as intenções de Jeová, edifica, de acordo com essas intenções, seus inumeráveis sistemas de pensamento. Na questão da frenologia, por exemplo, primeiro determinamos, o que é bastante natural, que fazia parte dos desígnios da Divindade que o homem comesse. Então atribuímos ao homem um órgão de alimentação e este órgão é o chicote com que a Divindade compele o homem a comer, quer queira, quer não. Em segundo lugar, tendo estabelecido que foi vontade de Deus que o homem continuasse a espécie, descobrimos imediatamente um órgão de amatividade. E assim por diante, com a combatividade, a idealidade, a casualidade, a construtividade, e assim, em suma, com todos os órgãos, quer representem uma propensão, um sentimento moral ou uma faculdade do intelecto puro. E nessas disposições dos *princípios* da ação humana, os Spurzheimitas, com razão ou não, em parte ou no todo, não fizeram mais que seguir, em princípio, as pegadas de seus predecessores, deduzindo ou estabelecendo cada coisa em virtude do destino preconcebido do homem e baseada nos objetivos de seu Criador.

Teria sido mais acertado, teria sido mais seguro, classificar (se podemos classificar) sobre a base daquilo que o homem, usual ou ocasionalmente, fez e estava sempre ocasionalmente fazendo do que sobre a base daquilo que supomos que a Divindade tencionava que ele fizesse. Se não podemos compreender Deus nas suas obras visíveis, como então compreendê-lo nos seus inconcebíveis pensamentos que dão vida às suas obras? Se não podemos compreendê-lo nas suas criaturas objetivas, como compreendê-lo então nas suas disposições de ânimo substantivas e nas suas fases de criação?

A indução *a posteriori* teria levado a frenologia a admitir, como um princípio inato e primitivo da ação humana, algo de paradoxal que podemos chamar de *perversidade*, na falta de termo mais característico. No sentido que deu é, de fato, um *mobile* sem motivo, um motivo não *motivirt*. Sob sua influência agimos sem objetivo compreensível, ou, se isso for entendido como uma contradição nos termos, podemos modificar a tal ponto a proposição que digamos que sob sua influência nós agimos pelo motivo de *não* devermos agir.

Em teoria, nenhuma razão pode ser mais desarrazoada; mas, de fato, nenhuma há mais forte. Para certos espíritos, sob determinadas condições, torna-se absolutamente irresistível. Tenho menos certeza de que respiro do que a de ser muitas vezes o engano ou o erro de qualquer ação a *força* inconquistável que nos empurra, e a única que nos impele a continuá-lo. E não admitirá análise ou resolução em elementos ulteriores essa tendência de praticar o mal pelo mal. É um impulso radical, primitivo, elementar. Dir-se-á, estou certo, que, quando nós persistimos em atos porque sentimos que não deveríamos persistir neles, nossa conduta é apenas uma modificação daquela que ordinariamente se origina da *combatividade* da frenologia. Mas um simples olhar nos mostrará a falácia dessa ideia. A combatividade frenológica tem por essência a necessidade de autodefesa. É nossa salvaguarda contra a ofensa. Seu princípio diz respeito ao nosso bem-estar e dessa forma o desejo desse bem-estar é excitado, simultaneamente, com seu desenvolvimento. Segue-se que o desejo do bem-estar deve ser excitado, simultaneamente, com qualquer princípio que seja simplesmente uma modificação da combatividade, mas, no caso daquilo que denominei de *perversidade*, não somente o desejo de bem-estar não é excitado, mas existe um forte sentimento antagônico.

Afinal, um apelo ao próprio coração será a melhor resposta ao sofisma que acabamos de observar. Ninguém que confiantemente consulte e amplamente interrogue sua própria alma sentir-se-á disposto a negar a completa radicabilidade da tendência em questão. Essa tendência não é menos característica que incompreensível. Não há homem que, em algum momento, não tenha sido atormentado, por exemplo, por um agudo desejo de torturar um ouvinte por meio de circunlóquios. Sabe que desagrada. Tem toda a intenção de desagradar. Em geral é conciso, preciso e claro. Luta em sua língua por expressar-se a mais lacônica e luminosa linguagem. Só com dificuldade consegue evitar que ela desborde. Teme e conjura a cólera daquele a quem se dirige. Contudo, assalta-o o pensamento de que essa cólera pode ser produzida por meio de certas tricas e parêntesis. Basta esta ideia. O impulso converte-se em desejo, o desejo em vontade, a vontade numa ânsia incontrolável, e a ânsia (para profundo remorso e mortificação de quem fala e num desafio a todas as consequências) é satisfeita.

Temos diante de nós uma tarefa que deve ser rapidamente executada. Sabemos que retardá-la será ruinoso. A mais importante crise de nossa vida requer, imperiosamente, energia imediata e ação. Inflamamo-nos, consumimo-nos na avidez de começar o trabalho, abrasando-se toda a nossa alma na antecipação de seu glorioso resultado. É forçoso, é urgente que ele seja executado hoje e contudo adiamo-lo para amanhã. Por que isso? Não há resposta, senão a de que sentimos a *perversidade* do ato, usando o termo sem compreender-lhe o princípio. Chega o dia seguinte e com ele mais impaciente ansiedade de cumprir nosso dever, mas com todo esse aumento de ansiedade chega também um indefinível e positivamente terrível, embora insondável, anseio extremo de adiamento. E quanto mais o tempo foge, mais força vai tomando esse anseio. A última hora para agir está iminente. Trememos à violência do conflito que se trava dentro de nós, entre o definido e o indefinido, entre a substância e a sombra. Mas, se a contenda se prolonga a este ponto, é a sombra quem prevalece. Foi vã a nossa luta. O relógio bate e é o dobre de finados de nossa felicidade. Ao mesmo tempo é a clarinada matinal para o fantasma que por tanto tempo nos intimidou. Ele voa. Desaparece. Estamos livres. Volta a antiga energia. Trabalharemos *agora.* Ai de nós porém, é *tarde demais*!

Estamos à borda dum precipício. Perscrutamos o abismo e nos vêm a náusea e a vertigem. Nosso primeiro impulso é fugir ao perigo. Inexplicavelmente, porém, ficamos. Pouco a pouco, a nossa náusea, a nossa vertigem, o nosso horror confundem-se numa nuvem de sensações indefiníveis. Gradativamente, e de maneira mais imperceptível, essa nuvem toma forma, como a fumaça da garrafa donde surgiu o gênio nas *Mil e uma noites*. Mas, fora dessa *nossa* nuvem à borda do precipício, uma forma se torna palpável, bem mais terrível que qualquer gênio ou qualquer demônio de fábulas. Contudo não é senão um pensamento, embora terrível, e um pensamento que nos gela até a medula dos ossos com a feroz volúpia do seu horror. É, simplesmente, a ideia do que seriam nossas sensações durante o mergulho precipitado duma queda de tal altura.

E essa queda, esse aniquilamento vertiginoso, por isso mesmo que envolve essa mais espantosa e mais repugnante de todas as espantosas e repugnantes imagens de morte e de sofrimento que jamais se apresentaram à nossa imaginação, faz com que mais vivamente a desejemos. E porque nossa razão nos desvia violentamente da borda do precipício, *por isso mesmo* mais impetuosamente nos aproximamos dela. Não há na natureza paixão mais diabolicamente impaciente como a daquele que, tremendo à beira dum precipício, pensa dessa forma em nele se lançar. Deter-se, um instante que seja, em qualquer concessão a essa ideia é estar inevitavelmente perdido, pois a reflexão nos ordena que fujamos sem demora e, *portanto*, digo-o, é isso mesmo que *não podemos fazer*. Se não houver um braço amigo que nos detenha, ou se não conseguirmos, com súbito esforço, recuar da beira do abismo, nele nos atiraremos e destruídos estaremos.

Examinando ações semelhantes, como fazemos, descobriremos que elas resultam tão somente do espírito de *Perversidade*. Nós as cometemos porque sentimos que *não* deveríamos fazê-lo. Além, ou por trás disso, não há princípio inteligível, e nós podíamos, de fato, supor que essa perversidade é uma direta instigação do demônio se não soubéssemos, realmente, que esse princípio opera em apoio do bem.

Se tanto me demorei neste assunto foi para responder à pergunta do leitor, para poder explicar o motivo de minha estada aqui, para poder expor algo que terá, pelo menos, o apagado aspecto duma causa que explique por que tenho estes grilhões e por que habito esta cela de condenado. Não me tivesse mostrado prolixo, talvez não me houvésseis compreendido de todo, ou, como a gentalha, me houvésseis julgado louco. Dessa forma, facilmente percebereis que sou uma das incontáveis vítimas do Demônio da Perversidade.

Nenhuma outra proeza jamais foi levada a cabo com mais perfeita deliberação. Durante semanas, durante meses, ponderei todos os meios do assassínio. Rejeitei milhares de planos porque sua realização implicava uma *possibilidade* de descoberta. Por fim, lendo algumas memórias francesas, encontrei a narrativa de uma doença quase fatal que atacou Madame Pilau em consequência duma vela acidentalmente envenenada. A ideia feriu-me a imaginação imediatamente. Sabia que minha vítima tinha o hábito de ler na cama. Sabia, também, que seu quarto de dormir era estreito e mal ventilado. Mas não é preciso fatigar-vos com pormenores impertinentes. Não preciso descrever-vos os artifícios fáceis por meio dos quais substituí, no castiçal de seu dormitório, por uma vela, por mim mesmo fabricada, a que ali encontrei. Na manhã seguinte, encontraram-no morto na cama e o veredicto do médico-legista foi: "Morte por visita de Deus."[42]

Tendo-lhe herdado os bens, tudo correu a contento para mim durante anos. A ideia de ser descoberto jamais penetrou-me no cérebro. Eu mesmo cuidadosamente dispusera dos restos da vela mortal. Não deixara nem sombra de indício pelo qual fosse possível provar-se ou mesmo suspeitar-se de ter sido eu o criminoso. É impossível conceber-se o sentimento de absoluta satisfação que no meu íntimo despertava a certeza de minha completa segurança. Durante longo período de tempo habituei-me à deleitação desse sentimento. Proporcionava-me muito mais deleite que todas as vantagens puramente materiais que me advieram do crime. Mas chegou por fim uma época na qual a sensação de prazer se transformou, por meio de gradações quase imperceptíveis, numa ideia obcecante e perseguidora. Perseguia porque obcecava. Dificilmente conseguia libertar-me dela por um instante sequer. É coisa bem

---

42 Death Visitation of God *é a expressão com que os médicos-legistas ingleses indicam, nos atestados de óbito, a morte natural. (N.T.)*

comum termos assim os ouvidos, ou antes a memória, assediados pela insistência do som de alguma cantiga vulgar ou de trechos inexpressivos de ópera. Não menos atormentados seremos se a cantiga é boa por si mesma ou se tem mérito a ária de ópera. Dessa forma, afinal, surpreendia-me quase sempre a refletir na minha segurança e a repetir, em voz baixa, a frase: "Estou salvo!"

Um dia, enquanto vagueava pelas ruas, contive-me no ato de murmurar, meio alto, essas sílabas habituais. Num acesso de audácia repeti-as desta outra forma: "Estou salvo... estou salvo, sim... contanto que não faça a tolice de confessá-lo abertamente!"

Logo que pronunciei essas palavras, senti um arrepio enregelar-me o coração. Já conhecia aqueles acessos de perversidade (cuja natureza tive dificuldade em explicar) e lembrava-me bem de que em nenhuma ocasião me fora possível resistir a eles com êxito. E agora minha própria e casual autossugestão de que poderia ser bastante tolo para confessar o assassínio de que me tornara culpado me enfrentava como se fosse o autêntico fantasma daquele a quem eu havia assassinado a acenar-me com a morte.

A princípio fiz um esforço para afastar da alma semelhante pesadelo. Caminhei mais apressadamente, mais depressa ainda... pus-me por fim a correr. Sentia um desejo enlouquecedor de gritar bem alto. Cada onda sucessiva de pensamento me acabrunhava com novos terrores, porque, ai!, eu bem compreendia, muito bem mesmo, que, na minha situação, *pensar* era estar perdido. Acelerei ainda mais minha carreira. Saltava como um louco pelas ruas cheias de gente. Por fim a populaça alvoroçou-se e pôs-se a perseguir-me. Senti *então* que minha sorte estava consumada. Se tivesse podido arrancar minha língua, tê-lo-ia feito, mas uma voz rude ressoou em meus ouvidos e uma mão ainda mais rude agarrou-me pelo ombro. Voltei-me, resfolegante. Durante um momento senti todos os transes da sufocação. Tornei-me cego, surdo e atordoado; depois creio que algum demônio invisível bateu-me nas costas com a larga palma da mão. O segredo há tanto tempo retido irrompeu de minha alma.

Dizem que me exprimi com perfeita clareza, embora com assinalada ênfase e apaixonada precipitação, como se temesse uma interrupção antes de concluir as frases breves, mas refertas de importância, que me entregavam ao carrasco e ao inferno.

Tendo relatado tudo quanto era preciso para a plena prova judicial, desmaiei. Que me resta a dizer? Hoje suporto estas cadeias e estou *aqui*! Amanhã estarei livre de ferros! *Mas onde?*

REVELAÇÃO MESMERIANA[43]

Embora ainda se possa cercar de dúvida a *análise racional* do magnetismo, seus espantosos *resultados* são agora quase universalmente admitidos. E os que, dentre todos, duvidam são simples descrentes profissionais, casta inútil e desacreditada. Não pode haver mais completa perda de tempo que a tentativa de *provar*, nos dias atuais, que o homem, pelo mero exercício da vontade, pode impressionar seu semelhante a ponto de conduzi-lo a uma condição anormal cujos fenômenos muito estreitamente se assemelham aos da *morte*, ou pelo menos se assemelham mais a eles do que os fenômenos de qualquer outra condição

43 *Publicado pela primeira vez na* Columbian Lady's and Gentleman's Magazine, *agosto de 1844. Título original:* Mesmeric Revelation.

Relativo ao "mesmerismo", doutrina do médico alemão Franz Anton Mesmer (1734-1815). Ele julgava haver descoberto no magnetismo animal a terapêutica para todas as doenças, e, sobre sua pretendida descoberta, escreveu vários livros. (N.T.)

normal de que tenhamos conhecimento; provar que, enquanto em tal estado, a pessoa assim impressionada só emprega com esforço, e mesmo assim fracamente, os órgãos externos dos sentidos, embora perceba, com percepção agudamente refinada e através de canais supostamente desconhecidos, questões além do alcance dos órgãos físicos; provar que, além disso, suas faculdades intelectuais são maravilhosamente intensificadas e revigoradas; provar que suas simpatias para com a pessoa que assim age sobre ela são profundas; e, finalmente, provar que sua suscetibilidade à ação magnética aumenta com a frequência desta, ao mesmo tempo que, em idêntica proporção, os fenômenos característicos obtidos se tornam mais extensos e mais *pronunciados.*

Digo que seria superfluidade demonstrar tais coisas – que são as leis do magnetismo em seu aspecto geral. E não irei infligir hoje a meus leitores tão desnecessária demonstração. Sou impelido, arrostando mesmo todo um mundo de preconceitos, a pormenorizar, sem comentários, a notabilíssima essência de um colóquio ocorrido entre mim e um magnetizado.

Por muito tempo eu me acostumara a magnetizar a pessoa em apreço (o sr. Vankirk) e sobrevieram a suscetibilidade aguda e a intensidade da percepção magnética, como de hábito. Durante numerosos meses viera sofrendo de tísica bem caracterizada, de cujos efeitos mais angustiantes fora aliviado graças a minhas manipulações; e, na noite de quarta-feira, quinze do corrente, fui chamado à sua cabeceira.

O enfermo sofria aguda dor na região do coração e respirava com grande dificuldade, tendo todos os sintomas comuns da asma. Em espasmos semelhantes achara sempre alívio com a aplicação de mostarda nos centros nervosos, mas naquela noite isso tinha sido tentado em vão.

Ao entrar em seu quarto o doente saudou-me com carinhoso sorriso e, embora evidentemente sofresse grandes dores corporais, parecia estar mentalmente sem qualquer perturbação.

– Mandei chamá-lo hoje – disse-me – não tanto para dar-me um alívio ao corpo, como para satisfazer-me relativamente a certas impressões psíquicas que, nos últimos tempos, causaram-me grande ansiedade e surpresa. Não preciso dizer-lhe quanto sou cético a respeito da imortalidade da alma. Não posso negar que sempre existiu nessa própria alma, que andei negando, um como que vago sentimento de sua realidade. Mas esse indeciso sentimento em tempo algum se ampliou à convicção. Nada havia de comum entre minha razão e ele. Todas as tentativas de uma análise lógica resultaram, na verdade, em deixar-me mais cético do que antes. Aconselharam-me a estudar Cousin. Estudei-o em suas próprias obras, bem como nas de seus ecos europeus e americanos. Esteve em minhas mãos, por exemplo, o *Charles Elwood* do sr. Browson. Li-o com profunda atenção. Achei-o inteiramente lógico; apenas as partes que não eram *simplesmente* lógicas eram, infelizmente, os argumentos iniciais do incrédulo herói do livro. Em seu resumo pareceu-me evidente que o raciocinador não tivera êxito sequer em convencer a si mesmo. Seu fim claramente esquecera o início, como o governo de Trínculo. Em suma, não tardei em perceber que, se um homem deve ser intelectualmente convencido da própria imortalidade, nunca será convencido pela mera abstração que por tanto tempo foi moda entre os moralistas da Inglaterra, da França e da Alemanha. As abstrações podem divertir a mente e exercitá-la, mas não tomam posse dela. Neste mundo terreno pelo menos, a filosofia, estou persuadido, apelará sempre em vão para que contemplemos as qualidades como coisas. A vontade pode concordar; a alma, o intelecto, nunca.

Repito, pois, que só senti um tanto, e nunca acreditei intelectualmente. Mas, há pouco, houve certo aguçamento dessa sensação até a ponto de quase parecer a aquiescência da razão, tanto que eu achava difícil distinguir entre ambos. Creio-me, pois, capaz de atribuir esse efeito à influência magnética. Não posso explicar melhor o que penso senão pela hipótese de que a intensificação magnética me capacita a perceber um encadeamento de raciocínios que, em minha existência anormal, me convence, mas que, em plena concordância com o fenômeno magnético, não se estende, a não ser por meio de seu *efeito*, à minha condição normal. Estando magnetizado, o raciocínio e sua conclusão, a causa e seu efeito, estão juntamente presentes. No meu estado natural, desaparecendo a causa, só o efeito permanece, e talvez só parcialmente.

Tais considerações levaram-me a pensar que certos bons resultados podem ser a consequência de uma série de bem orientadas perguntas, a mim propostas enquanto magnetizado. Muitas vezes você observou o profundo autoconhecimento demonstrado pelo magnetizado, a extensa consciência que ele tem de todos os pontos relativos à condição magnética em si; ora, desse autoconhecimento podem ser deduzidas ideias suficientes para a organização adequada de um ceticismo.

Consenti, naturalmente, em fazer tal experiência. Poucos passes levaram o sr. Vankirk ao sono mesmérico. Sua respiração tornou-se imediatamente mais fácil e ele pareceu não sofrer qualquer incômodo físico. Seguiu-se, então, a conversação abaixo (V., no diálogo, representa o paciente, e P. representa minha pessoa):

P. – Está dormindo?

V. – Sim... não; preferiria dormir mais profundamente.

P. – (*Depois de poucos passes mais.*) Está dormindo agora?

V. – Sim.

P. – Como pensa que terminará sua enfermidade atual?

V. – (*Depois de longa hesitação e falando como que com esforço.*) Vou morrer.

P. – A ideia de morte o aflige?

V. – (*Muito rapidamente.*) Não.

P. – Agrada-lhe essa perspectiva?

V. – Se eu estivesse acordado gostaria de morrer, mas agora isso não importa. A condição magnética está bastante perto da morte para me satisfazer.

P. – Desejaria que se explicasse, sr. Vankirk.

V. – Desejo fazê-lo, mas isso requer esforço maior do que aquele de que sou capaz. O senhor não interrogou adequadamente.

P. – Que perguntarei então?

V. – Deve começar pelo começo.

P. – O começo? Mas onde é o começo?

V. – O começo, como sabe, é Deus. (*Isto foi dito num tom de voz baixo, flutuante, e com todos os sinais da mais profunda veneração.*)

P. – Que é Deus, então?

V. – (*Hesitando por alguns minutos.*) Não posso dizer.

P. – Deus não é espírito?

V. – Enquanto estava desperto, eu sabia o que queria dizer você com a palavra "espírito", mas agora parece-me apenas uma palavra tal, por exemplo, como verdade, beleza; quero dizer, uma qualidade.

P. – Não é Deus imaterial?

V. – Não há imaterialidade; é uma simples palavra. O que não é matéria não é absolutamente, a menos que as qualidades sejam coisas.

P. – Deus, então, é material?

V. – Não. (*Esta resposta me espantou bastante.*)

P. – Então que é ele?

V. – (*Depois de longa pausa, murmurando.*) Vejo... mas é uma coisa difícil de dizer. (*Outra pausa longa.*) Ele não é espírito, porque existe. Nem é matéria, *tal como você entende*. Mas há *gradações* da matéria de que o homem não conhece nada, a mais densa impelindo a mais sutil, a mais sutil invadindo a mais densa. A atmosfera, por exemplo, movimenta o princípio elétrico, ao passo que o princípio elétrico penetra a atmosfera. Essas gradações da matéria aumentam em raridade ou sutileza até chegarmos a uma matéria *imparticulada* – sem *partículas* –, indivisível – *una* –, e aqui a lei de impulsão e de penetração é modificada. A matéria suprema ou não particulada não somente penetra todas as coisas, mas movimenta todas as coisas, e assim *é* todas as coisas em si mesma. Essa matéria é Deus. Aquilo que os homens tentam personificar na palavra "pensamento" é essa matéria em movimento.

P. – Os metafísicos sustentam que toda ação é redutível a movimento e pensamento, e que este é a origem daquele.

V. – Sim. E agora vejo a confusão de ideias. O movimento é a ação do *espírito* e não do *pensamento*. A matéria imparticulada ou Deus, em estado de repouso (tanto quanto podemos concebê-lo), é o que os homens chamam espírito. E o poder do automovimento (equivalente com efeito à volição humana) é, na matéria imparticulada, o resultado de sua unidade e de sua onipotência; *como*, não sei, e agora vejo claramente que jamais o saberei. Mas a matéria imparticulada, posta em movimento por uma lei ou qualidade existente dentro de si mesma, é pensamento.

P. – Poderá dar-me ideia mais precisa do que chama você matéria imparticulada?

V. – As matérias de que o homem tem conhecimento escapam aos sentidos gradativamente. Temos, por exemplo, um metal, um pedaço de madeira, uma gota de água, a atmosfera, um gás, o calórico, a eletricidade, o éter luminoso. Ora, chamamos todas essas coisas matéria e abrangemos toda a matéria numa definição geral; mas, a despeito disso, não pode haver duas ideias mais essencialmente distintas do que a que ligamos a um metal e a que ligamos ao éter luminoso. Quando alcançamos este último, sentimos uma inclinação quase irresistível a classificá-lo como espírito ou como o nada. A única consideração que nos retém é nossa concepção de sua constituição atômica, e aqui mesmo temos necessidade de buscar auxílio na nossa noção de um átomo, como algo que possui, com pequenez infinita, solidez, palpabilidade, peso. Suprimamos a ideia do éter como uma entidade ou, pelo menos, como matéria. À falta de melhor palavra podemos denominá-lo espírito. Dê agora um passo para além do éter luminoso. Conceba uma matéria como muito mais rarefeita do que o éter, assim como o éter é muito mais rarefeito do que o metal, e chegaremos imediatamente (a despeito de todos os dogmas da escola) a uma única massa, uma matéria imparticulada. Pois, embora possamos admitir infinita pequenez nos próprios átomos, a infinidade da pequenez nos espaços entre eles é um absurdo. Haverá um ponto, haverá um grau de rarefação no qual, se os átomos são suficientemente numerosos, os interespaços devem desaparecer e a massa unificar-se de todo. Mas, sendo agora posta de lado a consideração da constituição atômica, a natureza da massa resvala inevitavelmente para aquilo que concebemos como espírito. É claro, porém, que ela é tão matéria ainda quanto antes. A verdade é que não se pode conceber o espírito sem que seja possível imaginar o que não é. Quando nos lisonjeamos por haver formado essa concepção, apenas iludimos a nossa inteligência com a consideração da matéria infinitamente rarefeita.

P. – Parece-me haver uma insuperável objeção à ideia de unidade absoluta, e ela é a da bem pouca resistência sofrida pelos corpos celestes nas suas revoluções pelo espaço, resistência agora verificada, é verdade, como existente em *certo* grau, mas que é, não obstante, tão leve a ponto de ter sido completamente desdenhada pela sagacidade do próprio Newton. Sabemos que a resistência dos corpos está principalmente em proporção com a sua densidade. A absoluta unificação é a absoluta densidade. Onde não há interespaços não pode haver passagem. Um éter absolutamente denso oporia um obstáculo infinitamente mais eficaz à marcha de um astro do que o faria um éter de diamante de ferro.

V. – Sua objeção é respondida com uma facilidade que está quase na razão da sua aparente irresponsabilidade. Quanto à marcha de um astro, não faz diferença se o astro passa através do éter ou se o éter *através dele.* Não há erro astronômico mais inexplicável do que o que relaciona o conhecido retardamento dos cometas com a ideia de sua passagem através de um éter; porque, por mais rarefeito que se suponha esse éter, oporia ele obstáculo a qualquer revolução sideral em um período bem mais breve do que tem sido admitido por aqueles astrônomos que têm tentado tratar pela rama um ponto que eles acham impossível compreender. O retardamento realmente experimentado é, por outro lado, quase igual àquele que pode resultar da *fricção* do éter na sua passagem instantânea através do orbe. No primeiro caso, a força retardadora é momentânea e completa dentro de si mesma; no outro, é infinitamente crescente.

P. – Mas, em tudo isso, nessa identificação da simples matéria como Deus, não haverá algo de irreverência? (*Fui obrigado a repetir esta pergunta antes que o magnetizado compreendesse plenamente o que eu queria dizer.*)

V. – Pode dizer *por que* a matéria seria menos respeitada do que o pensamento? Mas você esquece que a matéria de que falo é, a todos os respeitos, o verdadeiro "pensamento" ou "espírito" das escolas, no que se refere às suas altas capacidades, e é, além disso, a "matéria" dessas escolas ao mesmo tempo. Deus com todos os poderes atribuídos ao espírito não é senão a perfeição da matéria.

P. – Você afirma então que a matéria imparticulada em movimento é pensamento?

V. – Em geral, esse movimento é o pensamento universal da mente universal. Esse pensamento cria. Todas as coisas criadas são apenas os pensamentos de Deus.

P. – Você diz "em geral".

V. – Sim. A mente universal é Deus. Para as novas individualidades a *matéria* é necessária.

P. – Mas você agora fala de "espírito" e "matéria", como fazem os metafísicos.

V. – Sim, para evitar confusão. Quando eu digo *espírito*, quero dizer a matéria imparticulada ou suprema; por *matéria*, entendo todas as outras espécies.

P. – Você dizia que "para novas individualidades a matéria é necessária".

V. – Sim, pois o espírito, existindo incorporeamente, é simplesmente Deus. Para criar seres individuais pensantes foi necessário encarnar porções do espírito divino. Por isso o homem é individualizado. Desvestido do invólucro corpóreo seria Deus. Ora, o movimento particular das porções encarnadas da matéria imparticulada é o pensamento do homem, assim como o movimento do todo é o de Deus.

P. – Diz você que desvestido do corpo o homem seria Deus?

V. – (*Depois de muita hesitação.*) Eu não podia ter dito isso. É um absurdo.

P. – (*Consultando minhas notas.*) Você disse que "desvestido do invólucro corpóreo o homem seria Deus".

V. – Isso é verdade. O homem, assim despojado, *seria* Deus, seria desindividualizado. Mas ele nunca pode ser assim despojado – pelo menos nunca será – a menos que devêssemos imaginar uma ação de Deus voltando sobre si mesma, uma ação fútil e sem objetivo. O homem é uma criatura. As criaturas são pensamentos de Deus. E é da natureza do pensamento ser irrevogável.

P. – Não compreendo. Você diz que o homem nunca se despojará do corpo?

V. – Digo que ele nunca estará sem corpo.

P. – Explique-se.

V. – Há dois corpos: o rudimentar e o completo, correspondendo às duas condições da lagarta e da borboleta. O que chamamos "morte" é apenas a dolorosa metamorfose. Nossa atual encarnação é progressiva, preparatória, temporária. A futura é perfeita, final, imortal. A vida derradeira é o fim supremo.

P. – Mas nós temos conhecimento palpável da metamorfose da lagarta.

V. – "Nós", certamente, mas não a lagarta. A matéria de que nosso corpo rudimentar é composto está ao alcance dos órgãos rudimentares que estão adaptados à matéria de que é formado o corpo rudimentar, mas não à de que é composto o corpo derradeiro. O corpo derradeiro escapa assim aos nossos sentidos rudimentares e percebemos apenas o casulo que abandona, ao morrer, a forma interior, e não essa própria forma interior; mas essa forma interior, bem como o casulo, é apreciável por aqueles que já adquiriram a vida derradeira.

P. – Você disse muitas vezes que o estado magnético se assemelha muito de perto à morte. Como é isso?

V. – Quando digo que ele se assemelha à morte, quero dizer que se parece com a vida derradeira, pois quando estou no sono magnético os sentidos de minha vida rudimentar ficam suspensos e percebo as coisas externas diretamente, sem órgãos, por um meio que empregarei na vida derradeira e inorgânica.

P. – Inorgânica?

V. – Sim. Os órgãos são aparelhos pelos quais o indivíduo é posto em relação sensível com certas categorias e formas da matéria, com exclusão de outras categorias e formas. Os órgãos do homem estão adaptados à sua condição rudimentar e a ela somente; sua condição última, sendo inorgânica, é de compreensão ilimitada em todos os pontos, exceto um: a natureza da vontade de Deus, isto é, o movimento da matéria imparticulada. Você pode ter uma ideia distinta do corpo derradeiro concebendo-o como sendo totalmente cérebro. Ele "não" é isso; mas uma concepção dessa natureza aproximará você de uma compreensão do que ele "é". Um corpo luminoso comunica vibração ao éter luminoso. As vibrações geram outras semelhantes na retina: estas, por sua vez, comunicam outras semelhantes ao nervo óptico; o nervo leva outras semelhantes ao cérebro; o cérebro também outras iguais à matéria imparticulada que o penetra. O movimento desta última é pensamento, do qual a percepção é a primeira vibração. Este é o modo pelo qual o pensamento da vida rudimentar se comunica com o mundo exterior e este mundo exterior é limitado, para a vida rudimentar, pelas reações de seus órgãos. Mas, na vida derradeira e inorgânica, o mundo exterior comunica-se com o corpo inteiro (que é de uma substância afim da do cérebro, como já disse), sem nenhuma outra intervenção que não a de um éter infinitamente mais rarefeito, do que mesmo o éter luminífero; e com esse éter, em uníssono com ele, todo o corpo vibra, pondo em movimento a matéria imparticulada que o penetra. É à ausência de órgãos reativos, contudo, que devemos atribuir a quase ilimitada percepção da vida derradeira. Para os seres rudimentares os órgãos são as gaiolas necessárias para encerrá-los até que estejam emplumados.

P. – Você fala de seres rudimentares. Há outros seres rudimentares e pensantes além do homem?

V. – A conglomeração numerosa de matéria dispersa em nebulosas, planetas, sóis e outros corpos que nem são nebulosas, sóis, nem planetas tem como único fim suprir o *pabulum* para a reação dos órgãos de uma infinidade de seres rudimentais. Sem a necessidade do rudimentar, anterior à vida derradeira, não teria havido corpos tais como esses. Cada um deles é ocupado por uma distinta variedade de criaturas orgânicas, rudimentares e pensantes. Em todas, os órgãos variam com os característicos do habitáculo. Na morte ou metamorfose, essas criaturas, gozando da vida derradeira – da imortalidade – e conhecedoras de todos os segredos, menos o *único*, operam todas as coisas e se movem por toda parte, por simples ato de vontade. Habitam não as estrelas, que para nós parecem as únicas coisas tangíveis e para conveniência das quais nós cegamente cremos que o espaço foi criado, mas o próprio *espaço*, esse infinito cuja imensidão verdadeiramente substantiva absorve as sombras estelares, apagando-as como não entidades da visão dos anjos.

P. – Você diz que "sem a *necessidade* da vida rudimentar" não teria havido estrelas. Mas qual a razão dessa necessidade?

V. – Na vida inorgânica, bem como geralmente na matéria inorgânica, nada há que impeça a ação de uma lei simples e *única*: a Divina Vontade. Com o fim de criar um empecilho, a vida orgânica e a matéria (complexas, substanciais e oneradas por leis) foram criadas.

P. – Mais ainda, que necessidade havia de criar esse empecilho?

V. – O resultado da lei inviolada é perfeição, justiça, felicidade negativa. O resultado da lei violada é imperfeição, injustiça, dor positiva. Por meio dos empecilhos produzidos pelo número, complexidade e substancialidade das leis da vida orgânica e da matéria, a violação da lei se torna, até certo ponto, praticável. Essa dor, que na vida inorgânica é impossível, torna-se possível na orgânica.

P. – Mas em vista de que resultado bom se torna possível a dor?

V. – Todas as coisas são boas ou más por comparação. Uma análise suficiente mostrará que o prazer, em todos os casos, é apenas o contraste da dor. Prazer *positivo* é mera ideia. Para ser feliz, até certo ponto, devemos ter sofrido na mesma proporção. Jamais sofrer equivaleria a não ter jamais sido feliz. Mas está demonstrado que na vida inorgânica a dor não pode existir; daí a necessidade da dor para a vida orgânica. A dor da vida primitiva da Terra é a única base da felicidade da derradeira vida no Céu.

P. – Contudo, ainda há uma de suas expressões que não acho possibilidade de compreender: "a imensidão verdadeiramente *substantiva* do infinito".

V. – É, provavelmente, porque não tem a concepção suficientemente genérica do próprio termo *substância*. Não devemos olhá-la como uma qualidade, mas como um sentimento: é a percepção, nos seres pensantes, da adaptação da matéria à organização deles. Há muitas coisas sobre a Terra que seriam nada para os habitantes de Vênus; muitas coisas visíveis e tangíveis em Vênus que não poderíamos ser levados a apreciar como absolutamente existentes. Mas para os seres inorgânicos – para os anjos – o todo da matéria imparticulada é substância, isto é, o todo do que chamamos "espaço" é para eles a mais verdadeira substancialidade; os astros, entretanto, do ponto de vista de sua materialidade, escapam ao sentido angélico, justamente na mesma proporção em que a matéria imparticulada, do ponto de vista de sua imaterialidade, escapa ao sentido orgânico.

Ao pronunciar o magnetizado essas últimas palavras em voz fraca, notei-lhe na fisionomia singular expressão que me alarmou um tanto e induziu-me a despertá-lo imediatamente. Logo que fiz isso, com um brilhante sorriso a iluminar todas as suas feições, caiu para trás no travesseiro e expirou. Notei que, menos de um minuto depois, seu cadáver tinha toda a rígida imobilidade da pedra. Sua fronte estava fria como gelo. Assim, geralmente, só se mostraria depois de longa pressão da mão de Azrael. Ter-se-ia, realmente, o magnetizado, na última parte de sua dissertação, dirigido a mim lá do fundo das regiões das sombras?

O CASO DO SR. VALDEMAR[44]

Não pretenderei, por certo, considerar como motivo de espanto que o extraordinário caso do sr. Valdemar tenha provocado discussão. Milagre seria se tal não acontecesse, especialmente em tais circunstâncias. O desejo de todas as partes interessadas em evitar a publicidade ao caso – pelo menos no presente, ou até que tenhamos ulteriores oportunidades de investigação – e nossos esforços para realizar isso deram lugar a uma narrativa truncada ou exagerada que logo se propalou na sociedade, e veio a ser fonte de muitas notícias falsas e desagradáveis e, bem naturalmente, de grande cópia de incredulidade.

Torna-se agora necessário que eu exponha os *fatos* – até onde alcança minha compreensão dos mesmos. São, em resumo, os seguintes:

Nos últimos três anos minha atenção vinha sendo atraída repetidamente pelos assuntos referentes ao magnetismo e, há

44 Publicado pela primeira vez na American Review, *dezembro de 1845. Título original:* The Facts of M. Valdemar's Case.

coisa de nove meses, ocorreu-me, bastante inesperadamente, que nas séries de experiências feitas até então houvera uma lacuna assinalável e inexplicável: ninguém fora ainda magnetizado *in articulo mortis*. Restava ver, primeiro, se em tais condições havia no paciente qualquer suscetibilidade à influência; segundo, no caso de haver alguma, se era atenuada ou aumentada por essa circunstância; e, em terceiro lugar, até que ponto ou por quanto tempo a invasão da Morte poderia ser impedida pelo processo magnético. Havia outros pontos a serem verificados, mas estes excitavam mais minha curiosidade; o último de modo especial, pelo caráter imensamente importante de suas consequências.

Procurando em torno de mim algum paciente por cujo intermédio pudesse eu certificar-me daquelas particularidades, vim a pensar no meu amigo o sr. Ernesto Valdemar, o conhecido compilador da *Biblioteca forense* e autor (sob o pseudônimo de Issachar Marx) das traduções polonesas de *Wallenstein* e *Gargantua*. O sr. Valdemar, que residia geralmente em Harlem, Nova York, desde o ano de 1839, é (ou era) especialmente notável pela extrema magreza corporal, parecendo-se muito suas pernas com as de John Randolph, e também pela brancura de suas suíças, em violento contraste com o negro do cabelo, que, em consequência, era geralmente tomado como um chinó. Seu temperamento era assinaladamente nervoso e tornava-o um bom instrumento para experiências mesméricas. Em duas ou três ocasiões, eu o fizera dormir com pouco esforço, mas ficara desapontado quanto aos outros resultados que sua particular constituição me levava a prever. Em período algum sua vontade ficava inteira ou positivamente submetida à minha influência e, no que toca à *clarividência*, nada eu podia realizar com ele que me servisse de base. Atribuí sempre meu insucesso, nesse ponto, ao seu precário estado de saúde. Certos meses, antes de conhecê-lo, seus médicos o haviam declarado tísico, sem qualquer dúvida. E, na verdade, tinha ele o hábito de falar sobre a aproximação de seu fim como de uma questão que não devia ser lastimada nem se podia evitar.

Quando me ocorreram, pela primeira vez, as ideias a que aludi, foi sem dúvida muito natural que eu pensasse no sr. Valdemar. Eu conhecia muito bem sua sólida filosofia para temer qualquer escrúpulo de sua parte, e ele não tinha parentes na América que pudessem interferir, plausivelmente. Falei-lhe com franqueza sobre o assunto e, com surpresa minha, seu interesse pareceu vivamente excitado. Digo com surpresa, pois, embora ele sempre entregasse livremente sua pessoa para meus experimentos, nunca antes manifestara qualquer sinal de predileção pelo que eu fazia. Sua enfermidade era de um tal caráter que admitia exato cálculo da época em que seu desenvolvimento conduzia à morte. Finalmente, combinamos entre nós que ele me mandaria chamar vinte e quatro horas antes do prazo marcado pelos médicos como o de seu falecimento.

Faz agora mais ou menos sete meses que recebi, do próprio sr. Valdemar, o bilhete seguinte:

> Meu caro P***:
>
> Você pode bem vir *agora*. D*** e F*** concordam em que não posso durar além da meia-noite de amanhã, e penso que eles acertaram no cálculo com grande aproximação.
>
> VALDEMAR

Recebi esse bilhete meia hora depois que fora escrito, e quinze minutos após estava eu no quarto do moribundo. Não o via havia dez dias e espantou-me a terrível alteração que lhe trouxera tão breve intervalo. Sua face tinha uma coloração plúmbea, os olhos completamente sem brilho e sua magreza era tão extrema que os ossos da face quase rompiam a pele. Sua expectoração era excessiva. O pulso mal podia ser percebido. Não obstante, ele conservava, de modo bem digno de nota, toda a lucidez da mente e certo grau de força física. Falava distintamente, tomava sem auxílio alheio alguns remédios paliativos, e, quando entrei no quarto, ocupava-se em escrever notas num caderno de bolso. Estava apoiado na cama por travesseiros. Cuidavam dele os drs. D*** e F***.

Depois de apertar a mão de Valdemar, chamei aqueles senhores de parte e obtive deles relato minucioso das condições do paciente. O pulmão esquerdo estivera, durante dezoito meses, num estado semiósseo ou cartilaginoso e se tornara, sem dúvida, inteiramente inútil a qualquer função vital. O direito, na sua parte superior, estava também parcialmente, se não de todo, ossificado, enquanto a região inferior era simplesmente uma massa de tubérculos purulentos, interpenetrando-se. Havia muitas cavernas externas e, em um ponto, se operara uma adesão permanente às costelas. Esses aspectos do lobo direito eram de data relativamente recente. A ossificação prosseguira com uma rapidez bastante incomum, nenhum sinal dela fora descoberto um mês antes e a adesão apenas fora observada durante os três dias antecedentes. Independentemente da tísica, suspeitava-se que o paciente sofresse de aneurisma da aorta, mas, nesse ponto, os sintomas ósseos tornavam impossível um diagnóstico exato. Era opinião de ambos os médicos que o sr. Valdemar morreria mais ou menos à meia-noite do dia seguinte, domingo. Estávamos, então, às sete horas da noite de sábado.

Ao deixar a cabeceira da cama do inválido para travar conversa comigo, os drs. D*** e F*** tinham-lhe dado um definitivo adeus. Não tencionavam voltar, mas, a pedido meu, concordaram em visitar o doente mais ou menos às dez horas da noite seguinte.

Quando eles se foram, falei francamente com o sr. Valdemar sobre o assunto de sua morte vindoura, bem como, mais particularmente, sobre a experiência proposta. Ele mostrou-se ainda completamente de acordo e mesmo ansioso por sua realização, e insistiu comigo para que a começasse imediatamente. Dois enfermeiros, um homem e uma mulher, cuidavam dele; mas eu não me sentia totalmente em liberdade de empreender uma tarefa dessa natureza sem mais testemunhas dignas de confiança do que aqueles dois que pudessem depor em caso de súbito acidente. Consequentemente, adiei as operações até cerca das oito horas da noite seguinte, quando a chegada de um estudante de medicina com quem eu estava um tanto relacionado (o sr. Teodoro L***l) libertou-me de qualquer embaraço ulterior. Fora minha intenção, a princípio, esperar os médicos, mas fui levado a agir, primeiro, em virtude dos rogos do sr. Valdemar e, em segundo lugar, pela minha convicção de que não tinha um momento a perder, diante da evidente aproximação rápida de seu fim.

O sr. L***l teve a bondade de satisfazer meu desejo de tomar notas de tudo quanto ocorresse, e é dessas suas notas que o que vou agora narrar foi na maior parte condensado ou copiado *verbatim.*

Faltavam cerca de cinco minutos para as oito, quando, tomando a mão do paciente, eu lhe pedi que afirmasse, o mais distintamente possível, ao sr. L***l se ele (o sr. Valdemar) estava inteiramente de acordo em que eu fizesse a experiência da magnetizá-lo no seu estado presente.

Ele respondeu, com fraca voz, porém completamente audível:

– Sim, desejo ser magnetizado – acrescentando imediatamente depois: – Receio que você tenha demorado muito.

Enquanto ele assim falava, comecei os passes que eu já descobrira terem mais efeito em dominá-lo. Ele ficou evidentemente influenciado com o primeiro toque lateral de minha mão pela sua fronte. Mas, embora utilizasse eu todos os meus poderes, nenhum efeito ulterior perceptível se verificou até alguns minutos depois das dez horas, quando os drs. D*** e F*** chegaram, de acordo com o combinado. Expliquei-lhes, em poucas palavras, o que pretendia, e como eles não opusessem objeção, dizendo que o paciente já estava em agonia mortal, continuei, sem hesitação, mudando, porém, os passes laterais por outros descendentes e dirigindo meu olhar inteiramente sobre o olho direito do moribundo.

A esse tempo já seu pulso era imperceptível e sua respiração estertorosa, a intervalos de meio minuto.

Tal estado conservou-se quase inalterado durante um quarto de hora. No expirar esse período, porém, um suspiro natural, embora muito profundo, escapou do peito do homem moribundo e cessou a respiração estertorosa, isto é, seus estertores não mais apareciam; os intervalos não diminuíram. As extremidades do paciente tinham uma frialdade de gelo.

Aos cinco minutos antes das onze, percebi sinais inequívocos da influência magnética. O movimento vítreo do olho mudara-se naquela expressão de inquietante exame *interior* que só se vê em casos de sonambulismo e diante da qual é completamente impossível haver engano. Com alguns rápidos passes laterais fiz as pálpebras estremecerem, como em sono incipiente, e com alguns mais consegui fechá-las de todo. Não estava, porém, satisfeito com isso e continuei vigorosamente as manipulações, com o mais completo esforço da vontade, até paralisar, por completo, os membros do dormente, depois de colocá-los em posição aparentemente cômoda. As pernas estavam inteiramente espichadas; os braços, quase a mesma coisa, e repousavam sobre o leito, a uma distância moderada das nádegas. A cabeça achava-se levemente elevada.

Quando terminei isso era já meia-noite em ponto e pedi aos cavalheiros presentes que examinassem o estado do sr. Valdemar. Depois de alguns exames, admitiram eles que se achava num estado perfeitamente extraordinário de sono mesmérico. A curiosidade dos dois médicos achava-se altamente excitada. O dr. D*** resolveu logo ficar ao lado do paciente a noite inteira, enquanto o dr. F*** se despedia, com promessa de voltar ao amanhecer. O sr. L***l e os enfermeiros ficaram.

Deixamos o sr. Valdemar inteiramente tranquilo até as três horas da madrugada, quando me aproximei dele e vi que se encontrava, precisamente, no mesmo estado em que o deixara o dr. F*** ao retirar-se; isto é, jazia na mesma posição e o pulso era imperceptível; a respiração, ligeira (mal distinguível, a não ser por meio da aplicação de um espelho aos lábios); os olhos fechavam-se naturalmente e os membros estavam tão rígidos e frios como o mármore. Contudo, a aparência geral não era certamente a da morte.

Quando me aproximei do sr. Valdemar fiz uma espécie de leve esforço, para influenciar seu braço direito a acompanhar o meu, que passava levemente, para lá e para cá, por cima de sua pessoa. Em tais experiências com esse paciente, nunca eu conseguira antes êxito completo e decerto tinha pouca esperança de ser bem-sucedido agora; mas, para espanto meu, seu braço bem pronta, embora fracamente, acompanhou todos os movimentos que o meu fazia. Decidi arriscar algumas palavras de conversa.

– Sr. Valdemar... – disse eu – está adormecido?

Ele não deu resposta, mas percebi um tremor em torno dos lábios e por isso fui levado a repetir a pergunta várias vezes. À terceira repetição, todo seu corpo se agitou em um leve calafrio; as pestanas abriram-se, permitindo que se visse a faixa branca do olho; os lábios moveram-se lentamente e entre eles, num sussurro mal audível, brotaram as palavras:

– Sim... estou adormecido agora. Não me desperte! Deixe-me morrer assim!

Apalpei-lhe então os membros e achei-os tão rijos como dantes: o braço direito obedecia ainda à direção de minha mão. Interroguei de novo o magnetizado:

– Sente ainda dor no peito, sr. Valdemar?

A resposta agora foi imediata, mas ainda menos audível do que antes:

– Dor nenhuma... Estou morrendo!

Não achei prudente perturbá-lo mais então e nada mais foi dito ou feito até a chegada do dr. F***, que veio um pouco antes do amanhecer e demonstrou seu ilimitado espanto ao encontrar o paciente ainda vivo. Depois de tomar-lhe o pulso e aplicar-lhe um espelho aos lábios, pediu-me que me dirigisse de novo ao magnetizado. Acedi, perguntando:

– Sr. Valdemar, ainda está dormindo?

Como anteriormente, alguns minutos decorreram até que fosse dada uma resposta, e, durante o intervalo, parecia que o moribundo reunia suas energias para falar. À minha quarta repetição da pergunta, disse ele, com voz muito fraca, quase imperceptível:

– Sim... durmo ainda... estou morrendo.

Era agora opinião, ou antes, desejo dos médicos que o sr. Valdemar deveria ser deixado tranquilo, na sua presente situação de aparente repouso, até sobrevir a morte. E isso, todos concordavam, deveria realizar-se dentro de poucos minutos. Resolvi, porém, falar-lhe uma vez mais e repeti simplesmente minha pergunta anterior.

Enquanto eu falava, ocorreu sensível mudança na fisionomia do magnetizado. Os olhos se abriram devagar, desaparecendo as pupilas para cima; toda a pele tomou uma cor cadavérica, assemelhando-se mais ao papel branco que ao pergaminho, e as manchas circulares héticas, que até então se assinalavam fortemente no centro de cada face, apagaram-se imediatamente. Uso essa expressão porque a subitaneidade de sua desaparição trouxe-me à mente nada menos que a ideia do apagar de uma vela com um sopro. Ao mesmo tempo o lábio superior retraiu-se, acima dos dentes que até então cobria por completo, enquanto o maxilar inferior caía com movimento audível, deixando a boca escancarada e mostrando a língua inchada e enegrecida. Suponho que ninguém do grupo ali presente estava desacostumado aos horrores dos leitos mortuários; mas tão inconcebivelmente horrenda era a aparência do sr. Valdemar naquele instante que houve um geral recuo de todos das proximidades da cama.

Sinto agora ter chegado a um ponto desta narrativa diante do qual todo leitor passará a não dar crédito algum. É, contudo, minha obrigação simplesmente continuar.

Já não havia mais o menor sinal de vida no sr. Valdemar; e, comprovando sua morte, íamos entregá-lo aos cuidados dos enfermeiros, quando um forte movimento vibratório observou-se-lhe na língua, o qual continuou durante um minuto talvez. Terminado este, irrompeu dos queixos distendidos e imóveis uma voz, uma voz tal que seria loucura minha tentar descrever. Há, é certo, dois ou três epítetos que poderiam ser considerados aplicáveis a ela, em parte; podia dizer, por exemplo, que o som era áspero, entrecortado, cavernoso; mas o horrendo conjunto é indescritível, pela simples razão de que nenhum som igual jamais vibrou em ouvidos humanos. Havia duas particularidades, não obstante, que, então pensei e ainda penso, podiam francamente ser comprovadas como características da entonação, bem como adequadas a dar alguma ideia da sua peculiaridade sobrenatural. Em primeiro lugar, a voz parecia alcançar nossos ouvidos – pelo menos os meus – de uma vasta distância ou de alguma profunda caverna dentro da terra. Em segundo lugar, dava-me a impressão (receio na verdade ser impossível fazer-me compreender) que as coisas gelatinosas e pegajosas dão ao sentido do tato.

Falei, ao mesmo tempo, em "som" e "voz". Quero dizer que o som era de uma dicção distinta... maravilhosamente distinta, mesmo, e arrepiante. O sr. Valdemar *falava*, evidentemente, respondendo à pergunta que eu lhe havia feito poucos minutos antes. Perguntara-lhe, como se lembram, se ele estava adormecido. Ele agora respondia:

– Sim... não... *estava* adormecido... e agora... agora... *estou morto.*

Nenhuma das pessoas presentes nem mesmo afetou negar ou tentou reprimir o indizível e calafriante horror que essas poucas palavras, assim pronunciadas, bem naturalmente provocavam. O sr. L***l (o estudante) desmaiou. Os enfermeiros abandonaram imediatamente o quarto e negaram-se a voltar. Não pretenderei tornar inteligíveis ao leitor as minhas impressões. Durante quase uma hora ocupamo-nos, calados, sem dizer uma só palavra, em procurar fazer o sr. L***l voltar a si. E, quando isso se deu, dirigimo-nos de novo a examinar o estado do sr. Valdemar.

Continuava, a todos os respeitos, como o descrevera antes, com exceção de que o espelho não mais revelava respiração. Uma tentativa de tirar sangue do braço fracassou. Devo mencionar também que este membro não mais se mostrou obediente à minha vontade. Tentei em vão fazê-lo acompanhar a direção de minha mão. A única e real demonstração da influência magnética achava-se, então, de fato, no movimento vibratório da língua quando eu dirigia uma pergunta ao sr. Valdemar. Ele parecia estar fazendo um esforço para responder, mas não possuía mais a volição suficiente. Às perguntas que lhe eram feitas por qualquer outra pessoa além de mim parecia totalmente insensível, embora eu tentasse colocar cada membro do grupo em *relação* magnética com ele. Creio que relatei agora tudo quanto é necessário para uma compreensão do estado do magnetizado naquele momento. Foram procurados outros enfermeiros, e às dez horas deixei a casa em companhia dos dois médicos e do sr. L***l.

À tarde fomos todos chamados de novo para ver o paciente. Seu estado permanecia precisamente o mesmo. Tivemos então uma discussão a respeito da oportunidade e possibilidade de despertá-lo, mas pouca dificuldade tivemos em concordar em que não havia nenhuma utilidade em fazê-lo. Era evidente que, até ali, a morte (ou o que se chama usualmente morte) tinha sido detida pela ação magnética. Parecia claro a nós todos que despertar o sr. Valdemar seria simplesmente assegurar sua morte atual ou, pelo menos, apressar-lhe a decomposição.

Desde aquele dia até o fim da última semana – *intervalo de quase sete meses* – continuamos a fazer visitas diárias à casa do sr. Valdemar, acompanhados de vez em quando por médicos e outros amigos. Durante esse tempo, o magnetizado permanecia *exatamente* como já deixei descrito. Os cuidados dos enfermeiros eram contínuos.

Foi na sexta-feira passada que resolvemos, finalmente, fazer a experiência de despertá-lo, ou de tentar despertá-lo; e foi talvez o infeliz resultado desta última experiência que deu origem a tantas discussões em círculos privados e a muito daquilo que não posso deixar de julgar uma credulidade popular injustificável.

Com o fim de libertar o sr. Valdemar da ação magnética, fiz uso dos passes habituais. Durante algum tempo foram eles ineficazes. A primeira indicação de revivescência foi revelada por uma descida parcial da íris. Observou-se, como especialmente notável, que esse abaixamento da pupila era acompanhado pela profusa ejaculação de um licor amarelento (de sob as pálpebras), com um odor acre e altamente repugnante.

Sugeriu-se então que eu deveria tentar influenciar o braço do paciente, como fizera antes. Tentei, mas inutilmente. O dr. F*** expressou então o desejo de que eu fizesse uma pergunta. Assim fiz, como segue:

– Sr. Valdemar... pode explicar-me quais são seus sentimentos ou desejos agora?

Houve imediata volta dos círculos héticos sobre as faces; a língua vibrou, ou antes, rolou violentamente na boca (embora os maxilares e os lábios permanecessem rijos como antes) e por fim a mesma voz horrenda que eu já descrevi ejaculou:

– Pelo amor de Deus!... Depressa... depressa... faça-me dormir... ou então, depressa... acorde-me... depressa!... *Afirmo que estou morto!*

Eu estava completamente enervado e por um instante fiquei indeciso sobre o que fazer. A princípio fiz uma tentativa de acalmar o paciente; mas fracassando, pela total suspensão da vontade, fiz o contrário e lutei energicamente para despertá-lo. Nessa tentativa, vi logo que teria êxito, ou, pelo menos, logo imaginei que meu êxito seria completo. E estou certo de que todos no quarto se achavam preparados para ver o paciente despertar.

Para o que realmente ocorreu, porém, é completamente impossível que qualquer ser humano pudesse estar preparado.

Enquanto eu fazia rapidamente os passes magnéticos, entre ejaculações de "Morto!", "Morto!", *irrompendo* inteiramente da língua e não dos lábios do paciente, todo seu corpo, de pronto, no espaço de um único minuto, ou mesmo menos, contraiu-se... desintegrou-se, absolutamente *podre*, sob minhas mãos. Sobre a cama, diante de toda aquela gente, jazia uma quase líquida massa de nojenta e detestável putrescência.

O BARRIL DE AMONTILLADO[45]

Suportara eu, enquanto possível, as mil ofensas de Fortunato. Mas, quando se aventurou ele a insultar-me, jurei vingar-me. Vós, que tão bem conheceis a natureza de minha alma, não havereis de supor, porém, que proferi alguma ameaça. *Afinal*, deveria vingar-me. Isso era um ponto definitivamente assentado, mas essa resolução definitiva excluía a ideia de risco. Eu devia não só punir, mas punir com impunidade. Não se desagrava uma injúria quando o castigo recai sobre o desagravante. O mesmo acontece quando o vingador deixa de fazer sentir sua qualidade de vingador a quem o injuriou.

Fica logo entendido que nem por palavras nem por fatos dera causa a Fortunato de duvidar de minha boa vontade. Continuei, como de costume, a fazer-lhe cara alegre, e ele não percebia que meu sorriso *agora* se originava da ideia de sua imolação.

---

45 Publicado pela primeira vez no Godey's Lady's Book, *novembro de 1846. Título original:* The Cask of Amontillado.

Fortunato tinha o seu lado fraco, embora a outros respeitos fosse um homem acatado e até temido. Orgulhava-se de ser conhecedor de vinhos. Poucos italianos têm o verdadeiro espírito do "conhecedor". Na maior parte, seu entusiasmo adapta-se às circunstâncias do momento e da oportunidade, para ludibriar milionários ingleses e austríacos. Em matéria de pintura e ourivesaria era Fortunato, como seus patrícios, um impostor; mas em assunto de vinhos velhos era sincero. A esse respeito éramos da mesma força. Considerava-me muito entendido em vinhos italianos e, sempre que podia, comprava-os em larga escala.

Foi ao escurecer duma tarde, durante o supremo delírio carnavalesco, que encontrei meu amigo. Abordou-me com excessivo ardor, pois já estava bastante bebido. Estava fantasiado com um traje apertado e listrado, trazendo na cabeça uma carapuça cheia de guizos. Tão contente fiquei ao vê-lo que quase não largava de apertar-lhe a mão. E disse-lhe:

– Meu caro Fortunato, foi uma felicidade encontrá-lo! Como está você bem disposto hoje! Mas recebi uma pipa dum vinho, dado como amontillado, e tenho minhas dúvidas.

– Como? – disse ele. – Amontillado? Uma pipa? Impossível. E no meio do carnaval!

– Tenho minhas dúvidas – repliquei –, mas fui bastante tolo para pagar o preço total do amontillado sem antes consultar você. Não consegui encontrá-lo e tinha receio de perder uma pechincha.

– Amontillado!

– Tenho minhas dúvidas.

– Amontillado!

– E preciso desfazê-las.

– Amontillado!

– Se você não estivesse ocupado... Estou indo à casa de Luchesi. Se há alguém que entenda disso, é ele. Haverá de dizer-me...

– Luchesi não sabe diferençar um amontillado dum xerez.

– No entanto, há uns bobos que dizem por aí que, em matéria de vinhos, vocês se equiparam.

– Pois então vamos.

– Para onde?

– Para sua adega.

– Não, meu amigo. Não quero abusar de sua boa vontade. Vejo que você está ocupado. Luchesi...

– Não estou ocupado, coisa nenhuma... Vamos.

– Não, meu amigo. Não é por isso, mas é que vejo que você está fortemente resfriado. A adega está duma umidade intolerável. Suas paredes estão incrustadas de salitre.

– Não tem importância, vamos. Um resfriado à toa. Amontillado! Acho que você foi enganado. Quanto a Luchesi, é incapaz de distinguir um xerez dum amontillado.

Assim falando, Fortunato agarrou meu braço. Pondo no rosto uma máscara de seda e enrolando-me num rocló, deixei-me levar por ele, às pressas, na direção do meu palácio.

Todos os criados haviam saído para brincar no carnaval. Dissera-lhes que só voltaria de madrugada e dera-lhes explícitas ordens para não se afastarem de casa. Foi, porém, o bastante, bem o sabia, para que se sumissem logo que virei as costas.

Peguei dois archotes, um dos quais entreguei a Fortunato, e conduzi-o através de várias salas até a passagem abobadada que levava à adega. Desci à frente dele uma longa e tortuosa escada, aconselhando-o a ter cuidado. Chegamos por fim ao sopé e ficamos juntos no chão úmido das catacumbas dos Montresors.

Meu amigo cambaleava e os guizos de sua carapuça tilintavam a cada passo que dava.

– Onde está a pipa? – perguntou ele.

– Mais para o fundo – respondi –, mas repare nas teias cristalinas que brilham nas paredes desta caverna.

Ele voltou-se para mim e fitou-me bem nos olhos com aqueles seus dois glóbulos vítreos que destilavam a reuma da bebedice.

– Salitre? – perguntou ele, por fim.

– É, sim – respondi. – Há quanto tempo está você com essa tosse?

– Eh! Eh! Eh! Eh! Eh! Eh! Eh!... – pôs-se ele a tossir, e durante muitos minutos não conseguiu meu pobre amigo dizer uma palavra.

– Não é nada – disse ele, afinal.

– Venha – disse eu, decidido. – Vamos voltar. Sua saúde é preciosa. Você é rico, respeitado, admirado, amado. Você é feliz como eu era outrora. Você é um homem que faz falta. Quanto a mim, não. Voltaremos. Você pode piorar e não quero ser responsável por isso. Além do quê, posso recorrer a Luchesi...

– Basta! – disse ele. – Essa tosse não vale nada. Não me há de matar. Não é de tosse que hei de morrer.

– Isto é verdade... isto é verdade – respondi. – E, de fato, não era minha intenção alarmá-lo sem motivo. Mas acho que você deveria tomar toda a precaução. Um gole deste Médoc nos defenderá da umidade.

Então fiz saltar o gargalo duma garrafa que retirei duma longa fileira empilhada no chão.

– Beba – disse eu, apresentando-lhe o vinho.

Ele levou a garrafa aos lábios, com um olhar malicioso. Calou-se um instante e me cumprimentou com familiaridade, fazendo tilintar os guizos.

– Bebo pelos defuntos que repousam em torno de nós – disse ele.

– E eu para que você viva muito.

Pegou-me de novo no braço e prosseguimos.

– Estas adegas são enormes – disse ele.

– Os Montresors eram uma família rica e numerosa – respondi.

– Não me lembro quais são suas armas.

– Um enorme pé humano dourado em campo blau; o pé esmaga uma serpente rastejante cujos colmilhos se lhe cravam no calcanhar.

– E qual é a divisa?

– *Nemo me impune lacessit*.[46]

– Bonito! – disse ele.

O vinho faiscava-lhe nos olhos e os guizos tilintavam. Minha própria imaginação se aquecia com o Médoc. Havíamos passado diante de paredes de ossos empilhados, entre barris e pipotes, até os recessos extremos das catacumbas. Parei de novo e desta vez atrevi-me a pegar Fortunato por um braço acima do cotovelo.

---

46 Ninguém me ofende impunemente. (N.T.)

– O salitre! Veja, está aumentado. Parece musgo agarrado às paredes. Estamos embaixo do leito do rio. As gotas de umidade filtram-se entre os ossos. Venha, vamos antes que seja demasiado tarde. Sua tosse...

– Não é nada – disse ele. – Continuemos. Mas, antes, dê-me outro gole de Médoc.

Quebrei o gargalo duma garrafa de De Grave e entreguei-lha. Esvaziou-a dum trago. Seus olhos cintilavam, ardentes. Riu e jogou a garrafa para cima, com um gesto que eu não compreendi.

Olhei surpreso para ele. Repetiu o grotesco movimento.

– Não compreende? – perguntou.

– Não.

– Então não pertence à irmandade?

– Que irmandade?

– Você não é maçom?

– Sim, sim! – respondi. – Sim, sim!

– Você, maçom? Não é possível!

– Sou maçom, sim – repliquei.

– Mostre o sinal – disse ele.

– É este – respondi, retirando de sob as dobras de meu rocló uma colher de pedreiro.

– Você está brincando – exclamou ele, dando uns passos para trás. – Mas vamos ver o amontillado.

– Pois vamos – disse eu, recolocando a colher debaixo do capote e oferecendo-lhe, de novo, meu braço, sobre o qual se apoiou ele pesadamente. Continuamos o caminho em busca do amontillado. Passamos por uma série de baixas arcadas, demos voltas, seguimos para a frente, descemos de novo e chegamos a uma profunda cripta, onde a impureza do ar reduzia a chama de nossos archotes a brasas avermelhadas.

No recanto mais remoto da cripta, outra se descobria menos espaçosa. Nas suas paredes alinhavam-se restos humanos empilhados até o alto da abóbada, à maneira das grandes catacumbas de Paris. Três lados dessa cripta interior estavam assim ornamentados. Do quarto, haviam sido afastados os ossos, que jaziam misturados no chão, formando em certo ponto um montículo de avultado tamanho. Na parede assim desguarnecida dos ossos, percebemos um outro nicho, com cerca de um metro e vinte de profundidade, noventa centímetros de largura e um metro e oitenta ou dois metros e dez de altura. Não parecia ter sido escavado para um uso especial, mas formado simplesmente pelo intervalo entre dois dos colossais pilares do teto das catacumbas, e tinha como fundo uma das paredes, de sólido granito, que os circunscreviam.

Foi em vão que Fortunato, erguendo a tocha mortiça, tentou espreitar a profundeza do recesso. A fraca luz não nos permitia ver-lhe o fim.

– Vamos – disse eu –, aqui está o amontillado. Quanto a Luchesi...

– É um ignorantaço! – interrompeu meu amigo, enquanto caminhava, vacilante, para diante e eu o acompanhava rente aos calcanhares. Sem demora, alcançou ele a extremidade do nicho e, não podendo mais prosseguir, por causa da rocha, ficou estupidamente apatetado. Um momento mais e ei-lo acorrentado por mim ao granito. Na sua superfície havia dois anéis de ferro, distando um do outro cerca de sessenta centímetros, horizontalmente. De um deles pendia curta cadeia e do outro um cadeado. Passar-lhe a corrente em torno da cintura e prendê-lo, bem seguro, foi obra de minutos. Estava por demais atônito para resistir. Tirando a chave, saí do nicho.

– Passe sua mão – disse eu – por sobre a parede. Não poderá deixar de sentir o salitre. É de fato *bastante* úmido. Mais uma vez permita-me *implorar-lhe* que volte. Não? Então devo positivamente deixá-lo. Mas é preciso primeiro prestar-lhe todas as pequeninas atenções que puder.

– O amontillado! – vociferou meu amigo, ainda não recobrado do espanto.

– É verdade – repliquei –, o amontillado.

Ao dizer essas palavras, pus-me a procurar as pilhas de ossos a que me referi antes. Jogando-os para um lado, logo descobri grande quantidade de tijolos e argamassa. Com esses materiais e com o auxílio de minha colher de pedreiro comecei com vigor a emparedar a entrada do nicho.

Mal havia eu começado a acamar a primeira fila de tijolos, descobri que a embriaguez de Fortunato tinha se dissipado em grande parte. O primeiro indício disso que tive foi um surdo lamento, lá do fundo do nicho.

Não era o choro de um homem embriagado. Seguiu-se então um longo e obstinado silêncio. Deitei a segunda camada, a terceira e a quarta; e depois ouvi as furiosas vibrações da corrente. O barulho durou vários minutos, durante os quais, para gozá-la com maior satisfação, interrompi meu trabalho e me sentei em cima dos ossos. Quando afinal o tilintar cessou, tornei a pegar na colher e acabei sem interrupção a quinta, a sexta e a sétima camadas. A parede estava agora quase no nível de meu peito. Parei de novo e, levantando o archote por cima dela, lancei uns poucos e fracos raios sobre o rosto dentro do nicho.

Uma explosão de berros fortes e agudos, provindos da garganta do vulto acorrentado, fez-me recuar com violência. Durante um breve momento hesitei. Tremia. Desembainhando minha espada, comecei a apalpar com ela em torno do nicho, mas uns instantes de reflexão me tranquilizaram. Coloquei a mão sobre a alvenaria sólida das catacumbas e senti-me satisfeito. Reaproximei-me da parede. Respondi aos urros do homem. Servi-lhe de eco... ajudei-o a gritar... ultrapassei-o em volume e em força. Fui fazendo assim e por fim cessou o clamor.

Era agora meia-noite e meu serviço chegara ao fim. Completara a oitava, a nona e a décima camadas. Tinha acabado uma porção desta última e décima primeira. Faltava apenas uma pedra a ser colocada e argamassada. Carreguei-a com dificuldade por causa do peso. Coloquei-a, em parte, na posição devida. Mas então irrompeu de dentro do nicho uma enorme gargalhada que me fez eriçar os cabelos. Seguiu-se-lhe uma voz lamentosa, que tive dificuldade em reconhecer como a do nobre Fortunato. A voz dizia:

– Ah, ah, ah!... Eh, eh, eh! Uma troça bem boa de fato... uma excelente pilhéria! Haveremos de rir a bandeiras despregadas lá no palácio... eh, eh, eh!... a respeito desse vinho... eh, eh, eh!

– O amontillado! – exclamei eu.

– Eh, eh, eh!... Eh, eh, eh!... Sim... o amontillado! Mas... já não será tarde? Já não estarão esperando por nós no palácio... minha mulher e os outros? Vamos embora!

– Sim – disse eu. – Vamos embora.

– Pelo amor de Deus, Montresor!

– Sim – disse eu. – Pelo amor de Deus!

Aguardei debalde uma resposta a estas palavras. Impacientei-me. Chamei em voz alta:

– Fortunato!

Nenhuma resposta. Chamei de novo:

– Fortunato!

Nenhuma resposta ainda. Lancei uma tocha através da abertura remanescente e deixei-a cair lá dentro. Como resposta ouvi apenas o tinir dos guizos. Senti um aperto no coração... devido talvez à umidade das catacumbas. Apressei-me em terminar meu trabalho. Empurrei a última pedra em sua posição. Argamassei-a. Contra a nova parede reergui a velha muralha de ossos. Já faz meio século que mortal algum os remexeu. *In pace requiescat!*

HOP-FROG[47]

Jamais conheci alguém que fosse tão vivamente dado a brincadeiras como o rei. Parecia viver apenas para troças. Contar uma boa história de gênero jocoso, e contá-la bem, era o caminho mais seguro para ganhar-lhe as boas graças. Por isso acontecia que seus sete ministros eram todos notáveis por sua perícia na arte da pilhéria. Todos se pareciam com o rei, também, por serem grandes, corpulentos e gordos, bem como inimitáveis farsistas. Se é a brincadeira que faz engordar ou se há algo na própria gordura que predispõe à pilhéria, nunca fui capaz de determiná-lo totalmente, mas o certo é que um trocista magro é uma *rara avis in terris*.

Quanto às sutilezas – ou, como ele as chamava, o "espectro" do talento –, pouco se incomodava o rei com elas. Tinha admiração especial pela *largura* numa pilhéria e a digeria em *comprimento* por amor a ela. As coisas demasiado delicadas o aborreciam. Teria dado

47 Publicado pela primeira vez em The Flag of Our Union, *17 de março de 1849. Título original:* Hop-Frog or The Eight Chained Ora Ng-Outangs.

preferência ao *Gargantua* de Rabelais, em lugar do *Zadig* de Voltaire, e, sobretudo, as piadas de ação satisfaziam-lhe muito melhor o gosto que as verbais.

Na data de minha narrativa os bobos profissionais não estavam totalmente fora de moda na corte. Muitas das grandes "potências" continentais mantinham ainda seus "bobos" que usavam traje de palhaço com carapuças de guizos e cuja obrigação era estarem sempre prontos, com agudos chistes, a qualquer instante, em troca das migalhas caídas da mesa real.

Nosso rei, como é natural, mantinha seu "bobo". O fato é que ele *sentia a necessidade* de algo, no gênero da loucura, sem falar de si mesmo, que contrabalançasse a pesada sabedoria dos sete sábios, seus ministros.

Seu "bobo", ou jogral profissional, não era, porém, apenas um bobo. Seu valor triplicava-se, aos olhos do rei, pelo fato de ser também anão e coxo. Os anões eram, naquele tempo, tão comuns nas cortes como os bobos, e vários monarcas teriam achado difícil passar o tempo (o tempo é muito mais lento de passar nas cortes que em qualquer outra parte) sem um truão que os fizesse rir e sem um anão de quem rissem. Mas, como já observei, noventa e nove por cento dos truões são gordos, redondos e pesadões, de sorte que o nosso rei muito se orgulhava de possuir um Hop-Frog (tal era o nome do "bobo"), tríplice tesouro numa só pessoa.

Acredito que o nome de Hop-Frog[48] *não* fosse o que lhe deram seus padrinhos de batismo, mas lhe fora conferido, por consenso dos sete sábios, por causa de sua impossibilidade de caminhar como os outros homens. De fato, Hop-Frog podia mover-se apenas por meio duma espécie de passo interjetivo – algo entre um pulo e uma contorção –, um movimento que provocava ilimitada diversão e, sem dúvida, consolo ao rei, pois (não obstante a protuberância de sua pança e o inchaço estrutural da cabeça) o rei era tido por toda a sua corte como um sujeito bonito.

---

48 Hop, *salto*; frog, *rã*. *(N.T.)*

Mas, embora Hop-Frog, em consequência da distorção de suas pernas, só se pudesse mover com grande esforço e dificuldade por uma estrada ou pavimento, a prodigiosa força muscular de que a natureza parecia ter dotado seus braços, a título de compensação, pela deficiência das pernas curtas, capacitava-o a executar muitas proezas de maravilhosa destreza, quando se tratava de árvores ou cordas, ou qualquer coisa onde se pudesse trepar. Em tais exercícios parecia-se certamente muito mais com um esquilo ou com um macaquinho do que com uma rã.

Não sou capaz de dizer, com precisão, de que país era originário Hop-Frog. Era de alguma região bárbara, porém, de que ninguém jamais ouvira falar, a vasta distância da corte do nosso rei. Hop-Frog e uma mocinha, pouco menos anã do que ele (embora de corpo bem-proporcionado e maravilhosa dançarina), tinham sido arrancados, à força, dos respectivos lares, em províncias limítrofes, e enviados como presentes ao rei por algum de seus sempre vitoriosos generais.

Em tais circunstâncias, não é de admirar que estreita intimidade surgisse entre os dois pequenos cativos. De fato, em breve se tornaram amigos jurados. Hop-Frog, que, embora não se poupasse nas suas artes de jogral, não gozava de popularidade alguma, poucos serviços podia prestar a Tripetta. Ela, porém, por causa de sua graça e estranha beleza (embora anã), era por todos admirada e mimada, de modo que possuía bastante prestígio e nunca deixava de usá-lo, quando podia, em benefício de Hop-Frog.

Em certa ocasião de imponente solenidade – não me recordo qual – resolveu o rei dar um baile de máscaras. E, quando um baile de máscaras ou qualquer outra festa dessa natureza ocorria na nossa corte, então, tanto os talentos de Hop-Frog como os de Tripetta eram seguramente solicitados. Especialmente Hop-Frog era tão imaginoso em matéria de organizar cortejos, sugerir novas fantasias e arranjar trajes para bailes de máscaras, que nada se podia fazer, ao que parece, sem seu auxílio.

Chegara a noite marcada para a festa. Um magnífico salão fora adaptado, sob a direção de Tripetta, com todas as espécies de adorno que pudessem dar brilho à mascarada. Toda a corte se agitava em febril expectativa. Quanto aos trajes e papéis, era de supor-se que cada qual havia feito sua escolha em tal assunto. Muitos já haviam determinado os *papéis* que desempenhariam com uma semana, ou mesmo um mês, de antecedência e, de fato, não havia a menor indecisão da parte de ninguém... exceto quanto ao rei e seus sete ministros. O motivo dessa hesitação jamais saberia eu dizê-lo, a não ser que assim fizessem por brincadeira. O mais provável é que achassem difícil, por serem tão gordos, arranjar uma ideia aproveitável. Seja como for, o tempo corria e, como último recurso, mandaram chamar Tripetta e Hop-Frog.

Quando os dois amiguinhos obedeceram às ordens do rei, acharam-no sentado, a tomar vinho, em companhia dos sete membros de seu gabinete de conselho; mas o monarca mostrava estar com bastante mau humor. Sabia que Hop-Frog não gostava de vinho, pois excitava o pobre coxo quase até a loucura, e a loucura não é um sentimento muito confortável. Mas o rei gostava de suas pilhérias efetivas e divertia-se em obrigar Hop-Frog a beber e, como dizia o rei, "a ficar alegre".

– Venha cá, Hop-Frog – disse ele, quando o jogral e sua amiga entraram na sala. – Beba este copázio à saúde de seus amigos ausentes... (aqui Hop-Frog suspirou) e depois nos favoreça com os benefícios de sua imaginativa. Precisamos de tipos... de *tipos,* homem... Algo de novo, fora do comum... algo raro. Estamos cansados dessa eterna mesmice. Vamos, beba! O vinho lhe esclarecerá as ideias.

Hop-Frog tentou, como de costume, lançar uma pilhéria em resposta às propostas do rei, mas o esforço foi demasiado. Acontecia ser aquele o dia do aniversário do pobre anão e a ordem de beber "à saúde de seus amigos ausentes" enchera-lhe os olhos de lágrimas. Grandes e amargas gotas de pranto caíram na taça, quando a tomou, humildemente, da mão do tirano.

– Ah, ah, ah, ah! – berrou o rei, ao ver o anão esvaziar o copo, com repugnância. – Veja o que pode fazer um bom copo de vinho! Ora, seus olhos já estão brilhando!

Pobre coitado! Seus grandes olhos *chispavam* mais do que brilhavam, pois o efeito do vinho sobre seu cérebro excitável era tão poderoso quanto instantâneo. Colocou a taça nervosamente sobre a mesa e olhou em redor para todos os presentes, com um olhar semilouco. Todos pareciam altamente divertidos com o êxito da *pilhéria* do rei.

– E agora vamos ao que serve – disse o primeiro-ministro, um sujeito gordíssimo.

– Sim – disse o rei. – Vamos, Hop-Frog, ajude-nos. Tipos, meu belo rapaz! Estamos precisando de fantasias típicas, todos nós... Ah, ah, ah!

E como isso pretendesse seriamente ser uma pilhéria, sua risada foi repetida em coro pelos sete.

Hop-Frog também riu, embora fracamente e de maneira um tanto distraída.

– Vamos, vamos! – disse o rei, com impaciência. – Não tem nada a sugerir?

– Estou procurando pensar em algo de *novo* – respondeu o anão, com ar abstrato, pois estava completamente transtornado pelo vinho.

– Procurando! – gritou o tirano ferozmente. – Que quer você dizer com isso? Ah! Percebo. Você está de mau humor e quer mais vinho. Aqui está, beba este!

Encheu outra taça e ofereceu-a ao coxo, que a olhou e se pôs a ansiar, sem fôlego.

– Beba, estou lhe dizendo – urrou o monstro –, ou então, pelos diabos que...

O anão hesitava. O rei ficou rubro de raiva. Os cortesãos sorriam afetadamente. Tripetta, pálida como um cadáver, adiantou-se até a cadeira do monarca e, caindo de joelhos diante dele, implorou-lhe que poupasse seu amigo.

O tirano olhou-a alguns instantes, com evidente espanto diante de sua audácia. Parecia totalmente sem saber o que fazer ou dizer... nem como exprimir sua indignação da maneira mais adequada. Por fim, sem dizer uma palavra, empurrou-a violentamente para longe de si e jogou-lhe o conteúdo da taça cheia no rosto.

A pobre moça levantou-se como pôde e, sem mesmo ousar suspirar, retomou sua posição ao pé da mesa.

Por meio minuto reinou um silêncio mortal durante o qual a queda duma folha ou duma pena poderia ter sido ouvida. Foi interrompido por um som baixo, porém áspero e irritantemente prolongado, que parecia provir de todos os cantos da sala.

– Por que... por que... por que você está fazendo esse barulho? – perguntou o rei, voltando-se furioso para o anão.

Este parecia ter dominado, em grande parte, sua embriaguez, e, olhando fixa, mas sossegadamente, o rosto do tirano, disse simplesmente:

– Eu, eu? Como poderia ter sido eu?

– O som me pareceu vir de fora – observou um dos cortesãos. – Creio que foi o papagaio na janela, afiando o bico nas varetas da gaiola.

– É verdade – disse o monarca, como se essa sugestão o houvesse aliviado bastante. – Mas, pela honra de um cavalheiro, poderia ter jurado que era o ranger dos dentes desse vagabundo.

Nisto o anão riu (o rei era um farsista chapado para que se agastasse com a risada de alguém) exibindo uma fileira de dentes grandes, fortes e bastante repulsivos. Além disso, declarou estar completamente disposto a beber tanto vinho quanto se quisesse. O monarca acalmou-se e, tendo engolido outro copázio, com não muito perceptível mau efeito, Hop-Frog começou logo, e com vivacidade, a expor seus planos para a mascarada.

– Não sei explicar por que associação de ideias – observou ele, bem tranquilo, e como se nunca houvesse provado vinho em sua vida –, mas *justamente* depois que Vossa Majestade empurrou a moça e lançou-lhe o vinho na cara, *justamente depois* que Vossa Majestade fez isto, e enquanto o papagaio fazia aquele estranho barulho lá fora, na janela, veio-me ao espírito a ideia duma extraordinária diversão, uma das brincadeiras de minha própria terra, muitas vezes executada entre nós nas nossas mascaradas, mas que aqui será inteiramente nova. Infelizmente, porém, requer um grupo de oito pessoas, e...

– Aqui *estamos*! – gritou o rei, rindo de sua sutil descoberta da coincidência. – Oito, justinho: eu e meus sete ministros! Vamos! Qual é a diversão?

– Nós a chamamos – respondeu o coxo – os "Oito Orangotangos Acorrentados", e é, realmente, uma excelente brincadeira, quando bem representada.

– *Nós* a representaremos – observou o rei, levantando-se e baixando as pálpebras.

– A beleza da troça – continuou Hop-Frog – está no medo que causa às mulheres.

– Excelente! – berraram, em coro, o monarca e seu ministério.

– Eu vos fantasiarei de orangotangos – continuou o anão. – Deixai tudo por minha conta. A semelhança será tão completa que os mascarados tomar-vos-ão por verdadeiros animais e, sem dúvida, ficarão tão aterrorizados quanto espantados.

– Oh, isso é extraordinário! – exclamou o rei. – Hop-Frog, farei de você um homem!

– As correntes são para o fim de aumentar a confusão com seu entrechocar-se. Supõe-se que vos escapastes, *en masse*, das mãos dos guardas. Vossa Majestade não pode imaginar o efeito produzido, num baile de máscaras, por oito orangotangos acorrentados, que a maior parte dos convivas julgará serem verdadeiros, a correr, dando gritos selvagens, em meio da multidão de homens e mulheres, refinada e esplendidamente trajados. O *contraste* não tem igual.

– E *não terá* mesmo! – disse o rei, e o conselho foi suspenso apressadamente (pois já se fazia tarde) para pôr em execução o plano de Hop-Frog.

Sua maneira de arranjar o grupo como orangotangos foi muito simples, mas bastante eficiente, para os fins que tinha em vista. Os animais em questão tinham, na época de minha história, sido mui raramente vistos em qualquer parte do mundo civilizado, e, como as imitações feitas pelo anão eram suficientemente parecidas com animais e mais do que suficientemente horrendas, sua semelhança com o original julgava-se estar assim assegurada.

O rei e seus ministros foram, primeiramente, metidos em camisas e ceroulas de elástico bem apertadas. Depois foram bem lambuzados com breu. Nesse ponto da operação, alguém do grupo sugeriu o emprego de penas; mas a sugestão foi imediatamente rejeitada pelo anão, que logo convenceu os oito, com demonstração ocular, que o cabelo dum animal como o orangotango era muito mais eficientemente representado pelo linho. Em consequência, foi estendida espessa camada dele sobre a camada de breu. Procurou-se depois comprida corrente. Primeiro, passaram-na em redor da cintura do rei, *prendendo-o*; depois em redor de outro membro do grupo, também preso; e por fim, em redor de todos, sucessivamente, do mesmo modo. Quando todo esse arranjo da cadeia foi terminado e cada um do grupo ficava o mais afastado possível do outro, formaram eles um círculo, e, para fazer todas as coisas parecerem naturais, Hop-Frog passou as pontas da corrente através do círculo, em dois diâmetros, em ângulos retos, de acordo com o método adotado nos dias que correm pelos que caçam chimpanzés ou outros grandes símios em Bornéu.

O enorme salão em que se realizaria o baile de máscaras era um aposento circular, muito elevado, recebendo a luz do sol somente por uma janela no teto. À noite (ocasião para a qual o aposento fora especialmente destinado) era ele iluminado principalmente por um enorme candelabro pendente de uma corrente no centro da claraboia, e abaixado ou levantado, por meio de um contrapeso, como de costume; mas (a fim de não parecer destoante) este último passava por fora da cúpula e sobre o forro.

A decoração do aposento fora deixada a cargo de Tripetta; mas, em alguns pormenores, parece, fora ela orientada pela opinião mais serena de seu amigo, o anão. Fora por sugestão deste que, dessa vez, se removera o candelabro. Seus respingos de cera (que em tempo tão cálido era impossível evitar) teriam sido seriamente danosos para as ricas vestes dos convidados, que, na previsão de achar-se o salão apinhado, não poderiam evitar-lhe o centro, isto é, sair de debaixo do candelabro. Novos castiçais foram colocados em várias partes do salão, fora do espaço destinado às pessoas, e um archote emitindo suave odor foi posto na mão direita de cada uma das cariátides que se fixavam à parede, ao todo cerca de cinquenta ou sessenta.

Os oito orangotangos, seguindo o conselho de Hop-Frog, esperaram pacientemente até a meia-noite (quando o salão estava completamente repleto de mascarados) para apresentar-se. Nem bem cessara o relógio de bater, porém, irromperam eles – ou melhor, rolaram todos juntos para dentro da sala, pois as correntes, dificultando-lhes os movimentos, fizeram com que muitos do grupo caíssem e todos entrassem aos tropeções.

A agitação entre os mascarados foi prodigiosa e encheu de prazer o coração do rei. Como fora previsto, não poucos dos convivas supuseram serem aquelas criaturas, de feroz catadura, animais de *alguma* espécie, na realidade, senão precisamente orangotangos. Muitas das mulheres desmaiaram de terror, e não houvesse tido o rei a precaução de proibir armas no salão, seu grupo logo teria expiado com sangue aquela pilhéria. Assim, houve uma correria geral em direção das portas; mas o rei ordenara que elas fossem aferrolhadas logo depois de sua entrada, e, por sugestão do anão, as chaves ficaram em mãos deste.

Quando o tumulto estava no auge e cada mascarado só atentava para a própria salvação (pois havia, de fato, um perigo muito *real*, no aperto da multidão excitada), a corrente da qual pendia comumente o candelabro e que fora puxada ao ser aquele removido poderia ter sido vista descer até que sua ponta em gancho chegasse a quase um metro do soalho.

Logo depois disso, o rei e seus sete amigos, que haviam rodado pelo salão em todas as direções, encontraram-se, afinal, no centro do aposento e, naturalmente, em estreito contato com a corrente. Enquanto assim estavam, o anão, que lhes marchava, silenciosamente, nos calcanhares, incitando-os a manterem a agitação, agarrou as correntes que os prendiam na interseção das duas partes que cruzavam o círculo diametralmente e em ângulos retos. Nesse ponto, com a rapidez do pensamento, inseriu o gancho do qual costumava pender o candelabro; e num momento, como que por um meio invisível, a corrente do candelabro foi subida o bastante para que o gancho ficasse fora do alcance e, como inevitável consequência, arrastou os orangotangos juntos, uns encostados nos outros e face a face.

Os mascarados, a esse tempo, haviam se recobrado de algum modo de seu alarma e, começando a encarar todo o caso como uma pilhéria bem arquitetada, desataram em gargalhadas ante a situação dos macacos.

– Deixem-nos por *minha* conta! – berrou então Hop-Frog, cuja voz penetrante se ouvia dominando o tumulto. – Deixem-nos por *minha* conta! Creio que os conheço! Se puder dar-lhes uma boa olhadela, *poderei* dizer logo quem são!

Então, subindo sobre as cabeças dos convivas, conseguiu alcançar a parede; aí, arrancando um archote de uma das cariátides, voltou, como fora, para o centro do salão, saltou com a agilidade de um mono para cima da cabeça do rei, daí subiu uns poucos pés pela corrente, segurando a tocha, para examinar o grupo de orangotangos e berrando ainda:

– Descobrirei logo quem são eles!

E então, enquanto todos os presentes (incluídos os macacos) se contorciam de riso, o jogral, de súbito, emitiu um assovio agudo, e a corrente subiu violentamente, a cerca de nove metros, carregando consigo os aterrorizados orangotangos, a debaterem-se, e deixando-os suspensos no meio do espaço, entre o forro e a claraboia. Hop-Frog, agarrando-se à corrente quando esta subia, mantinha ainda sua posição em relação aos oito mascarados e ainda (como se nada tivesse acontecido) continuava a passear o archote por baixo deles, tentando descobrir quem eram.

Tão completamente atônitos ficaram todos ante aquela ascensão que se fez um silêncio mortal de cerca de um minuto. Quebrou-o um som rouco, surdo, *irritante*, igual ao que antes atraíra a atenção do rei e de seus conselheiros quando aquele atirara o vinho à face de Tripetta. Mas naquela ocasião não podia haver dúvida sobre *de onde* o som partia. Vinha dos dentes, em forma de presas, do anão, que os rangia furiosamente, com a boca a espumejar, ao mesmo tempo que fitava, com expressão de louca ira, as faces erguidas do rei e de seus sete companheiros.

– Ah, ah, ah! – disse, por fim, o furioso bufão. – Ah, ah, ah! Começo agora a ver quem *é* esta gente!

E aí, fingindo examinar o rei mais de perto, encostou o archote ao vestuário de linho que o envolvia e que imediatamente se tornou num lençol de vivas chamas. Em menos de meio minuto todos os oito orangotangos ardiam furiosamente, entre os gritos da multidão, que os contemplava de baixo, horrorizada e sem poder prestar-lhes o mais leve socorro.

Por fim as chamas, crescendo subitamente de violência, forçaram o truão a subir mais alto pela corrente, a fim de colocar-se fora do alcance delas; e, ao fazer tal movimento, de novo, todos, por um breve instante, mergulharam no silêncio. O anão aproveitou essa oportunidade e mais uma vez falou:

– Agora vejo *distintamente* – disse ele – que espécie de gente são estes mascarados. São eles um grande rei e seus sete conselheiros particulares. Um rei que não tem escrúpulos em espancar uma moça indefesa e seus sete conselheiros, que lhe encorajam as violências. Quanto a mim, sou simplesmente Hop-Frog, o truão... e esta *é a minha última truanice.*

Em consequência da alta combustibilidade tanto do linho como do breu a ele aderido, nem bem o anão findara seu breve discurso e já a obra da vingança estava terminada. Os oito cadáveres balançavam-se nas correntes, massa fétida, enegrecida, horripilante, indistinguível. O coxo atirou-lhes o archote, subiu sem empecilhos para o teto e desapareceu pela claraboia.

Supõe-se que Tripetta, ficando no forro do salão, tenha sido a cúmplice de seu amigo em sua incendiária vingança e que, juntos, tenham fugido para sua terra, pois nenhum deles jamais foi visto de novo.

O CORVO

Numa meia-noite agreste, quando eu lia, lento e triste,
Vagos, curiosos tomos de ciências ancestrais,
E já quase adormecia, ouvi o que parecia
O som de alguém que batia levemente a meus umbrais.
"Uma visita", eu me disse, "está batendo a meus umbrais.
É só isto, e nada mais."

Ah, que bem disso me lembro! Era no frio Dezembro,
E o fogo, morrendo negro, urdia sombras desiguais.
Como eu qu'ria a madrugada, toda a noite aos livros dada
Pra esquecer (em vão!) a amada, hoje entre hostes celestiais –
Essa cujo nome sabem as hostes celestiais,
Mas sem nome aqui jamais!

Como, a tremer frio e frouxo, cada reposteiro roxo
Me incutia, urdia estranhos terrores nunca antes tais!
Mas, a mim mesmo infundido força, eu ia repetindo,

"É uma visita pedindo entrada aqui em meus umbrais;
Uma visita tardia pede entrada em meus umbrais.
É só isto, e nada mais."

E, mais forte num instante, já nem tardo ou hesitante,
"Senhor", eu disse, "ou senhora, decerto me desculpais;
Mas eu ia adormecendo, quando viestes batendo,
Tão levemente batendo, batendo por meus umbrais,
Que mal ouvi..." – E abri largos, franqueando-os, meus umbrais.
Noite, noite e nada mais.

A treva enorme fitando, fiquei perdido receando,
Dúbio e tais sonhos sonhando que os ninguém sonhou iguais.
Mas a noite era infinita, a paz profunda e maldita,
E a única palavra dita foi um nome cheio de ais –
Eu o disse, o nome dela, e o eco disse aos meus ais.
Isso só e nada mais.

Para dentro estão volvendo, toda a alma em mim ardendo,
Não tardou que ouvisse novo som batendo mais e mais.
"Por certo", disse eu, "aquela bulha é na minha janela.
Vamos ver o que está nela, e o que são estes sinais."
Meu coração se distraía pesquisando estes sinais.
"É o vento, e nada mais."

Abri então a vidraça, e eis que, com muita negaça,
Entrou grave e nobre um corvo dos bons tempos ancestrais.
Não fez nenhum cumprimento, não parou nem um momento,
Mas com ar solene e lento pousou sobre os meus umbrais,
Num alvo busto de Atena que há por sobre meus umbrais,
Foi, pousou, e nada mais.

E esta ave estranha e escura fez sorrir minha amargura
Com o solene decoro de seus ares rituais.
"Tens o aspecto tosquiado", disse eu, "mas de nobre e ousado,

Ó velho corvo emigrado lá das trevas infernais!
Dize-me qual o teu nome lá nas trevas infernais."
Disse o corvo, "Nunca mais".

Pasmei de ouvir este raro pássaro falar tão claro,
Inda que pouco sentido tivessem palavras tais.
Mas deve ser concedido que ninguém terá havido
Que uma ave tenha tido pousada nos meus umbrais,
Ave ou bicho sobre o busto que há por sobre seus umbrais,
Com o nome "Nunca mais".

Mas o corvo, sobre o busto, nada mais dissera, augusto,
Que essa frase, qual se nela a alma lhe ficasse em ais.
Nem mais voz nem movimento fez, e eu, em meu pensamento
Perdido, murmurei lento, "Amigo, sonhos – mortais
Todos – todos já se foram. Amanhã também te vais".
Disse corvo, "Nunca mais".

A alma súbito movida por frase tão bem cabida,
"Por certo", disse eu, "são estas vozes usuais,
Aprendeu-as de algum dono, que a desgraça e o abandono
Seguiram até que o entono da alma se quebrou em ais,
E o bordão de desesp'rança de seu canto cheio de ais.
Era este "Nunca mais".

Mas, fazendo inda a ave escura sorrir a minha amargura,
Sentei-me defronte dela, do alvo busto e meus umbrais;
E, enterrado na cadeira, pensei de muita maneira
Que qu'ria esta ave agoureira dos maus tempos ancestrais,
Esta ave negra e agoureira dos maus tempos ancestrais.
Com aquele "Nunca mais".

Comigo isto discorrendo, mas nem sílaba dizendo
À ave que na minha alma cravava os olhos fatais,
Isto e mais ia cismando, a cabeça reclinando

No veludo onde a luz punha vagas sobras desiguais,
Naquele veludo onde ela, entre as sobras desiguais,
Reclinar-se-á nunca mais!

Fez-se então o ar mais denso, como cheio dum incenso
Que anjos dessem, cujos leves passos soam musicais.
"Maldito!", a mim disse, "deu-te Deus, por anjos concedeu-te
O esquecimento; valeu-te. Toma-o, esquece, com teus ais,
O nome da que não esqueces, e que faz esses teus ais!"
Disse o corvo, "Nunca mais".

"Profeta", disse eu, "profeta – ou demônio ou ave preta!
Fosse diabo ou tempestade quem te trouxe a meus umbrais,
A este luto e este degredo, a esta noite e este segredo,
A esta casa de ânsia e medo, dize a esta alma a quem atrais
Se há um bálsamo longínquo para esta alma a quem atrais!
Disse o corvo, "Nunca mais".

"Profeta", disse eu, "profeta – ou demônio ou ave preta!
Pelo Deus ante quem ambos somos fracos e mortais.
Dize a esta alma entristecida se no Éden de outra vida
Verá essa hoje perdida entre hostes celestiais,
Essa cujo nome sabem as hostes celestiais!"
Disse o corvo, "Nunca mais".

"Que esse grito nos aparte, ave ou diabo!", eu disse. "Parte!
Torna à noite e à tempestade! Torna às trevas infernais!
Não deixes pena que ateste a mentira que disseste!
Minha solidão me reste! Tira-te de meus umbrais!
Tira o vulto de meu peito e a sombra de meus umbrais!"
Disse o corvo, "Nunca mais".

E o corvo, na noite infinda, está ainda, está ainda
No alvo busto de Atena que há por sobre os meus umbrais.
Seu olhar tem a medonha cor de um demônio que sonha,

E a luz lança-lhe a tristonha sombra no chão há mais e mais,
E a minh'alma dessa sombra, que no chão há mais e mais,
Libertar-se-á... nunca mais!

TRADUÇÃO DE
FERNANDO PESSOA

SOBRE O AUTOR

Edgar Allan Poe nasceu em 19 de janeiro de 1809, em Boston, Estados Unidos, filho dos atores David Poe Jr. e Elizabeth Arnold Hopkins Poe. Um dos criadores do conto moderno, Poe teve uma vida atribulada. Seu pai abandonou a família e em 1811 sua mãe faleceu. Poe foi criado por Francis Allan e o marido, John Allan, de quem adotou o nome. Em busca de estabilidade financeira, trabalhou em jornais e revistas de diversas cidades americanas, nos quais publicou grande parte de seus textos. Entre suas principais obras estão os contos de terror e mistério aqui incluídos, influência decisiva para a consolidação do gênero, contos filosóficos – como "William Wilson" e "O homem das multidões" – e poemas, como o clássico "O corvo". Poe morreu aos quarenta anos, em 1849, em Baltimore, no estado americano da Virgínia.

DIREÇÃO EDITORIAL
Daniele Cajueiro

EDITORA RESPONSÁVEL
Ana Carla Sousa

PRODUÇÃO EDITORIAL
Adriana Torres
Mariana Bard
Laiane Flores

REVISÃO
Alessandra Volkert
Carolina Leocadio
Eduardo Carneiro

PROJETO GRÁFICO DE MIOLO
E DIAGRAMAÇÃO
Anderson Junqueira

Este livro foi impresso em 2020
para a Nova Fronteira.